27.85

APRÈS JÉSUS

Le ministère chez les premiers chrétiens

Ce logo mérite une explication. Son objet est d'alerter le lecteur sur la menace que représente pour l'avenir de l'écrit, tout particulièrement dans le domaine du religieux, le développement massif du photocopillage.

Le code de la propriété intellectuelle du 1er juillet 1992 interdit en effet expressément la photocopie à usage collectif sans autorisation des ayants droit. Or, cette pratique s'est généralisée dans les établissements d'enseignement supérieur, provoquant une baisse brutale des achats de livres, au point que la possibilité même pour les auteurs de créer des œuvres nouvelles et de les faire éditer correctement est aujourd'hui menacée.

Nous rappelons donc que toute reproduction, partielle ou totale, du présent ouvrage est interdite sans autorisation de l'auteur, de son éditeur ou du Centre français d'exploitation du droit de copie (CFC, 3, rue d'Hautefeuille, 75006 Paris).

CHARLES PERROT

APRÈS JÉSUS

Le ministère chez les premiers chrétiens

Les Editions Ouvrières
12 avenue Sœur Rosalie
75013 Paris

INTRODUCTION

Le ministère chrétien demeure une question brûlante[1]. Il y va de la vie de l'Église. L'espoir d'un renouveau des vocations demeure vif, soutenu par la foi qui anime les chrétiens en la force de l'Esprit Saint. Une certaine inquiétude n'en demeure pas moins. Sans deviner l'avenir, chacun pressent des changements en perspective, qui dépassent la question du célibat des prêtres latins par exemple. C'est le principe même du ministère et des modalités de son exercice, devenues parfois insaisissables, qui est maintenant sur la sellette. Si la foi chrétienne apparaît comme en suspens chez beaucoup de nos contemporains, comment en serait-il autrement de la perception même de ce ministère bâti tout entier sur la proclamation de cette foi ? Comment ne pas reconnaître aussi un certain décalage entre l'exercice concret du ministère des prêtres et les réalités du monde d'aujourd'hui, au point d'inquiéter certains prêtres, avec la venue de l'âge surtout, sur le sens de leur vie et de leur action pastorale ? La figure du prêtre paraît alors comme éclatée, tant la charge ministérielle semble perdre de son unité.

Précisons quelque peu. Comment honorer aujourd'hui la triple dimension d'un ministère où s'entremêlent la parole, le service liturgique et la conduite pastorale ? On reconnaît ici la distinction classique, héritée de Philon, le philosophe et dirigeant juif d'Alexandrie au premier siècle de notre ère, quand il l'appliquait à Moïse, prêtre, prophète et roi. On parle en conséquence des pouvoirs de sanctification (sacerdotale), de prédication (prophétique) et de gouvernement (royal). Mais comment faire face à des exigences aussi diverses ? Plus encore, jusqu'à quel point cette division, assurément commode et féconde depuis l'époque patristique qui l'a reprise directement de Philon, recoupe-t-elle vraiment les données sur le ministère, du

---

1. On trouvera un choix bibliographique exégétique à la fin de cet ouvrage. Voir aussi la bibliographie ramassée par Simon Légasse dans le livre de Hermann Hauser, *L'Église à l'âge apostolique* (Lectio Divina 164), Le Cerf, Paris, 1996, p. 175-185.

moins celles puisées dans le Nouveau Testament ? Les éléments
scripturaires, ou plutôt les traces qui en restent, ne donnent-ils pas
plutôt l'impression d'une sorte d'éclatement entre ces divers rôles ?
Dans les écrits pauliniens en particulier, l'office de régence ou de
gouvernement n'apparaît pas toujours lié à l'exercice de la parole, et
la charge presbytérale, dite sacerdotale, semble comme en rupture
par rapport au sacerdoce du Temple.

Par ailleurs, selon les textes du Magistère, l'identité spécifique
du prêtre diocésain serait de participer au sacerdoce unique et
souverain du Christ, en tant que coopérateur des évêques. Mais
pourquoi ce point n'apparaît-il pas dans le Nouveau Testament ? Et
comment définir une identité spécifique à partir d'une charge qui ne
serait qu'auxiliaire ? Comment définir qui l'on *est*, à partir seulement
de ce que l'on est plus ou moins habilité à faire, sinon parfois à titre
de suppléance seulement comme dans le cas de certains ministères
octroyés à des fidèles dit laïcs ? Suffit-il d'en appeler seulement à une
coopération au travail des évêques, reliée de quelque manière à une
coopération plus essentielle encore au sacerdoce même du Christ,
l'unique prêtre et pasteur ? Mais jusqu'à quel point ce langage relève-
t-il de l'Écriture ? Achevons cette série de questions, allant un peu en
tout sens. Par exemple, comment situer le ministère presbytéral par
rapport aux autres rôles, fonctions et ministères qui cherchent leur
voie propre dans l'Église d'aujourd'hui ? Pensons au ministère des
diacres permanents aux fonctions variées et parfois peu définies, et
à bien à d'autres rôles remplis par les croyants, hommes et femmes,
devenus maintenant nécessaires à la vie et à l'organisation des
églises.

Dans les pages qui suivent il ne sera pas question de s'engager
dans une discussion proprement théologique sur les questions susdites. Le présent travail reste exégétique, et non pas directement
théologique. On ne saurait cependant masquer le décalage existant
entre le langage néotestamentaire, répercuté dans l'exégèse courante
d'aujourd'hui, et de nombreuses déclarations magistérielles, héritées
d'une haute tradition théologique. Sans doute est-ce de soi inévitable,
car les situations sont différentes selon les lieux et les temps. Ce qui
légitime plus encore le travail exégétique et celui de l'historien de la
théologie, tant le *sensus ecclesiae,* dans son bon sens enraciné dans
la foi de l'Église, continue d'affirmer l'unité fondamentale des représentations du ministère au long de l'histoire chrétienne, par-delà les

discontinuités apparentes des discours successifs sur le sujet. Comme le déclarait saint Irénée, il importe de respecter « l'économie [des temps] du salut », en sachant historiquement situer ces continuels déplacements de sens touchant la figure du ministère chrétien, et cela, au sein même des discours les plus autorisés, toujours énoncés en fonction de leur époque. L'histoire traverse la théologie, et la théologie ne peut plus se dispenser de l'histoire.

Les lignes qui suivent ne sauraient répondre à des questions aussi considérables dans leur ampleur théologique et pastorale. De nombreux écrits pontificaux et autres, à commencer par le document conciliaire *Presbyterorum Ordinis*, continuent de porter solidement la réflexion d'aujourd'hui[2]. Ce qui n'empêche pas une certaine ambiguïté, par exemple dans l'usage du mot *ministère*, au singulier ou au pluriel, avec des sens différents selon le cas. Cette relative équivoque se glisse jusque dans l'emploi des mots tels que *presbytérat* et *sacerdoce*, considérés ou presque comme interchangeables. À moins que certains ne préfèrent les opposer entre eux à la manière d'un étendard : le presbytérat *ou* le sacerdoce, le ministère *presbytéral* ou le *sacerdoce* ministériel. Au sein de ces discussions des années 1970 à 80 surtout, déjà en train de s'éteindre, notre contribution se limitera à un regard exégétique qui n'en aborde pas moins une question réelle : comment se fait-il que le Nouveau Testament ne parle ni du sacerdoce ministériel ni du ministère sacerdotal, du moins à la façon d'aujourd'hui ? D'une manière plus naïve encore, on ne voit guère les Apôtres ou les ministres dont parle le Nouveau Testament en train de « dire leur messe » ! Pourquoi un tel écart et qu'en est-il donc de ce ministère dans le cadre des premières communautés chrétiennes ? Quelle en est la pointe ou la force vive ?

Une réponse de type exégétique se présente d'emblée comme partielle et limitée par rapport à une interrogation historique et théologique plus ample dans le cadre d'une tradition maintenant bimillénaire. Faut-il ajouter que ces pages cherchent davantage à déployer historiquement des dossiers considérables et difficiles, plutôt qu'à offrir des solutions « clefs en main » ? Une recherche fondamentale peut cependant provoquer un certain déplacement du regard

---

2. Voir la traduction française « Ministère et vie des prêtres », *Documents Conciliaires 4*, Centurion, Paris, 1966, p. 157-239. Sur les textes du Magistère et d'autres ouvrages théologiques et spirituels, voir la bibliographie, p. 267.

sur des questions théologiques et pastorales qui semblent parfois s'engager dans l'impasse.

Mais pourquoi parler encore des ministères ? De nombreux travaux exégétiques ont déjà abordé le sujet, avant comme après le livre collectif, produit en 1973 sous la direction de Jean Delorme : *Le ministère et les ministères selon le Nouveau Testament*[3]. De nombreuses pages de cet ouvrage demeurent pleines d'intérêt. Pour se limiter aux livres récents de langue française, signalons qu'en 1996, Hermann Hauser vient de publier un travail bien informé et synthétique sur le sujet : *L'Église à l'âge apostolique*[4]. Mais auparavant, depuis 1980 surtout, on constate plutôt une raréfaction des livres et des articles d'exégèse en la matière, en dehors des points suivants où le débat reste vif : la question du ministère de Pierre selon le Nouveau Testament et la question de la succession apostolique dans le cadre de ce que d'aucuns appellent le « proto-catholicisme »[5]. D'une manière plus vive encore, l'attention porte sur le diaconat permanent dont l'exercice apparaît parfois difficile à cerner, sinon comme éclaté dans ses réalisations effectives[6]. Ou encore, l'intérêt porte sur le ministère des fidèles dits laïcs, et en particulier sur les ministères

---

3. Cf. Paul Bony, etc., sous la direction de Jean Delorme, *Le ministère et les ministères selon le NT*, Seuil, Paris, 1973. Sont successivement étudiés : les ministères dans les communautés pauliniennes (Annie Jaubert et Pierre Grelot) ; selon l'épître aux Éphésiens (Paul Bony) ; les Pastorales (Pierre Dornier et André Lemaire) ; l'épître aux Hébreux (Charles Perrot) ; la Première de Pierre et l'épître de Jacques (Edouard Cothenet). Puis, d'une manière indirecte, l'étude porte sur l'évangile de Marc, en tant qu'il reflète une situation ministérielle des années 70 (Jean Delorme) ; de même, sur Matthieu et son église judéo-chrétienne (Simon Légasse) ; sur Luc et les Actes (Augustin George) ; et enfin, sur la tradition johannique (Xavier Léon-Dufour) avec l'Apocalypse (Edouard Cothenet). J. Delorme, Bernard Sesboüé et Maurice Vidal font ensuite le point, de manière synthétique, en relevant des pistes susceptibles de lancer la réflexion théologique.

4. Hermann Hauser, *L'Église à l'âge apostolique* (Collection Lectio Divina 164), Le Cerf, Paris, 1996.

5. Selon E. Käsemann (*Exegetiche Versuche und Besinnungen*, Göttingen, 1960, p.1123ss), dans un contexte ecclésial marqué par l'affaiblissement de la tension eschatologique et l'importance à accorder à la tradition, le proto-catholicisme se distinguerait surtout par son insistance sur le motif de « la succession apostolique » et par une certaine collusion entre l'Esprit et l'Église, lorsqu'une Église prétend annexer ou presque l'Esprit à son profit. Des soupçons de ce proto-catholicisme apparaîtraient déjà dans les écrits tardifs du N.T. Voir L. Sabourin, *Proto-catholicisme et ministères. Commentaire bibliographique*, Bellarmin, Québec, 1989.

6. Sur le diaconat, voir récemment : Congrégation pour l'éducation catholique. Congrégation pour le clergé, *Les diacres permanents. Directoire et normes.* (préface de Mgr H. Simon), Centurion, Le Cerf, Paris, 1998.

féminins, dans le cadre d'une proposition constructive, sans donc se contenter de déclarer ce que ces chrétiens et chrétiennes ne sauraient dire ou faire[7]. Enfin, périodiquement, on entend rappeler la distinction « essentielle », entre ce qu'on appelle le sacerdoce des fidèles et le sacerdoce dit ministériel, comme si quelque concurrence menaçait l'un ou l'autre en la circonstance. Mais ces discussions récurrentes ne peuvent cacher pour autant un singulier décalage entre nos discours actuels sur le ministère et le langage néotestamentaire, comme si les deux n'arrivaient jamais à se rejoindre. Comme on voit, les questions ne manquent pas, en ordre épars, au point de perdre parfois l'intuition fondamentale, constitutive du ministère chrétien[8].

Au risque de décevoir le lecteur, nous nous situerons en deçà de la plupart de ces problèmes d'actualité. L'effort vise le ministère saisi à sa racine, dans le cadre des premiers ministères chrétiens dont les écrits néotestamentaires portent le reflet. L'accent sera mis alors sur le motif essentiel de la parole, au service d'une parole souveraine qui ne saurait cependant se détacher du geste liturgique et de l'action pastorale. Car le Seigneur continue de parler, de rencontrer réellement les siens et de les diriger aussi.

Toutefois, cet appel à l'Écriture n'est pas sans difficultés aussi, car les discours néotestamentaires sont divers. Comment rendre compte alors de ces multiples dissonances internes à l'Écriture même, sans briser l'unité de ces écrits fondateurs ? Certes, il faut savoir les situer exactement, car les temps et les lieux respectifs de leur production ont rapidement changé, surtout au tournant des années 70 de notre ère, après la ruine de Jérusalem. Par exemple, l'église judéo-chrétienne de Matthieu se distingue des communautés pauliniennes, et la désignation des rôles et des fonctions apparaît différente dans l'un et l'autre cas. L'organisation des premiers groupes chrétiens, judéo-chrétiens et autres, semble diverse dès le départ, quitte à s'unifier ensuite progressivement. À l'instar de la christologie, l'histoire des ministères chrétiens est celle d'une unité toujours en construction. Mais, par-delà la variété du vocabulaire et la diver-

---

7. Sur les ministères des femmes, entre autres, W. Cotter, « Women's Authority Roles in Paul's Churches », dans *Novum Testamentum* 36 (1994), p. 350-372 ; P. Grelot, *La condition de la femme d'après le Nouveau Testament*, Paris, 1995.
8. Des livres à visée directement spirituelle et pastorale viennent heureusement combler ce vide. Voir par exemple les ouvrages de Emile Marcus, Georges Gilson et D. Cozzens (éd.), cités dans la bibliographie finale.

sité des formes concrètes du ministère, cette unité subsiste pourtant, en raison du lien tissé avec le *principe* d'où surgit le fondement du ministère et l'accompagne tout au long. Ce principe se ramasse dans la personne du Christ, sous la mouvance d'une parole innervée par l'Esprit. Le motif de la parole, et donc celui de l'Esprit qui la suscite toujours, voudrait résonner au creux de ces pages, pour déployer plus encore ces ministères de la parole, jusque dans l'intime de ces « paroles gestuées », aujourd'hui nommées *sacrements*. Une telle insistance sur le motif de la parole peut désormais s'appuyer sur une série d'études, en anglais surtout, qui viennent de renouveler largement notre compréhension des mots clefs du ministère chrétien : celui de *diakonos* en tant que médiateur et *serveur* de la parole, et celui de prophète ou de porte-parole du Ressuscité ; sans oublier les nombreux travaux sur le vocabulaire apostolique. Parmi d'autres, l'un des efforts de ce livre sera de déplacer l'application de la dimension médiatrice du ministère – une médiation située au creux du ministère chrétien – du motif sacerdotal, auquel elle est souvent attachée, au motif d'un ministère apostolique et prophétique de la parole où l'Esprit Saint continue de parler et d'œuvrer. Est-il possible d'opérer un tel virage qui atteint la pointe du ministère chrétien dans sa dimension médiatrice essentielle ? Et comment aborder l'instruction de ce dossier biblique aux contours aussi larges ?

Après un bref chapitre, d'ordre méthodologique surtout, l'ensemble comprendra deux grandes sections : la première, de type analytique, fera l'inventaire des différentes pièces du dossier néotestamentaire (ch. 2 à 5). La seconde section, plus synthétique, portera l'attention sur l'essentiel du ministère chrétien, en tant que service d'une parole apostolique et prophétique. Il conviendra alors de situer le vocabulaire du service dans la diversité de ses expressions au sein du monde hellénistique, juif et autres (ch. 6). Puis, le regard portera sur le rôle des prophètes chrétiens en tant que médiateurs de la parole de Dieu en son Christ dans l'Esprit ; puis, sur le repas chrétien, devenu le lieu d'une parole nouvelle (ch. 7 et 8). Une telle attention portée au motif ministériel ne saurait cependant faire oublier combien chaque chrétien est appelé à devenir aussi un *prophète* et le *ministre* du Christ Seigneur dans le sillage apostolique. Car, si l'expression de cette parole s'opère alors à des niveaux distincts, c'est le même Seigneur qui s'exprime partout en la force de l'Esprit.

CHAPITRE 1

MÉTHODE ET AXES DE LA RECHERCHE

Comment procéder dans le vaste domaine d'une recherche sur les premiers ministères chrétiens ? Comment désigner déjà l'axe majeur qui traverse ces pages, insistant sur le motif cardinal d'une parole, pétrie de mots et de gestes, toujours située au principe même du ministère chrétien ? Tels seront les deux objectifs de ce chapitre préliminaire.

QUESTIONS ET MÉTHODES

Ramassons d'abord quelques réflexions d'ordre méthodologique et d'allure un peu technique sur les divers regards portés par des exégètes concernant le ministère chrétien. Le lecteur, encore peu initié à la recherche biblique, pourra s'en dispenser, en passant d'emblée au second point de ce chapitre préliminaire qui lance la discussion. Commençons par énumérer rapidement les divers paramètres qui provoquent l'apparition de ces discours multiples. La liste qui suit n'est pas exhaustive et se présente un peu pêle-mêle.

Les diverses situations ecclésiales et théologiques

Le regard des exégètes sur le ministère est sensiblement différent suivant la situation ecclésiale de chacun, et cela, d'une manière parfois peu consciente. Si les positions sur ce point varient au sein même des églises protestantes, la différence s'accuse davantage encore chez les orthodoxes et les catholiques. Les protestants seront particulièrement sensibles à la dimension évangélique du ministère, et donc à la proclamation de la parole, et les autres, à son caractère sacramentel. Et cela, au point d'en arriver parfois à opposer d'une manière arbitraire la parole au geste sacramentel. Cela dit, cette différence tendrait plutôt à s'estomper de nos jours entre les Églises, comme en témoignent plusieurs travaux œcuméniques sur le sujet[1]. Mais curieusement, elle réapparaît au sein d'une même église dans la diversité des tendances ecclésiales. Du moins, durant les dernières décennies, on pouvait facilement entendre des discours de ce type suivant lesquels la mission et le culte ne sauraient coexister ou presque. Les uns comprenaient d'abord le ministère saisi dans son élan missionnaire, et les autres mettaient davantage l'accent sur le motif sacerdotal et la tradition cultuelle. Toutefois, ce genre de discours, appelant souvent de fausses oppositions, semble plutôt en régression. Depuis Vatican II on n'en relèvera pas moins des tonalités diverses dans les discours épiscopaux d'aujourd'hui. Par exemple, l'importance accordée aux ministères dits laïcs, dont il était forte-ment question hier, semble maintenant quasi disparaître pour con-centrer l'attention sur le ministère du prêtre et, suivant tel ou tel évêque, sur celui du diacre permanent. Le motif missionnaire paraît parfois s'éclipser. Plus encore, en privilégiant le syntagme du *sacer-doce ministériel*, et non pas celui du *ministère presbytéral*, l'accent est délibérément mis sur la dimension cultuelle du presbytérat.

Précisons quelque peu. Depuis deux décennies environ, on assiste à une querelle du langage opposant les tenants du « sacerdoce minis-tériel » à ceux du « ministère presbytéral ». Les uns veulent mettre l'accent sur le spécifique sacerdotal du ministère, en lien et partici-pation avec le sacerdoce souverain de Jésus, si fortement mis en exergue dans l'Épître aux Hébreux. Ainsi la médiation sacerdotale du Christ demeure-t-elle toujours vive, de par l'entremise essentielle du sacerdoce ministériel. L'insistance est grande alors sur le motif du « caractère » sacerdotal qui s'imprimerait dans l'être même du minis-tre, quels que soient les aléas de son existence[2]. Une « réduction à

---

1. Voir par exemple : Conseil œcuménique des Églises, Lima 1982, *Baptême, Eucharistie, Ministère* (trad. fr. Max Thurian), Centurion, Presses de Taizé, Paris, 1982.
2. Signalons seulement quelques témoins de cette controverse : d'une part, Joseph Moingt, « Caractère et ministère sacerdotal », *Recherches de Science Religieuses* (1968), 563-589 et « Nature du sacerdoce ministériel », *ibid.* (1970), p. 237-272 ; et, d'autre part, J.M. Garrigues, M.J. Le Guillou et A. Riou, dans « Statut eschatologique et caractère ontologique de la succession apostolique », *Revue Thomiste*, n° 3, 1975.

l'état laïc » n'efface pas ce caractère. Selon cette ligne, on observe alors une certaine tendance à ramener le ministère dans le giron ou presque du sacerdoce de l'Ancienne Alliance, tout en soulignant quand même des différences essentielles. Un peu à la manière des rituels d'ordination, où les deux sacerdoces sembleraient presque confondus. Ce caractère sacerdotal, dit « ontologique », risquerait parfois de déboucher sur une séparation d'ordre « ethnique », à la manière du sacerdoce lévitique. Cette compréhension est erronée aux yeux de tous assurément, mais rien n'est trop fait quand même pour l'éviter.

D'autres insistent, au contraire, sur l'aspect fonctionnel de ce ministère, dans la régence et l'animation des églises, et parfois d'une manière exclusive ou presque. Mais jusqu'à quel point l'*extériorité* du caractère en question, dans le cadre d'une compréhension étroitement fonctionnelle, n'évacue-t-elle pas l'un des éléments essentiels de ce ministère, à savoir la présence même de l'Esprit dans la dynamique d'une parole qui nous dépasse. Car, l'Esprit Saint n'est jamais « à éclipse », même s'il ne saurait, non plus, être monopolisé exclusivement par qui que ce soit, hommes et institutions. Faut-il ajouter que ce type de discussion sur l'intériorité identitaire et l'extériorité fonctionnelle ne relève guère d'un langage biblique, puisque l'être et la mission font corps dans l'Écriture, chez les prophètes d'Israël en particulier (Is 6, 1ss ; Jr 1, 4ss).

Bref, chacun cherche à baser sa conviction sur le texte scripturaire, mais sans jamais parfaitement y réussir. Car si l'Épître aux Hébreux déclare hautement l'unique sacerdoce du Christ, en contrepoint de l'ancien sacerdoce du Temple, les *guides* communautaires dont parle cette épître n'en reçoivent pas pour autant le titre sacerdotal. Et les autres textes du Nouveau Testament ne permettent guère, non plus, une attribution de ce genre, du moins en direct. Inversement, ceux qui mettent l'accent sur la fonction ministérielle peuvent sans doute s'appuyer sur des titres de fonction, tels *episcopos*, le gardien ou l'inspecteur ; *diakonos*, le serveur et même le *presbytre,* l'ancien qui siège au conseil d'une cité ou d'une institution. Ces titres de type d'abord fonctionnel peuvent donner l'impression d'une forte extériorité entre un rôle exercé et le fonctionnaire qui le remplit. La fonction n'engage pas l'être. L'idée de médiation semble alors évacuée, et, en plus, le lien entre ces titres d'époque tardive et le rôle des apôtres, des prophètes et des docteurs dont parle Paul n'apparaît guère évident, mais plutôt incongru. Il y aurait presque une solution de continuité entre ces deux types de ministère.

Un exégète catholique ne saurait évidemment pas s'abstraire de ces discussions qui portent le reflet d'une situation ecclésiale encore en gestation. Néanmoins, d'un point de vue méthodologique, l'exégète cherche d'ordinaire à se distancer par rapport à des discours trop engagés dans l'immédiat de la vie ecclésiale où les sentiments « à fleur de peau » l'emportent parfois sur la raison. Il serait pourtant illusoire de penser qu'on puisse ainsi se dégager entièrement des réalités d'aujourd'hui, sinon des utopies du moment. L'un accueillera davantage une réflexion sur le ministère presbytéral dans le cadre d'une théologie de type classique, où l'institution ecclésiale est solidement fondée sur le socle de la tradition apostolique. Et l'autre, qui se voudrait proche du monde d'aujourd'hui, réfléchira sur ce point dans le cadre d'une ecclésiologie d'allure plus dynamique ou charismatique, pour que les fonctions ecclésiales s'adaptent mieux aux besoins vivants des églises[3]. Car le ministère est fait pour l'Église, et non pas l'Église pour les ministères. Le ministère, dit-on parfois, est d'abord un service en fonction des réalités d'aujourd'hui, et non pas un « en-soi » d'où jaillirait le pouvoir d'asservir les laïcs chrétiens. Mais là encore, il est nécessaire de prendre ses distances à l'endroit de ce genre de formules, variant selon les « sensibilités » (comme on dit !) qui s'exprimeraient dans l'Église. Enfin, dans l'élaboration d'un discours exégétique sur le ministère, la situation personnelle et ecclésiale de l'exégète – y compris son insertion diocésaine ou religieuse – a son importance, sans parler des liens tissés ou non par chacun dans un cadre œcuménique, et sans parler aussi du souci de la mission en terres lointaines, sinon au seuil de sa propre porte.

Les diverses manières de se référer au texte biblique

En deuxième lieu, une réflexion exégétique sur le ministère varie selon la manière même de se situer par rapport au texte biblique. Là encore, la différence entre protestants et catholiques affleure souvent. L'un en appellera à la normativité de la seule Écriture, et

---

3. Faut-il évoquer, entre autres, la pensée de Schillebeeckx et la vigoureuse réponse de Pierre Grelot ? Voir E. Schillebeecks, *Le ministère dans l'Église* (trad. fr.), Le Cerf, Paris, 1981 et P. Grelot, *Église et ministères. Pour un dialogue critique avec Edward Schillebeecks*, Paris, 1983.

l'autre, sans nier cette normativité première, cherchera à l'inscrire dans la coulée de la tradition ecclésiale. L'un voudra d'emblée privilégier les seules expressions ministérielles, directement empruntées au texte sacré, et l'autre se donnera davantage de champ dans la saisie d'un développement ecclésial en la matière. La réception du texte biblique, jusque dans sa diversité, fait en partie corps avec le texte lui-même. À la limite, chez un catholique, peu importe si l'on découvre ou non dans l'Écriture l'exacte réplique du prêtre d'aujourd'hui – et, de fait, on ne la découvre pas ! L'essentiel pour lui, dans la coulée d'une tradition ecclésiale, elle-même sous la mouvance de la tradition apostolique, est de reconnaître une réelle *homologie* – une même consonance intérieure, et non pas une simple répétition – entre les fonctions dont il est question dans le Nouveau Testament et les ministères dont parle la tradition ecclésiale depuis le IIe siècle environ. Le principe de l'analogie, celui de ce rapport interne, devient alors essentiel dans le cadre d'une ecclésiologie du « Corps du Christ », toujours en mouvement sous l'influx de l'Esprit. Mais, s'il en est ainsi, le théologien devra alors se garder de trop vite assimiler les fonctions ministérielles des premiers temps de l'Église aux réalités actuelles. L'apôtre d'aujourd'hui, y compris dans le cadre du collège épiscopal, n'est pas entièrement assimilable à l'un des membres du collège des Douze, avec Paul en plus. Le prêtre et le pasteur d'aujourd'hui ne sont pas les simples continuateurs du *presbytre* des Lettres pastorales. Et l'on ne saurait réduire la fonction d'un *épiscope* dont parle l'Apôtre dans Phi 1, 1, à celle d'un évêque actuel. Bref, on évitera de verser dans l'anachronisme en projetant dans le monde d'hier nos représentations d'aujourd'hui.

Prenons un autre exemple. La distinction entre *prêtres* et *laïcs* n'apparaît pas en direct dans le Nouveau Testament. Nous invitons le lecteur à d'abord l'oublier, au départ de ce livre du moins. Non parce qu'une telle distinction serait de soi invalide ! Mais simplement, parce qu'il faut d'abord emprunter un autre regard, sans tremper directement nos questions brûlantes d'aujourd'hui dans des textes anciens qui répercutent « autrement » les situations de leur temps. D'autant plus que des mots, comme *laïcs,* changent souvent de sens selon les temps et les lieux !

C'est dire combien la manière même de se situer par rapport au texte biblique importe en la circonstance, et cela, en lien évident avec l'ecclésiologie de chacun. Chez les uns, une certaine « immédiateté biblique » et chez les autres, le refus de prendre en compte les décalages opérés par l'histoire aboutissent en fait à une impasse, celle du fondamentalisme. Au plan exégétique, il importe en conséquence d'accuser d'abord les différences entre les réalités d'hier – dont on ne possède plus que des traces – et celles d'aujourd'hui, plutôt que de verser dans une fausse apologétique qui gommerait la distance entre elles. Car il s'agit de respecter ce que l'évêque d'Antioche, saint Ignace, appelait « *l'économie* (des temps) *du salut* ». Tout n'est pas né d'un seul coup, et les diverses formes du ministère collent aux temps et aux lieux de l'histoire de chacune des Églises. Dieu prend son temps. Pour achever ce point, on remarquera le langage prudent de *Lumen Gentium* sur l'origine des ministères : « Le ministère ecclésiastique, institué par Dieu, est exercé dans la diversité des ordres par ceux que déjà depuis l'Antiquité on appelle Évêques, prêtres et diacres » (§ 28). Les Pères du Concile se gardent d'en appeler à l'origine première, comme si la figure actuelle de l'évêque, du prêtre ou du pasteur pouvait d'emblée être comme « rétro-jetée » dans le cadre des premières communautés judéo-chrétiennes, pauliniennes ou johanniques. Et en même temps, il existe une unité fondamentale au sein de cette trame ministérielle, tissée par l'Esprit. C'est la conviction chrétienne, avec des nuances selon l'appartenance ecclésiale de chacun.

La recherche de l'originaire ou le choix d'une lecture globale

En troisième lieu, l'exégète est amené à s'interroger sur le but qu'il poursuit et la manière de l'atteindre. Il n'est pas toujours facile de faire en soi-même la lumière sur ce point. Veut-on faire de l'histoire ou de la théologie, ou les deux à la fois ? Et de quel type d'histoire ? de quelle théologie explicite ou implicite se réclame-t-on alors ? L'un sera parfois happé par « le mythe de l'originaire », en reconnaissant la légitimité ministérielle des seules fonctions et des désignations les plus hautement repérées dans sa reconstruction historique. Le surplus, ou la suite du développement de l'institution ministérielle à l'époque des Lettres Pastorales par exemple, susciterait plutôt chez lui des inquiétudes. Certains rangeraient même ces indications tardives parmi des déviations dites proto-catholiques, marquées, entre autres, par une sorte de re-judaïsation du premier christianisme. Au contraire, d'autres ne veulent pas céder à ce « prurit de l'originaire » et ils refusent de dévaluer les institutions qui seraient postérieures au tout premier temps de la vie ecclésiale. Certains sembleraient même s'en tenir ou presque aux Pastorales seulement, apparemment plus proches de ce que nous connaissons de nos jours. Les éléments directement pauliniens sur les ministères, évidemment antérieurs aux Pastorales, resteraient selon eux obscurs et peu opérationnels, sinon quasi inutiles. Que faire de ces prophètes ou de ces docteurs dont parle l'Apôtre ? Un travail exégétique ne saurait pourtant s'en dispenser, sans effacer les différences entre ces moments de la tradition chrétienne.

Une telle recherche sur les ministères dépend évidemment de la datation allouée à chacun des écrits bibliques. L'exégète qui situerait les Pastorales *avant* l'écriture des lettres directement pauliniennes[4] offrirait un discours sur le développement du ministère quasi à l'envers de ceux qui adoptent la chronologie littéraire la plus généralement acceptée[5]. D'une manière large encore, l'histoire du premier ministère chrétien varie sensiblement, lorsqu'on situe ou non une bonne partie des écrits néotestamentaires après l'an 70, donc après les lettres directement pauliniennes qui se placent entre les années 51 à 58 environ (1 Th ; 1 et 2 Co ; Phi ; Ga ; Rm et Phm). Par exemple, le geste de l'imposition des mains, lié entre autres au ministère, n'apparaît pas dans les écrits directement pauliniens, mais seulement dans les Actes des Apôtres et les Pastorales que de nombreux exégètes situent dans les années 80 à 90. En d'autres termes, l'histoire de l'institution des ministères change selon que tels ou tels éléments lus dans le Nouveau Testament sont situés dans le cadre d'une pensée judéo-chrétienne et non paulinienne, ou, au contraire, dans un contexte directement paulinien, sinon dans le cadre des communautés héritières de l'Apôtre. Parmi ces dernières, citons l'Église de Luc, l'auteur des Actes ; les Églises de Colosses et d'Éphèse ; les communautés d'où fleurirent les Pastorales (1 et 2 Tm, Tite), etc.. À chaque fois, on peut distinguer des différences dans la manière même d'en appeler aux ministères. Là encore, il importe de distinguer les temps et les moments et de respecter l'économie des temps.

Ajoutons encore une remarque sur la division des temps de l'histoire. Dans le cadre d'un questionnement directement exégéti-

---

4. Pour une position différente, voir Philippe Rolland, *Les Ambassadeurs du Christ.*, Le Cerf, Paris, 1991.
5. Voir par exemple les datations admises dans la TOB (1989) et la BJ (1998).

que, la césure théologique souvent mise entre les temps apostoliques, sub-apostoliques et post-apostoliques perd en partie de son intérêt. Explicitons ces mots : dans le premier cas, il s'agit des temps directement apostoliques, du vivant même des apôtres ; dans le second, des temps sub-apostoliques, ceux de la deuxième ou troisième génération chrétienne, à la manière des Actes et des Pastorales, par exemple ; enfin, dans le troisième cas, il s'agit des temps dits post-apostoliques déjà marqués par la présence des premiers Pères de l'Église, tels Clément de Rome et Ignace d'Antioche. L'historien et l'exégète craignent plutôt ce genre de césure théologique et ces chronologies abruptes, souvent surimposées à des réalités mouvantes. Certes, on peut disposer plus ou moins les données littéraires, soit avant, soit après la destruction de Jérusalem en l'an 70. Mais cette importante césure, elle-même, ne saurait être durcie. Au fait, l'évangile de Marc a-t-il été écrit avant ou peu après cette date ? Certaines traditions, johanniques ou autres, reprises ensuite dans un écrit tardif, ne remontent-elles pas avant cette destruction ? Bref, les écrits néotestamentaires, dans la coulée de leur tradition ou de leur transmission, se chevauchent en partie. Les temps s'entrecroisent, où le sub-apostolique se mêle à l'apostolique, et le post-apostolique (tel Ignace d'Antioche) précède probablement des textes canoniques tardifs, comme la Deuxième de Pierre par exemple. Nous parlerons en son temps du fait *pseudépigraphe*, où des écrits tardifs sont attribués aux fondateurs d'une Église donnée – ainsi, à Paul dans le cas des Pastorales –, et cela avec la conviction que l'Apôtre, à l'image de Jésus, continue de parler aux siens. La césure entre l'écrit directement apostolique et l'écrit sub-apostolique est alors délibérément voilée.

Il importe donc d'être prudent dans un essai de reconstitution de l'histoire des ministères. Enraciné dans l'humilité de l'hypothèse, l'historien ne peut que relever les traces des premières fonctions ministérielles, sans s'arroger le droit de boucher trop vite les trous d'une documentation littéraire limitée. Au reste, le théologien ne demande pas à l'exégète de lui reconstruire l'origine de ces ministères, mais seulement de les lui désigner autant que faire se peut, sans presser les textes. Il ne lui demande pas de fonder le moment de leur *institution*. Car il sait bien que ce moment lui échappe et qu'il ne peut recréer, au niveau de Jésus comme à celui des premiers temps de l'Église, l'acte canonique d'une telle institution. Ce qui n'empêche pas l'historien de désigner avec précaution les motifs, sinon les événements majeurs, qui trouveront ensuite leur icône dans une théologie de « l'institution ». Plus d'une fois alors, il sera invité à déplacer quelque peu son regard à ce propos, à la recherche d'une perception nouvelle de l'histoire, sous le regard de l'Esprit y compris. Mais poursuivons d'abord ces réflexions sur la diversité des approches exégétiques sur le ministère.

Un langage ministériel souvent peu précis

En quatrième lieu donc, un des points qui provoquent l'éclatement des discours en la matière est l'usage d'un langage parfois imprécis et peu critique. Il faudrait s'astreindre à peser chacun des mots prononcés, ce qui n'est pas facile lorsqu'on considère le nombre d'expressions touchant le ministère, devenues trop courantes et difficiles à cerner au plan sémantique. Comment critiquer à chaque fois l'usage d'un mot comme *charisme* qui revêt des connotations différentes selon son locuteur ? Son emploi chez Max Weber, dans le cadre d'un langage qui a imprégné la sociologie courante, n'est pas celui d'un Paul dans 1 Co 12 à 14. Nous le dirons en son temps. Ou encore, l'opposition ouverte ou larvée que d'aucuns instaurent entre le charisme et l'institution n'a que faire ou presque dans une étude exégétique. Le langage d'hier n'est plus le nôtre, et les heurts sémantiques d'aujourd'hui auraient sans doute paru autrefois bien étranges. C'est presque chacun des mots sur les rôles et les fonctions ministériels qu'il faudrait ici passer au crible.

Nous avons déjà mentionné les *presbytres* et les *épiscopes*, en évitant le piège d'une traduction trop rapide. Faut-il en plus rappeler la différence entre le mot *presbytre*, décalqué sur le grec *presbyteros* et désignant un *ancien* du Peuple, et le mot grec *hiereus*, désignant, cette fois, un prêtre du Temple de Jérusalem. Il serait presque préférable de traduire ce dernier mot à l'aide d'un néologisme inspiré du latin : le « *sacerdote* », sans le traduire par *prêtre*, en faisant comme si les deux mots étaient interchangeables. Nous le verrons, Jésus est appelé *hiereus* dans l'épître aux Hébreux, et nul autre que lui. En bref, dans le langage actuel, le mot *prêtre* joue sur l'ambiguïté de sa traduction ; le même mot est utilisé pour traduire le grec *presbyteros*, l'ancien ; *leiturgos*, le « liturge » (Rm 15, 15-16) ; et *hiereus*, le « sacerdote ». Donnons encore l'exemple de l'expression par excellence du ministère, à savoir le mot grec *diakonos*, qui, dans le Nouveau Testament, ne saurait être traduit ni par *serviteur*, ni par *diacre*, du moins dans les textes les plus anciens. Nous reprendrons le dossier. Bref, au long de cette étude, il faudrait s'attacher à un langage rigoureux, dûment critiqué. Plus encore, – mais est-ce toujours possible ? – il faudrait éviter des expressions en fait anachroniques, ainsi, les mots *sacrement* et *laïc*, ou encore des syntagmes comme le *sacerdoce commun* ou le *ministère sacerdotal* qui nous paraissent aujourd'hui commodes, mais écrasent souvent des éléments bibliques distincts à l'origine. Certaines expressions, à la brillante apparence, comme *responsable* (« Nous sommes tous responsables ! »)[6], n'ont guère d'intérêt heuristique. Un langage trop dilué perd de sa consistance, même si, marqué par l'actualité, il semble d'emblée séduire. Par ailleurs, l'usage de concepts ou de syntagmes, tel celui de *succession apostolique*, fait généralement corps avec l'apparition d'une réalité sociale et ecclésiale pour une part nouvelle, plus proche du IIe siècle que du premier[7]. Ce qui n'invalide pas son usage et ne dispense pas l'exégète de voir comment des traditions antérieures peuvent pointer en partie vers cette élaboration nouvelle. Cela dit, respectons « l'économie des temps du salut », comme le demande saint Irénée, ainsi que les évolutions du langage qui traduisent le développement d'une tradition vivante. Saisie dans la coulée du temps, la recherche sémantique garde un intérêt heuristique et évite, disons, le télescopage des temps et l'écueil d'une théologie des ministères, bâtie sur de continuels anachronismes. Le langage ministériel, dans l'éventail de ses expressions multiples, traduit la vie des communautés dans le balbutiement de leur première construction. Dieu a pris son temps, et tout ne s'est pas fait dans l'éclair d'une institution dont on « retro-jetterait » ensuite l'existence théologique dans le temps des archétypes.

Les diverses lectures de l'Écriture

En cinquième lieu, la différence des discours sur le ministère reflète les diverses manières de lire les textes néotestamentaires.

---

6. Le document épiscopal de Lourdes 1973, « Tous responsables dans l'Église ». Le ministère presbytéral dans l'Église tout entière « ministérielle » (Éditions du Centurion, Paris, 1973) n'en a pas moins exercé un rôle considérable à l'époque.
7. Voir, par exemple, Gregory Dix, *Le ministère dans l'Église ancienne*, Delachaux et Niestlé, Lausanne, 1955.

Nous n'insisterons guère sur ce point pourtant essentiel, car cela impliquerait une longue investigation sur les nombreuses procédures et méthodes en matière biblique. La lecture des Pères de l'Église n'est plus la nôtre, même si notre contentement est grand devant la splendeur de leurs pages. De même, il n'apparaît désormais plus possible de se servir de l'Écriture à la manière de la scolastique et des anciens traités de théologie, où le texte biblique n'est guère qu'un réservoir de preuves à l'usage du théologien qui veut ratifier divinement sa propre pensée. De nos jours encore, la tentation reste vive à cet égard, par exemple, au sein d'un milieu chrétien de type fondamentaliste ou dans certains écrits pastoraux qui accumulent sans critique des textes scripturaires, en croyant justifier quelque thèse. Dans les deux cas, on se sert de l'Écriture pour camoufler son propre discours derrière l'autorité divine. Parfois même, on se heurte délibérément au refus d'un regard historique, comme si un discours théologique qui se laisserait traverser par des questions critiques, d'ordre littéraire et historique, devait en sortir infirme. En bref, la manière même de lire et d'utiliser des éléments bibliques sur le ministère, y compris pour le meilleur des motifs, est loin d'être innocente.

Cela dit, deux regards sur l'Écriture n'en demeurent pas moins importants : l'un, de type analytique et l'autre, plus englobant. Ce dernier vise l'ensemble scripturaire, comme un tout, dans son unité, à la fois radicale et fragile ; et le premier paraît parfois s'épuiser dans l'analyse précise et rigoureuse de chacun des écrits. Le regard détecte alors les différences dans la manière de parler du ministère entre les écrits bibliques, voire au sein d'un même livre. Au contraire, un regard plus englobant vise les lieux d'unité ou les motifs qui les réunissent. Les deux regards sont nécessaires assurément, à la condition toutefois de partir du premier (l'analyse) avant d'en arriver au second (une lecture unifiée, souvent appelée « canonique »). En effet, même si elle se dissimule parfois sous d'honorables motifs, la part d'hypothèses recelée dans une démarche d'emblée unitaire reste lourde, plus que dans les analyses précises qui n'échappent pourtant pas à l'interrogation, comme dans le cas des autres sciences humaines. L'analyse interroge constamment la pertinence de la synthèse, et la synthèse suscite de nouvelles analyses dans un regard d'ensemble qui tente peu ou prou d'en saisir l'unité. Une étude sur les ministères appelle ces deux types de regard, respectant l'unité et la pluralité de la documentation, mais sans réduire ces disparités dans le creux unitaire d'un schéma préétabli. Les conclusions en demeurent ouvertes.

Comme en christologie et ailleurs encore, la question du rapport entre l'unité et la diversité se pose donc au niveau d'une étude sur les ministères. Car leur diversité semble grande au départ, au sein même des communautés ou des Églises qui se sont progressivement structurées. Le vocabulaire ministériel et sans doute aussi les rôles alloués à chacun diffèrent d'un lieu à l'autre, d'un moment à l'autre de l'histoire ecclésiale. Dans le cadre d'une histoire sur les premiers ministères, usant en particulier d'une méthode de type socio-religieux, il sera peut-être possible de désigner en partie les diverses structures ministérielles de ces premières communautés. Du moins, l'essai vaut la peine, au risque de donner d'abord l'impression d'un éclatement extrême. Mais, plus profondément, on saisira vite le motif unitaire qui les traversent. Car, par-delà une étonnante diversité, les expressions multiples du ministère chrétien renvoient en fait à une même question de base, celle du salut chrétien, un salut continûment « médiatisé » par la force de l'Esprit. Le ministère en sa fonction médiatrice essentielle est un service d'Église, attaché éminemment à la parole du Seigneur et visant l'action du salut, celle de notre libération en Christ. Les lignes suivantes voudraient déjà orchestrer ce motif, en précisant l'un des axes majeurs du présent ouvrage.

AU SERVICE D'UNE PAROLE QUI SAUVE[8]

Posons la question radicale : Qui nous libère et nous sauve ? Sinon Dieu par son Christ en la force de l'Esprit. Telle est la réponse chrétienne. Elle n'est plus celle de l'Alliance ancienne où le salut de

---

8. Sur l'importance du motif de la parole voir, par exemple, Cahiers de l'actualité religieuse, *La parole de Dieu en Jésus Christ*, Casterman, 1961 ; Edouard Cothenet, « La parole de Dieu comme puissance d'après le Nouveau Testament », dans *Exégèse et Liturgie* (Lectio Divina 175), Le Cerf, Paris, 1999, p. 35-50). Sur son lien étroit avec le ministère, voir Karl Rahner dans un recueil d'articles parus dans *Serviteurs du Christ. Réflexion sur le sacerdoce à l'heure actuelle* » (trad. fr. C. Muller), Mame, Paris, 1969, par exemple p. 59ss ; Karl Barth avait déjà rappelé fortement combien le ministre chrétien est d'abord un serviteur de la Parole (cf. *Le ministère du pasteur*, trad. fr., Cahiers du Renouveau, Genève, 1961 (en allemand en 1934). Le (futur) Cardinal C.M. Martini a écrit *La Parola di Dio. Alle Origini della Chiesa*, Gregoriana, Roma, 1980 ; voir en particulier « Il vocabulario de l'Annuncio nell'antico e nel nuovo Testamento », p. 307-325.

Dieu passait d'abord par la Loi et l'institution du Temple (*Lévitique* 18, 5). Les sacrificateurs (*hiereus*) accomplissaient alors les gestes du Temple avec des sacrifices sanglants, pour une part liés au pardon du péché. Or, le salut se ramasse désormais en la personne même du Seigneur, à la fois dans sa parole et ses gestes libérateurs, sans plus recourir au salut dispensé par le Temple d'hier. Il y a donc une discontinuité effective entre l'une et l'autre Alliance, par-delà la continuité du mouvement de l'Alliance, en Christ, dans le secret de la fidélité de Dieu. Cette rupture est fortement soulignée par l'auteur de l'Épître aux Hébreux qui désigne Jésus comme l'authentique Grand Prêtre, mais dans le cadre d'un sacerdoce issu d'une autre lignée, céleste cette fois, celle de Melchisédech. Ce Prêtre relève d'un autre Temple, « non fait de main d'hommes » (He 9, 11.24), voire, il s'identifie lui-même au Temple nouveau, comme le dira saint Jean : « Mais lui parlait du Temple de son corps » (Jn 2, 21). Désormais Jésus sauve par sa parole, une parole qui fait ce qu'elle dit, toujours active. Ses gestes réels et symboliques, à la fois, comme celui de la Cène, ou encore, ses gestes de guérison posés en vue du Règne de Dieu, font corps avec sa parole. Ce sont, disons, des « paroles gestuées », inscrivant sur le registre de l'action le geste sauveur de Dieu. Le geste eucharistique est transpercé par la parole, et le geste de l'eau du baptême, d'apparence anodine, s'illumine aussi de nouvelle manière. Parole et action font corps. Sans doute dans le contexte du monde occidental en particulier, est-on trop habitué aujourd'hui à opérer une sorte de césure, voire même à opposer la parole au geste ou, comme on dit, la proclamation de l'évangile au culte sacramentel. Au point d'avoir ensuite quelque difficulté à les relier ensemble, en cédant parfois à la pensée d'une sorte de superbe ou de « prévalence » de l'un à l'endroit de l'autre. Dépouillé de sa parole, le rite n'est plus chrétien ; il redevient idolâtre. Les anciens, Paul y compris, auraient sans doute été fort étonnés devant ce type de « nominalisme » où le mot et la chose sont disjoints, où la parole ne ferait plus corps avec le geste, et inversement[9]. L'annonce de l'évangile s'inscrit jusque dans le corps.

Or, le salut, de par cette parole qui pénètre le geste chrétien, marque d'une manière décisive le ministère, en donnant à ce mot sa

---

9. Ainsi, le mot hébreu *dabar* peut désigner, à la fois, la parole et la réalité signifiée par la parole.

plus large extension. Nous le dirons plus loin : le grec *diakonos* – ou
le latin *minister* – signifie *serveur* ou *servant,* et non pas serviteur (en
grec *doulos*). Sans doute pourrait-on hésiter entre la traduction
serveur ou *servant.* Nous choisissons la première, peu euphonique de
prime abord, en raison du lien de ce mot avec le double service de la
parole et de la table, comme nous le dirons au chapitre 8 ; par ailleurs,
sur *Internet* l'usage du mot *serveur* appelle l'idée d'un lieu opérateur
d'une communication médiatrice – ce qui convient justement en la
circonstance. Le *diakonos* chrétien *sert* la parole comme il sert le pain,
en entrant dans le jeu même de sa transmission médiatrice. Il n'est
pas simplement « au service » de la parole, tel l'esclave ou le serviteur
ployé devant son maître. Il la sert. Il entre dans le jeu d'une parole
« à servir », à toujours transmettre, comme celui d'un pain à toujours
donner au nom de son Seigneur. Car cette parole s'identifie au Christ,
le Verbe de Dieu. Elle s'identifie à lui, alors même qu'elle jaillit,
toujours nouvelle, dans les paroles décisives ramassées dans les
évangiles. Elle s'identifie à lui, lorsque la foi confesse la croix du
Ressuscité comme la source du salut. Elle pose un geste de salut à la
manière des prophètes d'Israël qui parlent au nom de Dieu, en
opérant alors ce qu'elle déclare : « Ainsi parle le Seigneur » (Is 48, 17).
Car cette parole « performative », qui fait ce qu'elle dit et dit ce qu'elle
fait, continue de jaillir par l'entremise des apôtres et des prophètes
chrétiens dont parle saint Paul. Ces nouveaux prophètes se présentent alors comme des « porte-parole »[10] de cette parole décisive qui
fait le salut. Paul, en particulier et nous le dirons plus loin, en arrivera
aussi à user du radical *diak–* (*diakonos* ; *diakonia*) en lien direct avec
cette parole médiatrice.

Cette parole de salut s'appelle l'*Évangile* ou la *Bonne Nouvelle* de
notre libération, efficacement posée, quand elle est prononcée par
Jésus et continuellement répercutée par ses *apôtres,* c'est-à-dire ceux
qu'il envoie en mission. Le mot *évangile* garde ici un sens dynamique.
Il ne désignera un texte écrit qu'à partir du IIe siècle de notre ère
environ, bien après l'écriture du « Commencement de la Bonne Nouvelle de Jésus Christ », selon le titre lu au début de Marc. À l'époque
de Paul encore, le mot *évangile* appelle à lui toute la force d'une parole
de victoire de par la croix du Ressuscité, une parole marquée par le
salut de Dieu qui la traverse entièrement.

---

10. Le radical grec du mot *prophète* a aussi ce sens.

Lisons le passage célèbre de l'Apôtre en Rm 1, 16-17a : « Car je ne rougis pas de l'évangile, il est force de Dieu pour le salut de quiconque croit, du Juif, d'abord, puis du Grec. Car c'est en lui que la justice de Dieu se révèle ». Développons quelque peu :

– « Car je ne rougis pas de l'évangile » : c'est-à-dire : ma parole qui porte le salut aux gens des Nations n'a rien de dévalué par rapport à celle de certains judéo-chrétiens qui ne visent qu'un salut restreint, cantonné au seul Israël ;

– « il est force de Dieu » : littéralement, il est *puissance* de Dieu ;le mot *puissance* (en grec *dynamis*) désigne dans le Nouveau Testament ce que nous appelons aujourd'hui le miracle, tel un geste de la puissance de Dieu ;

– « pour le salut de quiconque croit, du Juif, d'abord, puis du Grec. Car c'est en lui que la justice de Dieu se manifeste ». Le salut passe dans la proclamation même de cette parole agissante. L'expression *justice de Dieu* désigne ici l'acte sauveur de Dieu : Dieu agit et sauve dans la proclamation même de cet évangile du salut par ses apôtres. Et c'est « cette parole de vérité » (d'authenticité) ou cette « puissance de Dieu » que « les ministres de Dieu » doivent maintenant répercuter (2 Co 6, 4.7).

Ainsi, dans les mots et les gestes où elle s'exprime, cette parole fait salut. Encore faut-il employer cette dernière expression avec une certaine circonspection. Sans doute, le mot grec *sôteria* (salut), signifiant d'abord la *santé* physique, puis, connotant peu à peu l'idée d'une certaine libération psychique ou morale, était-il largement à la mode dans le contexte hellénistique du Ier siècle, par exemple dans le cadre des « religions à mystères de salut ». Mais les traducteurs de la Bible grecque des *Septante* l'évitent apparemment, et de même les Juifs de la diaspora grecque, tant le mot semblait trop « païen ». Ce qui n'a pas empêché Paul, et Luc ensuite (Lc 19, 9), de l'employer, mais en en transfigurant le sens. Insistons sur ce point, puisque le ministère chrétien est éminemment lié à l'action du salut. C'est un ministère de salut, de libération, par les mots et les gestes qui font corps avec cette parole qui sauve.

Dans la langue de Paul, le motif du salut se situe en quelque sorte au confluent de deux trajectoires. La première, surtout grecque, offre un salut, physique et psychique, de type individuel ; et l'autre, plus sémitique, met l'accent sur la dimension collective du salut proposé.

L'une, à l'époque hellénistique surtout (après Alexandre le Grand), a une pointe individualiste, au point que le verbe *sauver* et son substantif appellent d'abord l'idée d'écarter de soi un mal physique ou une oppression morale. L'autre, s'exprimant à l'aide de plusieurs verbes hébreux signifiant cette libération – la libération d'une ville assiégée ; la libération du peuple après l'Exil, etc. – vise un ensemble à libérer, une communauté à sauver, et non pas tellement un salut de type individuel. Or, chez Paul les deux lignes se rejoignent en partie, lorsque le salut atteint la personne et tout le corps auquel elle appartient, à commencer par le « Corps du Christ », l'Église. Ce qui veut dire que le ministère chrétien, lié éminemment à la parole et aux gestes du salut, a de soi une dimension collective, communautaire ou ecclésiale. L'action du ministre chrétien n'est jamais d'un type purement individuel. Disons-le autrement : on n'est jamais prêtre uniquement pour soi, mais pour les autres ; non pas seulement pour des individus, mais pour une communauté, une Église.

Par ailleurs, toujours dans le cadre de la pensée paulinienne – considérée au sens strict des lettres directement authentiques, et non pas dans Colossiens, Éphésiens et autres –, le verbe *sauver* est employé une dizaine de fois chez Paul, toujours au futur[11]. Au fait, suivant le déploiement de la vie chrétienne aux dires de Paul, le salut reste en partie distinct de la justification : nous avons été *justifiés* de par la croix du Christ, et nous le sommes toujours par la force de l'Esprit, avant d'être sauvés, au jour de la « convivance » finale *avec* Dieu et son Christ. La justification, puisée dans la Croix, s'inscrit jusque dans notre histoire, personnelle et ecclésiale, tout en visant un salut au terme de l'histoire. Ce qui veut dire que le ministère chrétien, lié au motif de la justification (passée et actuelle) et à celui du salut (futur), ne peut jamais se réduire à un état de fait, comme absorbé par un salut déjà là, entièrement consommé. Le *caractère* de ce ministère n'est jamais un « en-soi », dans l'intemporalité d'une vertu entièrement consommée. Selon l'auteur de l'Épître aux Hébreux, insistant sur le motif de la parole du salut, le ministre chrétien est désigné comme un *guide*, toujours en état de marche avec les siens, en pèlerinage avec Christ vers le Père.

En bref, dès le départ de cette réflexion sur le ministère, nous venons d'insister sur deux motifs importants. Le ministre chrétien

---

11. À l'exception de Rm 8, 24, où le verbe *sauver* est au présent, mais *en espérance*.

est lié de quelque manière à la parole, au sens le plus profond, c'est-à-dire à la parole même de Dieu dont le ministre, en Christ et par l'Esprit, est l'un des médiateurs. Le ministère chrétien sans cette référence prégnante au Christ, le Verbe de Dieu, devient sans signification. Sa parole perdrait sa consistance. Elle ne serait plus le geste médiateur d'un salut toujours accordé par le Seigneur. Mais un tel salut ne relève pas pour autant du seul registre de l'individuel. Chez Paul surtout, il a une dimension éminemment sociale ou communautaire, et toujours en devenir. Le salut de Dieu, qui passe toutes les frontières, traverse une Église de chrétiens justifiés, en marche vers le salut. En sorte que le ministre chrétien ne peut déclarer son authenticité qu'en raison de cette double et radicale référence qui le cerne : sa référence à la parole devenue chair en Christ, et son lien avec l'Église et la communauté des hommes. Il n'est pas le maître de cette parole, mais celui qui la dessert. En tant que *diakonos*, il « sert » cette parole qui sauve, avec les gestes de salut qui l'expriment, et il la sert aux hommes dont il se veut le serviteur (en grec, *doulos*). Comment déployer ce large argument ?

PREMIÈRE PARTIE

UN INVENTAIRE DES MINISTÈRES SELON LE NOUVEAU TESTAMENT

Nous venons de rappeler combien il est difficile de parler de l'origine des ministères dans le Nouveau Testament. La documentation est pauvre, peu homogène et susceptible d'interprétations diverses. Aussi les affirmations péremptoires en ce domaine n'apparaissent-elles guère de mise. Tentons cependant de ramasser les principales indications sur le sujet, disposées selon la chronologie littéraire la plus habituellement suivie. On ne saurait cependant oublier combien plus d'une fois la datation actuellement allouée à certains des écrits dits pauliniens demeure fragile, et, *a fortiori*, la date attribuée aux traditions orales antérieures : Où et quand la lettre aux Philippiens, portant la première mention connue des *épiscopes* et des *serveurs*, a-t-elle été rédigée ? Quand situer exactement l'écriture de l'Épître aux Hébreux qui use d'un langage ministériel étonnant en parlant des *guides* de la communauté ? De quand datent précisément les lettres dites deutéro-pauliniennes (Colossiens, Éphésiens et *a fortiori* les Pastorales) qui mentionnent des *épiscopes* et des *presbytres* ? D'autres datations sont heureusement plus solides, à commencer la première lettre aux Thessaloniciens et les autres lettres directement pauliniennes qui s'étalent entre les années 51 à 58, sinon jusqu'en 60. Un jugement décisif en la matière demeure imprudent. Mais, parfois comme à tâtons, cela ne doit pas empêcher de procéder à une lecture de type *diachronique* de ces écrits, suivant leur chronologie et leur genèse littéraire. Ce premier recueil de données, à compléter par la suite, servira de tremplin en vue d'une discussion plus poussée. Commençons par le témoignage de Paul, au sens strict, avant d'en arriver aux éléments recueillis en d'autres milieux judéo-chrétiens, puis, dans les diverses églises qui s'inscrivent toujours dans le sillage de Paul, à la manière des Actes de Luc et des Pastorales, bref, jusqu'au terme du premier siècle environ. Dans cette large synthèse, les écrits évangéliques ne seront donc pas oubliés, en tant qu'ils peuvent nous éclairer sur l'organisation ministérielle des églises, mais d'une manière indirecte seulement, comme le reflet d'une situation ministérielle à chaque fois particulière.

CHAPITRE 2

LE TÉMOIGNAGE DE PAUL

Présentons successivement le témoignage de Paul dans la première lettre aux Thessaloniciens, rédigée en 50/51 de notre ère et surtout dans les deux lettres aux Corinthiens, à situer probablement dans les années 54 à 56 ; enfin, dans la lettre aux Galates vers 56 ou 57, puis, l'épître aux Romains vers 58 sans doute[1]. Dans ces lettres directement pauliniennes nous distinguerons surtout les éléments où l'Apôtre use d'appellations ministérielles et mentionne des tâches ou des rôles à l'aide d'expressions diverses[2]. Les éléments çà et là dispersés dans les autres lettres strictement pauliniennes (à savoir : *1 Thessaloniciens* ; *1* et *2 Corinthiens* ; *Philippiens* ; *Galates* ; *Romains et Philémon*) seront intégrés à cet ensemble.

LA PREMIÈRE AUX THESSALONICIENS

Situons les désignations ministérielles et la charge de l'Évangile dans le contexte de la ville de Thessalonique.

---

1. Les datations proposées demeurent hypothétiques, sauf dans le cas de 1 Th. L'important n'est pas tellement de dater avec exactitude telle ou telle lettre, mais de savoir littérairement la situer par rapport aux autres : ainsi, Ga précède (presque) sûrement Rm.

2. Dans les textes qui seront cités, nous suivrons généralement la traduction de la Bible dite Osty-Trinquet, avec quelques modifications le cas échéant, à l'aide, par exemple, de Maurice Carrez, *Nouveau Testament interlinéaire grec/français*, Alliance biblique universelle, 1993.

À THESSALONIQUE

Le vocabulaire du ministère et les modalités de son exercice varient sensiblement selon les temps et les lieux, tant les ministres doivent s'adapter à la situation et aux besoins de chacune des églises. À Thessalonique, la situation est embryonnaire au niveau de l'organisation des ministères, et aucun vocabulaire technique ne s'impose encore. Cette église n'en demeure pas moins vivante, au cœur d'une ville importante de la Macédoine, sur la Voie Egnatia reliant la Mer Égée à l'Adriatique. Avec son port et ses routes qui l'unissaient à l'Occident comme à l'Orient, c'était une cité commerciale, un lieu de passage des hommes et des idées. Paul savait choisir les villes constituant le tremplin de son ministère. Une synagogue juive est connue (Ac 17, 1-9), et la communauté nouvelle va attirer à elle des Juifs et des gens des Nations, disons des helléno-chrétiens. C'est d'ailleurs à ces derniers que Paul va s'adresser (1 Th 1, 9 et 2, 14). Sans doute s'agit-il surtout de ceux qu'on appelait alors des *craignant-Dieu* ou des *adorateurs de Dieu*, c'est-à-dire des anciens idolâtres d'abord attirés par la synagogue, le monothéisme et la comportement moral des Juifs, basé sur le Décalogue. Ces gens connaissaient donc quelque peu les Écritures avant de confesser leur foi en Jésus. Par ailleurs, la situation d'ensemble restait relativement calme, même si la rupture entre les Juifs qui ne reconnaissaient pas Jésus et les croyants d'origine juive (les judéo-chrétiens) ou grecs (les helléno-chrétiens) devenait parfois aiguë (1 Th 2, 14.16). Mais on ne connaissait pas encore les tensions qui surviendront plus tard, en Galatie et ailleurs, entre des judéo-chrétiens situés dans la mouvance d'un Jacques de Jérusalem, par exemple, et des helléno-chrétiens, libérés du joug de la Loi suivant l'exemple de Paul. La Première aux Thessaloniciens date de l'an 50 ou plutôt de 51 – c'est la seule date quasi certaine d'un écrit du Nouveau Testament, en raison de la découverte d'une ancienne inscription portant le nom de Gallion (Ac 18, 12s). La lettre est donc écrite avant l'assemblée de Jérusalem qui se déroula probablement en l'an 52[3]. Or, cette assemblée, qui devait en principe régler les différends entre les communautés chrétiennes, semble plutôt aboutir à une certaine exaspération des diverses positions touchant la mission chrétienne à l'endroit d'Israël et des Na-

---

3. Et non pas de l'an 49, comme on le dit souvent. Nous suivrons sur ce point la thèse de Simon Légasse, *Paul apôtre*, Le Cerf, Paris, 1991, p. 153ss.

tions. Du moins, l'interprétation de Paul (Ga 2, 1-11) semble à l'opposé de certains tenants d'un judéo-christianisme rigoureux. La figure du ministère chrétien, liée au motif de la mission de par la proclamation de la Parole qui en constitue le cœur, s'en trouvera pour une part modifiée. Mais, à l'époque de 1 Th, nous n'en sommes pas encore là.

LES PREMIÈRES DÉSIGNATIONS MINISTÉRIELLES

À la différence des autres lettres pauliniennes qui vont suivre, on ne trouve aucun titre ministériel au début de cet écrit, mais simplement les mots : « Paul, Sylvain et Timothée à l'église des Thessaloniciens... » (1 Th 1, 1). Aucun titre n'apparaît, qui accréditerait son auteur, tel celui d'*apôtre* (1 Co 1, 1 ; Rm 1, 1, etc.) ou encore, celui de *serviteur* ou *esclave*, c'est-à-dire un titre à l'envers même de tous les titres de pouvoir (Phi 1, 1 ; Rm 1, 1). Cela dit, comment ne pas remarquer que Paul n'est pas seul en scène : Sylvain et Timothée sont là. Car l'Apôtre ne travaille pas en solitaire. Il a auprès lui une équipe missionnaire, mentionnée au début de ses lettres, avec surtout Sylvain, Timothée et Tite. Les envoyés du Seigneur allaient deux par deux en mission selon Mc 6, 7, mais la technique de collaboration missionnaire de Paul paraît plus poussée encore – ce qui sauvera d'ailleurs l'Apôtre, parfois empêtré dans des situations délicates comme à Corinthe (1 Co 4, 17)[4].

Le premier titre ministériel, celui d'*apôtre*, apparaît dans 1 Th 2, 6-7, lorsque Paul déclare au nom de ses collaborateurs et contre certains fanfarons : « Nous n'avons pas non plus recherché la gloire des hommes..., alors que nous pouvions nous imposer comme apôtres du Christ ». Le mot ne sera plus repris par la suite, mais il reviendra souvent dans les deux lettres aux Corinthiens surtout, et dans Romains aussi. Il fera plus loin l'objet de notre enquête.

Puis, dans 1 Th 3, 2 Paul écrit aux Thessaloniciens : « Nous avons envoyé Timothée, notre frère et le collaborateur de Dieu dans l'Évangile du Christ, pour vous affermir et vous réconforter dans votre foi ». Un *collaborateur de Dieu* (en grec, *synergon*) : ce titre ministériel, dont le sens dépasse l'usage courant d'aujourd'hui, est assez étonnant. Car l'Apôtre ne dit pas : « notre » collaborateur, mais il parle de

---

4. Sur les associés de Paul, voir S. Légasse, *op. cit.*, p. 172-174.

celui qui travaille *avec* Dieu ; et de même, en 1 Co 3, 9. Or, ce travail touche une parole suréminente, celle de l'*Évangile* du Christ. On sait le poids de ce dernier mot, qui ne désigne pas encore un ouvrage écrit, mais la Bonne Nouvelle du salut en Christ. D'emblée, le ministre en question est situé du côté de Dieu, chargé d'une parole qui n'est pas la sienne. Il doit « affermir » et « réconforter » les croyants. Or, ces verbes ont, eux aussi, un sens quasi technique dans le cadre de la parole apostolique, et ils sont liés en particulier à la charge du « prophète chrétien », ce porte-parole de Dieu et de son Christ, dont nous parlerons plus tard.

Pour faire court, relevons dès maintenant d'autres mentions de ces collaborateurs (*synergoi*) ; ainsi dans 1 Co 3, 9 et 16, 16 ; puis, dans 2 Co 6, 1 et 8, 23 à propos de Tite, « mon collaborateur auprès de vous » ; Phi 2, 25 (sur Epaphrodite) ; 4, 3 (sur Evodie, Syntyché qui ont « lutté avec moi pour l'Évangile », Clément et « mes autres colla-borateurs ») ; Phm 1 et 24, sur Philémon, Marc, Aristarque, Démas et Luc, « mes collaborateurs » ; enfin, dans Rm 16, 3.9.21, à propos du couple d'apôtres, Prisca et Aquilas, puis, de Urbain, « mes collabora-teurs en Christ », et de Timothée encore[5]. Formulons seulement deux remarques : les personnages qui viennent d'être cités sont considéra-bles, et le point devient clair lorsque ces mêmes collaborateurs sont désignés à l'aide d'autres titres, tel Timothée, *diakonos*, le serveur de la parole selon 2 Co 6, 4, au sens éminent de ce mot ; ou encore, Épaphrodite, « apôtre et compagnon de lutte », selon Ph 2, 25. Par la suite, l'emploi du mot *collaborateur* semble comme disparaître du vocabulaire néotestamentaire. Ce titre ministériel, à l'extension de-venue trop large, tomba en désuétude. Il en sera de même pour d'autres appellations qui vont suivre. C'est déjà dire combien ces premières désignations vont bouger au cours des temps, en s'assimi-lant mutuellement au point de paraître interchangeables ou presque. Les titres ministériels se cherchent encore, et, nous le verrons, l'intérêt de l'Apôtre portera davantage sur les services à effectuer que sur les titulatures à attribuer.

---

5. W.H. Ollrog, *Paulus mit seine Mitarbeiter*, Neukirchen, 1979, p. 728, compte 16 *synergoi*, coopérants ou assistants avec Paul (avec Col 4, 11). Ces associés sont de type différents : de simples compagnons, des délégués des Églises, des collaborateurs, le couple missionnaire Prisca et Aquila. En fait, il est difficile de préciser exactement leur tâche respective.

D'une manière plus précise dans 1 Th 5, 12, Paul demande aux siens d'avoir des égards pour « ceux qui peinent parmi vous, qui sont à votre tête dans le Seigneur et qui vous reprennent ». Insistons sur l'importance des verbes ici utilisés : *peiner* et *être à la tête de* ou présider :

– *Peiner* ou *prendre de la peine* : ces expressions sont connues dans les synagogues : « Que ceux qui prennent de la peine pour la communauté prennent de la peine au nom du ciel (de Dieu) »[6]. On retrouve ce mot quasi technique chez Paul dans 1 Co 16, 15-16, quand il invite les Corinthiens à être « soumis à de telles (personnes) et à chacun de ceux qui travaillent et peinent », et cela dans un contexte où il est justement question du « service des saints », c'est-à-dire du ministère exercé en faveur des croyants. On remarquera le lien opéré entre les verbes travailler (littéralement, *collaborer*) et peiner. On lit ce dernier verbe en Ga 4, 11, lorsque Paul déclare : « je crains d'avoir peiné pour vous en pure perte », ainsi que dans la lettre finale de Rm 16, 6.12, à propos de Marie, Tryphène et Tryphose, avec Persis « la bien-aimée ». Car les femmes aussi sont à la peine. Sans doute le sens à allouer à ce verbe est-il assez large ; mais on ne saurait lui dénier toute attache avec le ministère dans le jeu d'une action souvent lourde à porter. Dans 1 Th 5, 12 cette peine ou cette charge est directement liée à la présidence communautaire et au devoir d'avertir ou de reprendre son frère – littéralement, de lui « remettre à l'esprit » ce que Dieu veut à son endroit. Certes, tout chrétien peut et même doit admonester son frère (Rm 15, 14), mais les dirigeants plus encore, à commencer par Paul lui-même : « J'écris cela pour vous reprendre comme mes enfants bien-aimés » (1 Co 4, 14 ; 10, 11).

– Toujours en 1 Th 5, 12, il est question de ceux « qui sont à votre tête dans le Seigneur », ou encore, de ceux qui « vous président » ou « vous dirigent »[7]. On relèvera qu'une telle présidence s'exerce, non pas en son nom propre, mais *dans le Seigneur*. Comme l'écrira l'auteur de la lettre aux Éphésiens, seul le Seigneur est « la tête pour l'Église » (Ep 1, 22). Mais le mot est quand même appliqué à un dirigeant de la communauté, ainsi dans Rm 12, 8 : « Que celui qui préside (le fasse) avec diligence ». On le retrouve quelques fois encore à une époque plus tardive, à propos des *épiscopes* (1 Tm 3, 4.5), des

---

6. *Mishna*, traité *Pirqêy Abboth* 2, 2.
7. En grec *proïsthamenos*, au sens d'être *situé devant*.

presbytres (5, 17) et même des *diacres* dans le cadre de leur maison familiale (3, 12). Or, dans Rm 16, 1, un mot d'apparence analogue vise une femme du nom de Phoebé, désignée en grec, à la fois, comme *diakonos,* le serveur de la parole (le même mot grec sert au masculin et au féminin) et *prostatis,* celle qui se situe au-dessus, telle la protectrice ou la patronne de l'église de Cenchrées.

LA CHARGE DE L'ÉVANGILE

Le relevé qui précède montre déjà qu'aucun titre ministériel n'apparaît s'imposer dans le plus ancien des écrits pauliniens. Ce qui ne met pas pour autant en question le rôle actif de l'Apôtre, car l'action ministérielle dépasse les titres qui cherchent à le cerner. Relevons surtout quelques phrases de Paul dans 1 Th 2, 4-7 :

> « Nous avons trouvé de l'assurance en notre Dieu, pour vous annoncer l'Évangile de Dieu au milieu de bien des combats. Car notre exhortation ne s'inspire ni de l'erreur, ni de l'impureté, ni de la ruse. Mais puisque Dieu nous a discernés pour nous confier l'Évangile, nous parlons, non de manière à plaire aux hommes, mais à Dieu qui éprouve nos cœurs. Jamais non plus nous avons usé de paroles flatteuses, comme vous le savez, ni de prétexte pour couvrir la cupidité, Dieu en est témoin ; nous n'avons pas non plus recherché la gloire des hommes, ni de vous ni d'autres, alors que nous pouvions nous imposer comme apôtres de Christ ».

Comme on voit, le cœur du ministère apostolique est mis en évidence, et il se ramasse dans la proclamation de la Bonne Nouvelle d'où le salut surgit. Paul exhorte les siens, en utilisant un mot quasi technique à l'époque pour dire cette exhortation[8]. Ce mot a un sens plus ample que celui d'aujourd'hui, car il vise alors tous les aspects du comportement chrétien. Or, nous le verrons, le « prophète chrétien » est particulièrement chargé d'une telle « exhortation ». En tant que porte-parole de Dieu et de son Christ, il se doit de transmettre les paroles décisives de Jésus, qui façonnent le comportement chrétien. Il parle et dirige les siens au nom de Jésus. L'apôtre Paul assume aussi cette charge, non pas de lui-même, car c'est Dieu qui l'a discerné ou éprouvé, lui et ses compagnons. En bref, cette parole qui porte activement le salut, ou encore cette parole d'exhortation qui déclare la conduite à tenir, est toujours « donnée » par Dieu. L'homme ne peut

---

8. Ou cette *paraclèse* suivant le mot grec ici translittéré.

s'autoriser de lui-même, y compris celui qui penserait objectivement en posséder le charisme. Ce point est majeur : le ministère chrétien est toujours donné, sans jamais être possédé comme un droit. Assurément, comme le déclare Paul à la fin de ce texte, il aurait pu s'*imposer* d'autorité aux siens en faisant montre de son titre apostolique. Ce qu'il ne fait pas. Au reste, le mot *apôtre* désigne celui qui est *envoyé*, sans jamais pouvoir autoriser son autorité à partir lui-même (Ga 1, 1.15s).

Ajoutons une remarque, toujours à propos de 1 Th 2, 7, traduit plus haut par : « nous pouvions nous imposer comme apôtres de Christ ». En fait, le verbe grec, traduit ici pas *imposer*, pourrait être compris d'une autre manière : en raison de son titre apostolique, Paul aurait légitimement pu « être à la charge » des siens. N'oublions pas, en effet, qu'un orateur de l'époque, tel un rhéteur ou un philosophe, était payé par ceux qui l'invitaient à parler dans le cadre important d'une maison « à la romaine ». Ce qui inévitablement assujettissait l'orateur à ceux qui l'employaient. Or, l'Apôtre refuse ce type d'allégeance. Sa parole ne doit des comptes qu'à Dieu. Lui seul éprouve son cœur et le soupèse d'une juste manière. L'Écriture pouvait sans doute autoriser une telle pratique salariale à l'endroit d'un orateur, mais Paul s'en amuse presque dans 1 Co 9, 9, en citant *Deutéronome* 25, 4 : « Tu ne muselleras pas le bœuf qui foule le grain ». Celui qui peine a le droit de manger. Jésus en admettait d'ailleurs le principe : « car l'ouvrier est digne de son salaire » (Lc 10, 7 et Mt 10, 10). Bref, comme les autres apôtres, Paul aurait pu réclamer ce droit. Ce qu'il refuse pourtant, afin de rester libre, sans nulle pression à son endroit (1 Co 9.1.12-14 ; 2 Co 11, 7-11). Par fidélité à l'esprit de Jésus plus qu'à la lettre de son commandement, il n'hésite donc pas à dire le contraire ou presque de ce que réclamait le Seigneur. En outre, il s'appuie ici sur un certain parallèle entre le travail évangélique et la juste rétribution de ceux qui servent le Temple de Jérusalem, comme si le culte d'hier trouvait son prolongement dans l'annonce évangélique (1 Co 9, 13-14). Bref, Paul refuse cet argent, ce qui plus tard n'empêchera pas l'auteur de 1 Tm 5, 18 de réclamer la rétribution des « presbytres » qui « peinent à la parole et à l'enseignement », en s'appuyant encore sur Dt 25, 4.

L'Apôtre préfère donc travailler « jour et nuit pour n'être à charge à aucun de vous » (1 Th 2, 9). Il aurait pu le faire, en jouant quelque peu sur la corde sensible, car il est pour les siens comme une *mère*, prêt à donner sa vie ; et il est « un père pour ses enfants » (1 Th 2, 7 et 11). Ces tendres comparaisons sont loin d'une froide présentation du ministère. Sans autoritarisme aucun, l'Apôtre excelle à revendiquer la plus haute autorité au nom même de la Parole dont il n'est que le serviteur. Passons maintenant aux deux lettres aux Corinthiens dont l'importance est majeure touchant le ministère chrétien.

LES LETTRES AUX CORINTHIENS

Les éléments qui précèdent peuvent de prime abord paraître assez décevants, même si les pièces maîtresses du ministère chrétien sont déjà là en réalité : non pas en germe seulement, mais dans toutes leurs forces puisées dans la puissance d'une Parole qui déclare activement le salut de Dieu. Des précisions seront ensuite apportées à l'aide d'un vocabulaire ministériel qui cherche à s'adapter toujours mieux à la situation du moment. Et les Églises sont diverses, éloignées les unes des autres et plus ou moins structurées selon le cas : les unes encore chargées du poids des traditions judéo-chrétiennes qui se veulent proches de l'ancien héritage, et les autres, plus libres dans leur expression et d'abord soucieuses de pénétrer le monde des Nations. Dès lors, le rôle des dirigeants de ces communautés peut changer de contours en raison de l'organisation embryonnaire, propre à chaque groupe chrétien. Une communauté judéo-chrétienne dans la ligne de Matthieu ne ressemble guère à une communauté paulinienne ; et au sein des communautés de ce dernier les rôles ne sont pas encore parfaitement distribués. Du moins, l'Apôtre est amené à sérieusement réagir sur ce point précis. Toutefois, avant de l'aborder, commençons par une réflexion touchant le vocabulaire ministériel dans ce qu'il a de plus essentiel. Nous reprendrons ce motif en détail au chapitre 8. Mais la compréhension du langage paulinien impose déjà quelques remarques essentielles à ce propos. De quel type de service s'agit-il donc chez Paul ?

LE SERVEUR DE LA PAROLE

Disons d'abord que si la référence à Jésus demeure commune à tous les croyants des premiers temps, la manière de se situer par rapport à lui peut cependant différer sensiblement d'une communauté à l'autre[9]. Par exemple, dans un contexte judéo-chrétien, les uns mettront en forte lumière la figure de Jésus qui demeure le Maître ou le Rabbi dont nous restons les disciples. Au terme de cet évangile, le Ressuscité dit aux siens : « Faites des disciples » (Mt 28, 19). Le chrétien est un disciple, et celui que Jésus envoie, tel un maître à la suite du Maître, est chargé à son tour de « faire des disciples ». Mais il n'est guère alors qu'un répétiteur, un *tanna*, comme on disait dans le Judaïsme ancien pour désigner ce type de maître ou de rabbi. Or, Paul n'use jamais d'un tel vocabulaire : il n'applique pas le mot *maître* à Jésus, et il ne désigne pas les siens comme étant des disciples, et *a fortiori* comme ses propres disciples. Ce point a d'immédiates conséquences sur la façon même de comprendre l'un des aspects majeurs du ministère chrétien selon l'Apôtre. Car, aux yeux de Paul surtout, le croyant porteur d'une charge communautaire est d'abord un *serveur* (en grec *diakonos* ; et non pas *doulos*, un serviteur). Il ne répète pas simplement la parole autrefois émise par le Maître de Galilée. Il est le *serveur* ou le desservant d'une Parole toujours vivante dans le cadre d'un service et ministère aux facettes diverses : tel l'apôtre ou l'envoyé d'un Seigneur qui continue de parler et d'agir ; tel le prophète ou le porte-parole de ce même Seigneur ; tels ces multiples ministères, caritatifs et autres, dont la parole s'exprime dans les gestes et dont les gestes deviennent parole. Faut-il déjà remarquer combien l'Apôtre a su mettre à fond en valeur ce service apostolique de la parole à l'aide d'un vocabulaire éminemment « diaconal », c'est-à-dire ministériel. Plus tard, les évangélistes insisteront moins sur ce vocabulaire spécifique, et, à ce stade déjà tardif, le *diakonos*, visant un large service, deviendra peu à peu l'équivalent ou presque du grec *doulos*, le serviteur d'un maître de maison (Mc 9, 35 ; Mt 22, 13). Paul va donc bâtir sa théologie du ministère sur le radical verbal *diakonein*, doté d'une force nouvelle. Encore fallait-il distinguer les diverses manières d'être le serveur de cette Parole souveraine ! Car le service de cette parole s'effectuait mal à Corinthe.

Dans l'urgence d'une situation troublée, il importait à l'Apôtre de remettre de l'ordre et d'organiser au mieux le jeu de cette parole qui fait salut. Car il ne s'agit plus de répéter au mieux, tel un disciple scrupuleux, une parole délivrée hier par le Maître de Galilée. Jésus est vivant, et il nous parle toujours. Mais il ne s'agit pas, non plus,

---

9. C'est l'objet de notre livre, *Jésus, Christ et Seigneur des premiers chrétiens*, Desclée, Paris, 1997.

de disperser la parole en tout sens, selon la fantaisie de soi-disant apôtres – des « *sur-apôtres* », dira Paul en 2 Co 11, 5.13 ! –, qui ne s'autoriseraient en fait que d'eux-mêmes. Car Jésus reste le maître de cette parole toujours vive. Le ministre chrétien, directement attaché au service de la parole, n'est pas le simple répétiteur de la parole d'hier. Et il ne la « maîtrise » pas non plus, car il n'est que le *serveur* de cette Parole toujours en effervescence. Le ministre chrétien ne se contente donc pas de rappeler le souvenir d'une ancien maître de sagesse, à la manière des disciples d'un rabbi d'autrefois, et il n'a pas, non plus, à se substituer à ce maître d'hier. Il demeure fondamentalement un serveur, et donc celui qui dessert une parole toujours vive, une parole qui n'est pas la sienne. Nous comprenons dès lors l'importance radicale de ce vocabulaire « diaconal », celui même du ministère.

À CORINTHE

Dans les années 50 à Corinthe, la question portait plus particulièrement sur les diverses modalités de ce ministère essentiel dans le cadre d'une prière dite glossolale et d'une parole lancée par les prophètes chrétiens. L'Apôtre entend mettre les choses en place. D'aucuns penseraient facilement qu'à son époque la parole jaillissait dans la spontanéité du charisme, avant que des règlements ne viennent peser sur cette liberté. Est-ce juste ? Car les chapitres de 1 Co 12 à 14 montrent plutôt le souci de remettre de l'ordre, et cela en des termes très vifs : « Dieu n'est pas un Dieu de désordre, mais de paix » (14, 33.36-40 : « Que tout se passe dignement et dans l'ordre » ; cf. 11, 16s). Sans doute pouvons-nous nous écrier : heureuse est la faute de ces Corinthiens dont la parole devenue extravagante va susciter chez l'Apôtre une telle mise au point. Car nous voilà quelque peu renseignés sur la circulation même de la parole chrétienne au cœur des nombreux ministères exercés par les Corinthiens. Contentons-nous ici d'une rapide description, précédée d'un rappel sur Corinthe et sa communauté chrétienne.

Il faut d'abord se plonger dans cette ville bouillonnante de vie. Ce « vestibule de la Mer », comme l'appelle Pindare, est la première ville de la province sénatoriale de l'Achaïe (Péloponèse), avec ses deux ports importants de chaque côté de l'isthme de Corinthe, à savoir Léchée donnant sur l'Adriatique et Cenchrées sur la Mer Égée. C'est une ville romaine toute neuve ou presque à l'époque de Paul, un centre commercial important à cheval entre les deux mers, un centre culturel et intellectuel aussi, avec ces belles dames qui voulaient imposer la mode du chignon ou quelques autres coiffures dévergondées (1 Co 11, 2s). En plein centre de la ville se situait probablement la synagogue juive, dite « la synagogue des Hébreux » dont on a découvert une inscription près de l'Agora (Forum). Cette ville de quelque 600 000 personnes peut-être, comprenait une bonne moitié d'esclaves, sinon des affranchis composant la clientèle de ces maisons romaines dont les fastes apparaissent encore au regard des archéologues.

L'importante communauté de Corinthe[10], composée surtout d'helléno-chrétiens, était un peu à l'image de la ville. Des chrétiens pauvres, des esclaves, des étrangers-résidents, des affranchis ou des citoyens de fraîche date côtoyaient une minorité efficace de notables devenus chrétiens, à l'instar de Gaius dont la maison devait recevoir Paul et son secrétaire Tertius, rédacteur de l'Épître aux Romains. Certains membres de la communauté appartenaient même au milieu le plus huppé, tel Eraste, désigné comme « le trésorier » ou « l'économe de la ville » en Rm 16, 23[11]. La communauté avait donc ses riches et ses pauvres, et, somme toute, leur niveau de culture humaine et biblique était relativement élevé – ne serait-ce que pour comprendre les lettres que l'Apôtre leur adressait ! Par ailleurs, l'un de leurs soucis porte sur la manducation des viandes dans les repas individuels et communautaires (1 Co 8 et 10-11), ce qui veut dire qu'on a affaire à des gens qui ont le moyen de s'en acheter – car la viande est chère et réservée pour les jours de fête dans les milieux pauvres. Voilà donc une communauté vibrante de vie, traversée déjà par de fortes tensions entre certains judéo-chrétiens et des helléno-chrétiens, les uns trop libres d'allure et les autres qui voudraient les faire « judaïser ». Des conventicules les divisent entre eux et des affaires de mœurs minent l'église : l'un couche avec sa belle-mère et l'autre fréquente les prostituées. Certains en appelaient à des juges païens pour régler leurs différends internes, et tout cela sans même parler

---

10. « Un peuple nombreux » selon Ac 18, 10.
11. Il faut probablement l'identifier à un édile romain, un magistrat municipal important dont le nom apparaît sur une inscription découverte en 1929 et portant les mots : « *Eraste a posé ce pavage à ses frais en remerciement pour son élection à la charge d'édile* ».

des glossolales au langage incompréhensible. Bref, la communauté est vivante, mais singulièrement agitée, du moins au regard d'un Paul qui aime l'ordre dans les assemblées chrétiennes. Ils avaient donc grand besoin d'être fortement dirigés, et pourtant ce n'est pas d'emblée la préoccupation de l'Apôtre. Car tout se joue selon lui sur la manière même de déclarer la parole du salut, et en l'occurrence de parer aux difficultés suscitées par certains glossolales et quelques prophètes chrétiens aussi. L'exercice de la parole chrétienne est prioritaire, et c'est d'abord cette circulation ministérielle de la parole qui importe. Ouvrons le dossier.

Dans ce contexte turbulent l'Apôtre évoque la relative anarchie des ministères qui s'affrontent alors. On voit d'abord l'Apôtre réagir contre une certaine « groupusculisation » des croyants en factions diverses selon le dirigeant que chacun se donne pour référence : Moi, je suis de Paul. Et moi, d'Apollos. Et moi, de Képhas. Et moi, de Christ (1 Co 1, 12). Il y a des divisions occasionnées par la manière de se situer par rapport à tels ou tels dirigeants, y compris par rapport « à Christ » ! Mais, dans ce dernier cas, peut-être s'agit-il de certains judéo-chrétiens, de type ultra « messianiste », qui veulent monopoliser la figure du Messie à leur seul profit[12]. Un an plus tard, l'Apôtre répliquera à ceux qui cherchent à accaparer cette figure messianique en se présentant comme les « serveurs du Christ » par excellence, qu'il l'est bien plus qu'eux tous (2 Co 11, 23) ! L'argument paulinien de 1 Co 1, 12 n'en demeure pas moins étonnant. Car l'Apôtre ne récuse pas ici l'existence d'Églises ou de communautés petriniennes, johanniques et autres, singulièrement différentes de ses propres fondations. Ce qu'il refuse, c'est cette division intestine des croyants serrés autour de différents dirigeants qui, finalement, se substitueraient à leur Seigneur. Pour mieux saisir la situation, rappelons que le geste d'eau pratiquée à la manière du Baptiste impliquait à l'époque un lien très fort entre le baptisé et celui qui le plonge dans l'eau du salut. Le « baptiseur » et le baptisé sont liés ensemble au sein du même groupe (Jn 4, 1), et cela au risque d'en arriver alors à une multiplication des groupes croyants en fonction même de ceux qui les baptisent. Or, selon Paul, seule la croix du Christ porte le salut, et le geste baptismal doit être interprété en fonction de cette croix (Rm 6, 3-6). Ce qui signifie d'emblée qu'un dirigeant chrétien ne saurait se subs-

---

12. Sur les *chrestianoi* ou les partisans du Messie, voir C. Perrot, *op. cit.*, p. 87-90.

tituer de quelque manière à son Seigneur crucifié, et que le groupe qu'il rassemble n'est jamais sa possession. Le ministre est de soi démuni de son avoir. Il n'est qu'un serveur, un *diakonos*, le transmetteur d'un bien qui n'est pas le sien.

L'unité de tous se ramasse dans la seule figure du Christ. Ce qui n'implique pas l'uniformité des rôles en la circonstance. Au cœur même des chapitres 12 à 14, en reprenant d'ailleurs un motif connu à l'époque, Paul souligne le lien existant entre tous les membres d'un corps. Tous ont leur place et leur charge, et tous constituent le même « corps du Christ » (1 Co 12, 12-29 et Rm 12, 3-8). Au fait, le mot *corps* peut désigner à l'époque une association professionnelle ou religieuse : une corporation. En sorte que le syntagme « corps du Christ », sur lequel l'Apôtre construit son ecclésiologie, pourrait se traduire par « la corporation de Christ ». Ce qui signifie que le ministère n'est jamais, disons, un « en-soi », tant il ne se comprend qu'en fonction du Christ et de sa *corporation* où il se trouve incorporé pour mieux la servir. Plus tard, l'auteur de la Lettre aux Colossiens identifiera ce corps à l'Église, en distinguant alors la tête et le corps, le Christ et son Église – car la tête est plus haute que le corps (Col 1, 18s). Dès lors, au niveau de Paul, le ministre chrétien demeure, jusque dans sa particularité, un membre de cette corporation entièrement transfigurée par la personne même du Ressuscité. Alors que dans le cadre d'une pensée analogue à celle de la lettre aux Colossiens, le ministre chrétien, membre à part entière de ce corps, devra en plus signifier sa relation avec la *tête* qui nous domine tous. Paul se situe différemment : le Christ n'est pas la tête de ce corps, il s'incorpore à ce corps même, son corps, en sorte que la relation médiatrice allant de lui aux siens s'impose comme de soi. Le ministère, dans le jeu d'une médiation essentielle, s'exerce alors comme à l'intérieur de ce corps, d'une manière disons endogène, sous l'influx de l'Esprit qui l'anime toujours. Alors que la tradition chrétienne postérieure à Paul réfléchira sur le ministère en fonction plutôt du second schéma, celui de l'auteur des *Colossiens*, avec le souci de mettre en relief cette dimension médiatrice ou *pontificale*, au sens étymologique de ce mot. Le lien alors tissé entre la tête et le reste du corps ecclésial est d'allure, disons, exogène ; la tête se distingue du corps. Sans doute, dans ces deux représentations néotestamentaires en relative contrariété, touchons-nous là la racine des interprétations divergentes du ministère chrétien à la suite de la Réforme en particulier. De quel côté est le ministre chrétien ? Du corps seulement, ou de la tête aussi ? Mais poser ainsi cette question, n'est-ce pas déjà oublier le rôle prophétique de l'Esprit Saint dans la médiation d'une parole qui nous dépasse ? Lisons maintenant 1 Co 12 à 14.

LES CHARISMES ET LES MINISTÈRES SELON PAUL

L'Apôtre aborde d'emblée la question des charismes qui, de quelque manière, touche ce que nous appelons aujourd'hui les ministères[13]. Chacun connaît l'énumération bien numérotée par l'Apôtre des trois fonctions majeures : « Il y a ceux que Dieu a établis dans l'Église, premièrement, apôtres, deuxièmement, prophètes et troisièmement, docteurs » (12, 28). Les rôles de chacun sont dûment classés, et les *docteurs*, c'est-à-dire les enseignants ou les « scribes devenus disciples du Royaume » – pour reprendre l'expression lue en Mt 13, 52 – sont maintenant en fin de liste. Le *rabbi* perd sa place première. Les hiérarchies d'hier sont retournées pour désigner l'entière prééminence d'un Seigneur qui continue toujours de parler. C'est là le point important. Le serveur chrétien n'est pas un simple transmetteur de la parole à la manière des scribes dont parle l'ancien traité de la *Mishna, Pirqêy Abboth* 1, 1[14]. Il n'est pas une sorte de rouage, comme extérieur à cette Parole qui le dépasse. Il en est l'apôtre ou l'envoyé, au sens fort de ce mot qui appelle l'idée d'une « re-présentation » de celui qui l'envoie – ce qui ne signifie pas qu'il en soit le remplaçant[15]. Il en est aussi le prophète, au sens de porteur de sa parole toujours vive. Il peut en être encore le docteur qui s'attache à la compréhension et à la transmission fidèle de cette parole. Parler d'un ministère chrétien au sens paulinien, c'est d'abord le situer au cœur d'une parole toujours en irruption. Mais avançons plus avant dans la description de ces chapitres.

---

13. Voir C. Perrot, « Charisme et institution chez saint Paul », *Recherches de Science Religieuse* 71 (1983), p. 81-92.

14. *Mishna* traité *Pirqêy Abbot* 1, 1 :

15. Depuis Dorothée Solle, *La représentation* (trad. fr.), Desclée, Paris, 1969, la distinction entre le représentant et un remplaçant est devenue classique.

L'unité dans l'Esprit selon 1 Co 12, 4-7

Paul affirme en premier l'unité radicale des charismes. Ce dernier mot est translittéré du grec *charisma*, au sens de don ou de cadeau fait par Dieu. Non pas des qualités propres, disons, inhérentes à tel ou tel individu, mais des dons qui sont et demeurent toujours le fruit de la grâce de Dieu – même s'ils « collent » pour une part aux talents d'un chacun. Et ces charismes ne valent que lorsqu'ils s'exercent pour le bien de tous et la construction de la communauté, exactement « en vue de ce qui est utile » (12, 7)[16]. Or, selon l'Apôtre, toute l'activité chrétienne est sous le signe de l'Esprit, jusque dans la diversité de ses manifestations, y compris dans la multiplicité des ministères. Relisons les versets 4 à 6, en gardant à l'esprit le double sens du mot grec *diaireseis*, ici traduit par diversité. Le mot appelle, à la fois, l'idée d'un partage, et donc d'une division (tous n'ont pas les mêmes dons), et l'idée d'une répartition gratuite (tout provient de Dieu) : « Il y a diversité des dons (*charismes*), mais c'est le même Esprit, diversité des ministères (*services*), mais c'est le même Seigneur (*Jésus*), diversité des modes d'action[17], mais c'est le même Dieu (*Père*) » (12, 4-6). L'Apôtre donne ensuite l'une des plus belles définitions du chrétien, avec la charge ministérielle allouée à chacun : « À chacun est donnée la manifestation de l'Esprit en vue de ce qui est utile. Reprenons : « À chacun est donnée[18] la manifestation (*littéralement, l'épiphanie*) de l'Esprit en vue de ce qui est utile (*à tous*) » (v. 7). On relèvera ce dernier élément qui désigne l'être chrétien et lui donne mission : être et devenir en toute sa vie l'épiphanie ou la concrète manifestation de l'Esprit pour le bien de tous.

Ajoutons deux réflexions, la première sur l'étonnante présentation de l'action trinitaire qui précède, et la seconde, au demeurant considérable, sur le rôle essentiel de l'Esprit dans la vie chrétienne selon Paul. Ce rôle touche directement l'action des ministres, car le *serveu*r chrétien ne peut l'être que dans l'Esprit, *in Spiritu*.

---

16. Sur la définition et la distinction entre les charismes en général et les charismes dits spirituels (les dons du *Pneuma*, l'Esprit) concernant directement la parole, voir surtout Max Alain Chevallier, *Parole de Dieu, paroles d'hommes. Le rôle de l'Esprit dans les ministères de la parole selon l'apôtre Paul*, Delachaux et Niestlé, Lausanne, 1966.

17. Littéralement, *des mises en œuvre* ou *des énergies*

18. Le verbe est au « passif divin », c'est-à-dire : Dieu lui donne d'être.

La première réflexion porte sur la curieuse énumération de l'Esprit, du Seigneur Jésus et de Dieu. Le Père est désigné comme celui qui *produit*, au centre de toutes les énergies ; le Fils, comme celui qui *régit* ; et l'Esprit, celui qui partage et *distribue*. En un sens, la Trinité paulinienne est comprise dans le cadre d'une maison à la romaine où se ramassent en cohérence la production, la régence et la distribution. C'est là une Trinité, disons, économique, et non pas exprimée en termes de paternité et de filiation. Bref, les serveurs restent sous la régence du *Kyrios*, du maître de la maison ; et en même temps les charismes qui modèlent leur service en le particularisant demeurent toujours sous la mouvance de l'Esprit. Des ministres chrétiens qui se déchirent entre eux injurient l'unique Esprit qui leur donne souffle.

La seconde réflexion est plus considérable encore, car elle entraîne au cœur de la pensée paulinienne sur l'Esprit Saint. Nous avons déjà évoqué plus haut[19] le déroulé de la vie chrétienne selon l'Apôtre, suivant un langage sensiblement différent de celui de nos discours actuels sur le salut. Selon Paul, la Croix du Christ nous a justifiés, et nous le sommes toujours de par la force de l'Esprit, avant d'être sauvés au jour de la « convivance » finale avec Dieu et son Christ. Ainsi, avons-nous d'abord été comme « retro-jetés » sur la croix du Christ de par notre baptême (Rm 6, 4s). Nous faisions alors corps *avec* le corps du Christ sur la croix, avant d'être à nouveau « avec Christ » dans le monde futur. Mais en attendant, nous sommes « en Christ », au sens de : nous sommes désormais de *chez* lui, de sa « maison », sous son entière souveraineté. Et donc, nous vivons de la vie même de cette maison du Seigneur ressuscité, sous la mouvance de l'Esprit, *in Spiritu*. Rien n'échappe à l'Esprit au cœur de cette « corporation du Christ », appelée ensuite l'Église : la parole et l'action chrétiennes sont sous son entière mouvance, et donc, au premier chef, la parole et l'action ministérielles seraient sans vie ni raison en dehors de l'Esprit. On comprend mieux alors pourquoi, dans l'énumération des charismes ministériels qui vont suivre, la mention de l'Esprit revient constamment. Sans l'Esprit de Dieu, le ministère perd son fondement et, sans ce ministère, la pérégrination chrétienne vers le salut s'égare.

---

19. Voir p. 28.

Les charismes selon 1 Co 12, 8-11

Continuons la lecture :

> « À l'un en effet, est donnée par l'Esprit une parole de sagesse et à un autre une parole de science, selon le même Esprit. À un autre la foi, par ce même Esprit et à tel autre les dons de guérison, par cet unique Esprit et à tel autre la puissance d'opérer des miracles. À l'un la prophétie et à l'autre les discernements des esprits ; à celui-ci les (*diverses*) sortes de langues et à celui-là l'interprétation des langues. Mais tout cela, c'est le seul et même Esprit qui l'opère, distribuant (*ses dons*) à chacun en particulier comme il veut » (1 Co 12, 8-11).

La liste est étonnante, de prime abord bien différente des secteurs de l'activité ministérielle d'aujourd'hui. Par ailleurs, certaines expressions de l'Apôtre sont difficiles à entendre, et d'autres charismes viendront plus loin compléter cette liste (v. 28-30). Sans doute serait-il possible ici de distinguer trois secteurs ministériels particuliers : le premier, sur l'ouvrage propre au docteur chrétien ; le second, sur toute l'activité chrétienne du salut ; et le troisième, sur l'exercice de la parole chrétienne : celle qui porte la révélation de Dieu et celle qui s'exprime dans la prière. Ces divers rôles, considérés comme des dons de l'Esprit, couvrent déjà une bonne part de l'activité chrétienne en général. Mais l'Apôtre attire surtout l'attention sur le jeu d'une parole nouvelle, alors que des glossolales de Corinthe posaient quelques problèmes et certains prophètes chrétiens aussi. Or, par-delà tous les autres charismes et ministères, ces derniers dons de l'Esprit touchent au cœur de l'activité du salut. Ils déclarent ce salut qui doit pénétrer jusqu'au cœur de tous les gestes chrétiens.

Une première série de tâches est énumérée, touchant probablement le domaine de la culture chrétienne, du moins si l'on comprend les mots *sagesse* et *connaissance* à la manière d'un juif d'alors, parlant un grec plutôt « sémitisé ». Chez Paul, la *sagesse* appelle l'idée d'une culture de type théologique, à la condition d'être authentique, c'est-à-dire réfléchie à l'ombre de la croix (1 Co 2, 6-16). Plus tard, un auteur deutéro-paulinien appellera les dirigeants de Colosses à « enseigner en toute sagesse » (Col 3, 16). De même, à Qumrân et chez Paul, la *connaissance* s'inscrit d'abord sur le registre du comportement, en fonction de ce que Dieu veut à notre endroit (1 Co 8, 1-3). Toutefois, ces deux types de parole si importants soient-ils, à savoir la *parole de sagesse* et la *parole de connaissance,* doivent s'opérer *selon l'Esprit* (1 Co 12, 8) – et non pas *dans l'Esprit,* à la manière des prophètes chrétiens. En son ministère particulier, l'enseignant, le *docteur* chrétien, parle en son nom, non pas de par l'Esprit, mais seulement sous son regard. Au contraire, l'apôtre et le prophète chrétien parleront et agiront au nom de Dieu et de son Christ, dans l'Esprit et de par l'Esprit.

Viennent ensuite (v.9-10a) les charismes qui relèvent du domaine de l'action chrétienne, à commencer par la foi, puis, l'action du médecin chrétien et enfin les gestes produits par la *puissance* de Dieu, à savoir les miracles. La mention de la foi peut surprendre. Mais, dans un contexte ancien, cette foi pleine de confiance appelle d'abord l'idée d'une sorte de capacité à opérer des merveilles au point de « transporter des montagnes » (1 Co 13, 2 ; cf. Mc 11, 23). Il ne s'agit pas ici de la foi au sens de l'acceptation d'une croyance ou d'un corps de doctrine. C'est une foi dynamique, qui se manifeste dans l'action. Les deux autres charismes attenants relèvent aussi du domaine de la santé : d'abord, dans le cadre d'une activité visant la *guérison* ; ce ministère de guérison prolonge à sa manière l'activité exorciste et thaumaturge de Jésus. Elle participe à son action messianique (Ac 4, 30), alors que la santé était plus ou moins liée à l'époque au motif du salut (les mots santé et salut ont le même radical en indo-européen). La guérison dite médicale relève aussi de Dieu, et *a fortiori* les gestes produits par la *puissance* de Dieu, à savoir les miracles – le mot grec *dynamis* désigne à la fois la puissance et le miracle. Paul, il est vrai, insiste bien peu sur ces miracles. Ou plutôt, il ramasse toute la force du miracle dans puissance de la Parole. Pour lui, c'est la parole qui fait d'abord miracle (*dynamis*), mais une parole surgie de l'Esprit[20].

Enfin, l'Apôtre se penche sur deux charismes, ces « dons spirituels » qui font difficulté à Corinthe, à savoir la glossolalie et la prophétie. Il les désigne à l'aide des mots « charismes spirituels (littéralement, *les dons* ou *cadeaux pneumatiques*) ». On ne peut évidemment aborder ici le sujet dans toute son ampleur[21]. Il suffira d'indiquer de larges orientations, qui n'en touchent pas moins le cœur du ministère chrétien.

Pour le dire en un mot, distinguons d'emblée trois types de paroles dans le cadre d'une église paulinienne : 1) les paroles de salut qui

---

20. Cf. Charles Perrot, Jean-Louis Souletie et Xavier Thévenot, *Les miracles tout simplement*, Ed. de l'Atelier, Paris, 1995, p. 118-122.
21. Voir p. 215ss sur les prophètes chrétiens.

nous viennent *de* Dieu ou de son Christ ; 2) puis, les paroles adressées
à Dieu et à son Christ ; 3) enfin, les paroles *sur* Dieu et son Christ, à
la manière des docteurs ou des théologiens dont il a été question plus
haut. Les premières sont les paroles qui nous viennent *de* Dieu et de
son Christ, c'est-à-dire des paroles de révélation, telle la Parole de
Dieu dans l'Écriture et les paroles de Jésus dans l'évangile. Ce sont
là des paroles prononcées autrefois par les prophètes d'Israël parlant
au nom de Dieu, et qui maintenant reprennent vie sous les lèvres du
prophète chrétien. Ou encore, ce sont les paroles de Jésus continuellement rappelées par ceux qui assumaient les rôles d'apôtre ou de
porte-parole du Seigneur dans les communautés. Car Jésus continue
de parler aujourd'hui, et de plusieurs manières : les paroles du
Seigneur, lues dans les évangiles après avoir été ramassées et adaptées à un nouveau milieu de vie ecclésiale, en constituent l'exemple
tangible. Mais il y en a d'autres. Sans même le truchement direct
d'une parole autrefois énoncée par Jésus, le prophète chrétien continue de parler au nom du Ressuscité, dans le surgissement d'une
parole entièrement adaptée au moment présent ou tournée vers
l'avenir. Ainsi l'Apôtre entend-il *imiter* Jésus, au sens le plus fort de
ce mot qui n'appelle pas chez lui l'idée d'une simple répétition, mais
d'une sorte de création nouvelle, vécue de l'intérieur sous la mouvance de l'Esprit. Jésus nous parle par les lèvres de l'Apôtre, car « ce
n'est plus moi, mais Christ qui vit en moi » (Ga 2, 20). Il osera même
dire : « Soyez mes imitateurs comme je le suis moi-même du Christ ! »
(1 Co 11, 1). Il ne s'agit pas ici d'une prétention inadmissible, mais de
l'expression d'une double conviction : la certitude du croyant et de ses
dirigeants de s'insérer dans une tradition vitale, dans la chaîne de
ceux qui ont vécu de la vie même du Seigneur, et la conviction aussi
de « re-présenter » de la plus vive manière Jésus le Ressuscité dans
sa vie « d'aujourd'hui ». Christ est vivant[22]. De nos jours encore le
travail d'une parole apostolique et prophétique se poursuit *in Spiritu*,
car Jésus continue de parler aux siens.

Quant au deuxième type de paroles, à savoir les paroles adressées
à Dieu ou à son Christ, il s'agit de là prière ou de l'action de grâce
(littéralement, l'eucharistie), dans un mouvement qui va en quelque
sorte *de* l'homme *à* Dieu, à l'inverse de la parole précédente, dite de

---

22. Voir aussi 1 Th 1, 6 et 1 Co 4, 16. L'imitation paulinienne, proche de la
compréhension de ce mot dans le monde grec, appelle l'idée d'une continuité vitale pour
une part analogue au motif théologique de la succession.

révélation ou de prophétie, allant *de* Dieu *aux* siens. Le problème à Corinthe est alors celui-ci : d'un côté, les prophètes chrétiens accomplissaient mal leur travail dans l'anarchie de paroles en contrariété mutuelle, dites au nom de Jésus dans l'Esprit[23] ; et de l'autre côté, certaines prières de type glossolale, prononcées dans la ferveur de l'Esprit, n'étaient plus compréhensibles par le tout-venant des communautés. D'où la nécessité de réagir en ces deux domaines.

Dans le cadre d'une glossolalie devenue exclusive et trop anarchique, l'Apôtre déclare : « ... si ton esprit seul est à l'œuvre quand tu dis une bénédiction, comment celui qui tient la place des simples auditeurs pourrait-il répondre "Amen" à ton action de grâce, puisqu'il ne sait pas ce que tu dis ? » (1 Co 14, 16). Reprenons en d'autres termes : si le dirigeant d'une communauté dit une bénédiction [à la manière d'une prière juive commençant par les mots : « Béni soit Dieu, car... » (cf. Ep 1, 3)], comment celui qui tient la place de simple auditeur[24] pourrait-il répondre Amen à ton action de grâce [*à ton eucharistie*], puisqu'il n'y comprend rien ? Les glossolales prient authentiquement en esprit et dans l'Esprit, mais une communication claire et audible leur fait défaut. Il y a un hiatus entre cette prière quasi musicale qui se passe de mots et une prière, une oraison, compréhensible au niveau communautaire. Sinon, il est impossible aux fidèles de répondre Amen, comme le faisaient d'ailleurs les juifs dans le cadre des prières synagogales. On remarquera la distinction faite ici entre les croyants et celui ou ceux qui lancent la prière sous la forme d'une bénédiction (en grec, *eulogia*) ou d'une action de grâce (en grec, *eucharistia*) – ce sont les deux mots qui vont marquer en profondeur le repas communautaire chrétien. Paul relève donc une distinction dans les rôles alloués aux uns et aux autres, sans pour autant préciser si la charge en question est occasionnelle ou non.

De leur côté, certains prophètes chrétiens qui n'écoutaient qu'eux-mêmes en arrivaient à emmêler leurs propres discours aux paroles souveraines du Seigneur, sans qu'on puisse toujours en distinguer l'origine. Paul s'efforcera de respecter cette distinction, par exemple à propos de la virginité : « Au sujet des vierges, je n'ai

---

23. Le comble de ces contradictions s'exprime d'une manière ironique dans 1 Co 12, 3 : comment l'Esprit pourrait-il crier : *Maudit soit Jésus !*

24. Littéralement, des *non initiés*, à savoir les chrétiens de base. L'expression est connue dans le monde hellénistique (d'après les papyri entre autres) et même dans les synagogues. Elle distingue le dirigeant du laïc, dirions-nous aujourd'hui.

pas d'ordre du Seigneur : c'est un avis que je donne » (1 Co 7, 25). Aussi faut-il distinguer les deux paroles : celle du Seigneur de par son apôtre, et celle de Paul en tant qu'individu, même si le même Esprit est à la racine de chacune. L'unité dans l'Esprit se conjugue avec la diversité et l'humble reconnaissance des différents niveaux de la parole chrétienne. Mais reprenons la question de base.

Deux charismes posent donc problème : la glossolalie, c'est-à-dire une prière empruntant la forme d'un langage extatique et peu intelligible, et la prophétie transmettant une parole venue du Seigneur. Ces deux charismes touchent le fonctionnement de la parole chrétienne qui opère le salut, en sa double dimension : celle d'une parole de Dieu qui interpelle les siens et celle d'une réponse priante à cet appel. Le salut se joue dans le va-et-vient de ces deux paroles essentielles, alors même que les *serveurs* ou les *diakonoi* de cette parole – les apôtres, les prophètes et les docteurs, chacun à leur niveau propre – sont au service de cet échange vital.

Mais que faire lorsqu'il y a un dysfonctionnement dans ce jeu de la parole ? Que faire lorsqu'un ministère se dilue, se dévoie ou s'effrite ? L'Apôtre invite en conséquence les siens à créer de nouveaux rouages ministériels, susceptibles de conforter le bon fonctionnement des charismes fondamentaux et de parer aux déviances éventuelles. En bref, il les incite à leur adjoindre deux charismes complémentaires : celui du *discernement des esprits* et celui de *l'interprétation des langues*. Le premier amène les porteurs de la parole à garder leur sens critique et à savoir jauger les prophéties et les paroles attribuées au Seigneur, avec la force de l'Esprit. Au fait, l'évangile de Marc est le fruit de ce tri attentif des diverses traditions orales, et de même, les évangiles de Matthieu ou de Luc, à partir de Marc et d'autres traditions encore, sans parler de Jean où la sélection des récits devient plus extrême encore (Jn 21, 25). Par ailleurs, *l'interprétation des langues* opère aussi une importante rectification pour que la prière des glossolales puisse avoir aussi leur conclusion dans une prière communautaire, cette fois compréhensible. Le glossolale prie authentiquement dans l'Esprit, mais sa prière n'est plus « ministérielle » si la communication s'opère mal.

Les rôles et les charismes d'après 1 Co 12, 27-30 et 14, 1-40

Par la suite, Paul reprend en partie la liste qui précède, mais en relevant d'abord les trois fonctions majeures susdites. Lisons ces versets :

> « Or vous êtes, vous le corps de Christ et membres chacun pour sa part. Il y a ceux que Dieu a établis dans l'Église premièrement comme apôtres, deuxièmement comme prophètes, troisièmement comme docteurs. Puis ce sont les miracles, puis les dons de guérison, de secours, de gouvernement, les diverses sortes de langues. Tous sont-ils apôtres ? tous sont-ils prophètes ? tous sont-ils docteurs ? tous font-ils des miracles ? tous ont-ils des dons de guérison ? tous parlent-ils en langues ? tous interprètent-ils ? » (1 Co 12, 27-30).

On relèvera d'abord l'importance du verbe ici traduit par *établis* (ou encore, *disposés* ou *donnés*). Car ces fonctions sont gratuitement attribuées par Dieu[25]. Les trois premières, dûment établies et même numérotées, touchent éminemment la parole chrétienne. En premier, sont cités les apôtres ou les chargés de mission dans la proclamation de la parole du salut. Ces apôtres, nous le verrons plus loin, ne sont pas à restreindre au seul groupe des Douze, et cela, à commencer par Paul ! Leur autorité n'en provient pas moins de l'immédiateté de leur contact avec le Nazaréen maintenant ressuscité. Puis, viennent les prophètes dans leur rôle de porte-parole de Dieu et du Ressuscité sous le seul influx de l'Esprit du Ressuscité ; et enfin, les enseignants dans leur travail *sur* la Parole. Il y a donc une hiérarchie fonctionnelle, en fonction de l'immédiateté du dirigeant chrétien avec le Seigneur et sa parole : une immédiateté propre à ceux qui, en direct, ont rencontré visiblement le Seigneur (1 Co 9, 1) ; puis, un lien non moins fort, « médiatisé » de nouvelles manières dans l'Esprit, au cœur d'un service apostolique et prophétique toujours actuel. Car Jésus continue d'envoyer les siens et, par son Esprit, de leur ouvrir les lèvres.

Comme on le voit, au stade d'une vie communautaire des années 54 environ, les titres de fonction sont restreints, portant éminemment sur la parole du salut. Et en même temps d'autres rôles s'esquissent en fonction des besoins communautaires. Car il s'agit de vivre et de faire vivre les siens, de les soigner, de les aider, de prier ensemble et de les diriger. Les rôles à assumer deviennent alors de plus en plus diversifiés, même s'ils restent sous la régence d'une parole entière-

---

25. Dieu en est l'agent, comme en Gn 17, 5-6 ; Jr 1, 5 ; Ps 88, 30.

ment médiatisée par l'Esprit. Ces rôles nouveaux ne donnent pas encore lieu à des titres de fonction. Mais, à leur niveau propre, tous n'en sont pas moins essentiels, susceptibles de construire le Corps du Christ dans la diversité des communautés.

Un point encore et de grande importance. Dans la finale du texte qui précède, Paul fait mine d'interroger les siens : « Tous sont-ils apôtres ? Tous sont-ils prophètes ? » etc.. La question paraît curieuse, puisque tous les chrétiens sont concernés par ces charismes, chacun à sa manière. Tous sont prophètes, comme le déclare Pierre dans le discours de Pentecôte (Ac 2, 17s, reprenant *Joël* 3, 1-5). Et Paul aussi d'étendre ce charisme prophétique à « tout homme qui prie et prophétise », et les femmes avec (1 Co 11, 4-5). En même temps, il distingue des rôles précis, propres à l'un ou à l'autre, sans confusion : car tous ne sont pas prophètes. D'un côté, tous prophétisent, et, de l'autre, tous n'ont pas cette charge. En outre, ceux qui prophétisent doivent se laisser interroger par les autres ; car le discours d'un prophète chrétien ne saurait désormais être reçu sans le discernement spirituel des autres prophètes (14, 29-32). Un tel manque apparent de logique chez l'Apôtre ne laisse pas d'intriguer.

Sans doute doit-on d'abord rappeler l'importance de la dialectique paulinienne entre l'*un* et le *tous*, comme on en voit des exemples dans Rm 5, 12-21 et surtout dans 1 Co 10, 16-17 : l'unique pain construit le corps en son entier, à la fois unique et divers en ses membres (1 Co 12, 12ss et Rm 12, 4-5). Dès que *tous* méconnaissent le travail de *l'un*, ou inversement, que *l'un* n'en appelle plus à *tous*, l'édifice croule. Or, cette dialectique est au cœur du problème du ministère en général : tous ont peu ou prou une charge ministérielle, et cependant le ministère de l'un n'est pas celui de l'autre. Tous sont prophètes, mais ils ne peuvent l'être que parce que d'autres le sont d'une autre manière qu'eux-mêmes. Et le prophète chrétien, doté de cette charge, ne peut l'être à son tour que parce que les autres le sont aussi, à leur niveau propre. En d'autres termes, existent plusieurs niveaux d'apostolicité, de prophétie et d'enseignement aussi, et ces niveaux ne se mesurent pas humainement en termes de degrés plus ou moins hauts, mais se distinguent essentiellement entre eux de par l'Esprit qui les suscite. Cela dit, un ministère chrétien n'est jamais un *en-soi* auquel on attribuerait des titres de pouvoir à la manière humaine. Le ministre n'est même pas d'abord un serviteur, mais le *serveur* d'une autre parole au sein d'une Église servante. Une communauté, sans ministres, ne serait plus ministérielle, et un ministre, sans une communauté en charge de ministères, verrait pratiquement se dissoudre sa charge propre. De plus, toujours dans le cadre de cette dialectique entre l'un et le tous, il n'est pas question d'un simple rapport quantitatif, suivant le poids plus ou moins lourd des charges assurées. Cela le serait, si les ministres ou leur communauté s'accordaient à eux-mêmes leur charge propre. Mais c'est l'Esprit Saint qui en est le principe pour que circule mieux encore la parole du salut. C'est l'Esprit qui fait la différence entre les ministères, et non pas l'homme.

Achevons brièvement cette lecture de 1 Co, en rappelant deux autres listes de charismes, qui viennent compléter ce premier ensemble, avec quelques variantes intéressantes. Ce qui montre chez l'Apôtre combien les fonctions communautaires sont toujours à adapter au moment présent de la vie ecclésiale. Déjà, en 1 Co 13, 1-3 et 8, puis, en 14, 6 et 26, le vocabulaire et l'ordre alloués à tels ou tels rôles semblent varier. Ainsi en 14, 6, il est successivement question de la « révélation »[26], de la « connaissance » de ce que Dieu veut à notre endroit, de la « prophétie » et de « l'enseignement ». Le vocabulaire ministériel se dédouble en quelque sorte et s'entremêle en partie. Car la révélation du dessein de Dieu relève aussi du charisme prophétique, et la connaissance de sa volonté s'attache à l'enseignement du docteur chrétien. Enfin, de l'élément lu en Co 14, 26, on pourrait presque en déduire les moments majeurs vécus au sein d'une communauté rassemblée, avec : le chant, l'enseignement, la révélation (l'apocalypse prophétique), les langues et leur interprétation, c'est-à-dire, la prière chrétienne en ses diverses manifestations : la glossolalie et des prières compréhensibles par tous.

Deux autres listes de charismes : Rm 12, 5-8 et Ep 4, 11

Ajoutons dès maintenant deux autres témoignages de cette activité charismatique en pleine effervescence. D'abord, lisons une traduction littérale de Romains 12 :

> « Ainsi, à plusieurs, nous sommes un seul corps en Christ, étant tous et chacun membres les uns des autres, ayant des dons (*charismes*) différents, selon la grâce qui nous a été donnée : soit la prophé-

---

26. Littéralement : de l'*apocalypse*, au sens d'un dévoilement du dessein de Dieu.

tie, (*qu'il l'exerce*) selon l'analogie de la foi ; soit le ministère, (*qu'il l'exerce*) dans le ministère ; soit l'enseignant, (*qu'il l'exerce*) dans l'enseignement ; soit celui qui exhorte, (*qu'il le fasse*) dans l'exhortation ; celui qui répartit, (*qu'il le fasse*) avec largesse ; celui qui préside, (*qu'il le fasse*) avec zèle ; celui qui exerce la miséricorde, (*qu'il le fasse*) avec joie » (Rm 12, 5-8).

Là encore, le ministère de la parole prophétique est mis en exergue, avant les autres charges. Plus précisément, Paul mentionne quatre rôles essentiels : (1) celui de la prophétie, selon « l'analogie de la foi » – cette curieuse expression doit sans doute être comprise en fonction du v. 3 : « selon que Dieu a réparti (*à chacun*) la mesure de la foi », car la prophétie demeure éminemment un don de Dieu, recueilli dans la foi ; (2) puis, le ministère (en grec, *diakonia*) touchant, à la fois, le service des tables et celui de la parole, comme nous le verrons au ch. 8 de ce livre ; (3) ensuite, l'enseignement du docteur ; (4) et enfin, l'exhortation (la *paraclèse*), visant, entre autres, l'homilétique et les règles nouvelles de la conduite chrétienne. Les autres tâches sont plus rapidement énumérées : la tâche de celui qui dispense les biens entre tous, celle qui vise la direction et la présidence d'une communauté, et celle qui touche l'action caritative.

On relèvera à nouveau la multiplicité des attributions, apparemment allouées en fonction des besoins d'une communauté réunie dans le cadre d'une table chrétienne, devenue maintenant le lieu de la parole nouvelle. De prime abord, les ministères ici mentionnés ne semblent concerner qu'une communauté chrétienne dans son organisation interne. Un regard apostolique, visant la mission, semble absent. On remarquera enfin combien ces charismes, désormais liés à des ministères déterminés, s'appuient sur les qualités de chacun, et ils ne sauraient pourtant être appelés charismes qu'en raison même d'un don de Dieu. Paul insiste sur ce point à l'aide des trois mots du v. 6 : ce sont des *dons* différents selon la *grâce* qui nous est *donnée*. Non pas simplement un don inné chez tel ou tel individu, mais aussi un don objectivement attribué par Dieu et son Christ, qui ne peut s'exercer que sous l'influx de l'Esprit. L'élément sous-entendu, inséré plus haut dans la traduction : « qu'il l'exerce », pourrait d'ailleurs être compris au sens : « que l'Esprit et la communauté lui donnent d'exercer ce charisme ». En d'autres mots, le ministère est toujours octroyé, jamais de soi accaparé, même chez celui qui manifeste les plus hautes qualités dans le domaine concerné. Car Dieu seul, en son Esprit, est au principe des charismes.

Une dernière liste de charismes se trouve dans l'écrit deutéro-paulinien aux Éphésiens, c'est-à-dire à une époque où la situation communautaire a sensiblement évolué :

> « Et c'est lui *(le Christ)* qui a donné aux uns d'être apôtres, à d'autres d'être prophètes, à d'autres évangélistes, à d'autres pasteurs et docteurs » (Ep 4, 11).

Dans le cadre tardif de cette épître, vers 85 peut-être, alors que les titres de prophète et de docteur devaient déjà paraître obsolètes, l'ancienne triade paulinienne est en quelque sorte modernisée, adaptée à la situation présente : entre les prophètes et les docteurs s'insèrent donc des évangélistes et des pasteurs, comme si ces derniers remplissaient désormais leur charge. Mais revenons à Paul.

REMARQUES D'ENSEMBLE SUR LES MINISTÈRES SELON PAUL

En cette haute époque la variété et la multiplicité des ministères restent grandes, même si l'Apôtre cherche déjà à en canaliser le cours. Apparemment, il ne se heurte guère à un manque de ministres au sein de ses propres communautés, mais plutôt à leur surabondance dans une sorte d'anarchie ministérielle, génératrice de troubles et empêchant la juste appréciation de ce qui importe en premier. Selon l'Apôtre il faut donc d'emblée souligner la prééminence vitale de la parole du salut. Cette prééminence n'entraîne cependant pas la valorisation personnelle du porteur de la Bonne Nouvelle. Car le *serveur* de la Parole se doit d'en rester toujours le *serviteur*, au besoin en abandonnant les droits attachés à ce ministère, comme Paul en donne l'exemple d'après 1 Co 9. La parole est souveraine, et le jeu de sa communication demeure l'exigence essentielle. Quant aux autres charismes, posant apparemment moins de difficultés, ils sont à peine mentionnés dans les listes qui précèdent. Pour en parler, Paul use de mots différents, en ordre divers, ce qui ne diminue cependant pas leur valeur.

Deux secteurs attirent cependant l'attention : celui de la vie communautaire dans l'exercice de la charité et celui de la régence d'une communauté. Car l'Apôtre n'établit apparemment pas de liens immédiats entre le gouvernement d'une communauté et la communication de la parole du salut. Ce lien s'opérera par la suite. Mais chez Paul les deux semblent encore distincts, du moins au niveau d'une église locale qui accueille l'apôtre et le prophète chrétien, venus souvent de l'extérieur. Celui qui préside ou gouverne est d'abord chargé de faire respecter l'ordre parmi les siens, sans toujours y parvenir (1 Co 11, 17) ! En fait, l'autorité n'est pas encore *locale*, attachée à une région ou à une ville, car reste majeure la tâche de l'apôtre itinérant, tel l'envoyé du Seigneur, et celle aussi du prophète chrétien, porteur des paroles décisives de Jésus sur le comportement à avoir. Tout le problème du ministère chrétien sera ensuite de mesurer le déplacement entre cette époque directement apostolique et prophétique et l'époque, disons, sub-apostolique, celle des deuxième et troisième générations chrétiennes, à partir de l'an 70 environ. Comment la parole de Dieu va-t-elle continuer de se répandre dans son authenticité entière ? Telle sera alors la question majeure. Mais auparavant il importe de saisir ce qu'il en est exactement du ministère directement ou indirectement apostolique.

LE MINISTÈRE APOSTOLIQUE SELON PAUL
(2 Co 10-11 et Ga 1-2)

Le dossier sur l'apostolat d'après le Nouveau Testament est considérable. Comment le ramasser brièvement, tant il touche de plein fouet l'une des dimensions essentielles du ministère chrétien ? Car il s'agit alors, non pas seulement de la communication d'une parole au sein même de la communauté (*ad intra*), mais d'une parole en expansion missionnaire (*ad extra*). Or, les ministres et tous les chrétiens sont directement concernés par cette parole d'évangélisation qui porte la vie au monde. Encore faut-il reconnaître l'existence de divers niveaux dans la communication de cette parole apostolique. Qu'est-ce donc qu'un apôtre ?

LA CRISE CORINTHIENNE ET GALATE

En l'an 56 environ, avant l'écriture de l'épître aux Romains, Paul écrit une lettre cinglante aux Galates d'Asie Mineure, débutant ainsi : « Paul, apôtre, non de par les hommes ni par un homme, mais par Jésus Christ et Dieu, notre Père... » (Ga 1, 1). D'emblée, il entend signifier son autorité radicale, en tant qu'envoyé (en grec, *apostolos*) de Dieu et du Ressuscité. Il ne relève d'aucun autre dirigeant. Il n'est pas l'envoyé d'un autre apôtre ou l'émissaire dûment accrédité de quelque église que ce soi. Il n'est pas leur subordonné. Certes, des liens avec Pierre sont nécessaires pour ne pas courir en vain en proclamant l'évangile (Ga 2, 2), mais sans déclaration d'obédience. Car son lien est direct avec le Ressuscité, comme il le déclare : « Ne suis-je pas apôtre ? N'ai-je pas vu le Seigneur ? » (1 Co 9, 1) et, à l'instar des autres apôtres, « il m'est apparu à moi aussi » (15, 8). Une telle insistance sur sa rencontre en direct avec Jésus a pour raison de déclarer l'authenticité de son propre apostolat, à l'encontre de ceux qui lui en disputaient l'attribution : « Si pour d'autres je ne suis pas apôtre, pour vous du moins je le suis », dit-il aux Corinthiens (1 Co 9, 2). Puis, en 2 Co 11, il attaque fortement ses adversaires, qu'ils soient des apôtres reconnus ou de « faux apôtres... déguisés en apôtres du Christ » (v. 13) : « Je m'estime pourtant être inférieur en rien à ces sur-apôtres » (v. 5) ; « Ils sont *serveurs* du Christ... Moi, davantage ! » (v. 23).

Ces adversaires mettaient directement en question le fond même de sa mission à l'endroit des Nations. Deux positions, au moins, divisaient alors les croyants avant l'assemblée de Jérusalem, en l'an 52 probablement[27]. Fallait-il que les nouveaux-venus des Nations s'agrègent au peuple élu, maintenant couronné de son Messie, et cela, soit en acceptant d'être circoncis, soit en respectant au moins quelques règles alimentaires à la manière juive (Ac 15, 19) ? Ou bien, n'étaient-ils pas à considérer comme des croyants à part entière, de par leur foi en Christ, sans être désormais assujettis à la Loi et à ses prescriptions alimentaires (Ga 2, 1-10) ?[28] Paul et les siens optent pour la liberté entière des helléno-chrétiens à l'endroit de la Loi, car le salut s'enracine désormais dans la foi. Dès lors, la parole du salut s'ouvre largement aux Nations. Mais la mission judéo-chrétienne à l'endroit d'Israël n'allait-elle pas directement en souffrir ? Car l'option ministérielle de Paul contrait celle des autres dirigeants judéochrétiens, du moins jusqu'à l'accord de Jérusalem, et encore du point de vue de Paul seulement (Ga 2, 9). Il importe donc à ce dernier de certifier son titre directement apostolique pour justifier son option missionnaire au nom même du Christ dont il se déclare l'envoyé. Il

---

27. Nous suivons la chronologie établie par Simon Légasse, *Paul apôtre*, Le Cerf, Paris, 1991, pp. 153ss.

28. Voir, entre autres, C. Perrot, *Jésus, Christ et Seigneur des premiers chrétiens*, p. 106-118.

n'agit pas en son nom propre, à la différence de certains de ses adversaires qui « se mesurent eux-mêmes avec eux-mêmes » (2 Co 10, 12).

Dans un tel contexte le mot *apôtre* va alors faire florès, surtout chez Paul et les siens. Quels sont en effet les authentiques « envoyés » ? Car les uns attribuaient ce titre aux douze disciples d'abord. D'autres en usaient pour désigner de simples émissaires envoyés par les églises. Et Paul le revendiquait hautement pour lui-même, au sens le plus fort. Luc paraît presque hésiter à ce propos : dans les Actes, il use très souvent du mot apôtres pour désigner les Douze (Lc 6, 12 ; Ac 1, 2 ; etc.) ou d'autres apôtres sis à Jérusalem ; et il ne l'accorde à Paul et à Barnabé que deux fois seulement et presque incidemment, dans Ac 14, 4.14. Grâce à Dieu, Paul ne lut jamais le livre de ce curieux disciple !

Sur quel point portait donc le différend et en quoi une telle dispute intéresse-t-elle notre appréhension actuelle du ministère ? En d'autres mots, où se situe le principe de la parole du salut ? Et jusqu'à quel point une parole toujours adressée aux Nations, dans la nouveauté d'un langage à continuellement adapter, demeure-t-elle liée à la parole apostolique d'hier ? Car le mot *apostolos* tire les yeux vers l'avenir de l'évangélisation, mais cela, à la condition que le ministre chrétien, envoyé ou non aux Nations, demeure lié à la tradition des apôtres. Ces deux mouvements sont au cœur de l'apostolat, par-delà la spécificité du ministère de chacun. Précisons le dossier.

UNE INNOVATION SÉMANTIQUE

Le mot grec *apostolos,* apôtre ou envoyé, est une innovation sémantique ou presque du Nouveau Testament. En grec il désignait d'ordinaire celui qui accomplit une mission, lors d'une expédition navale par exemple, mais sans relever particulièrement le lien entre le mandataire et son envoyé, à quelques exceptions près (*Hérodote* I, 21 ; V, 38). Or, avant Paul déjà (Ga 1, 17 ; 1 Co 15, 7) et chez Paul plus encore, ce lien vital sera souligné à fond. Cela, assurément, en raison de tout un approfondissement de la vocation prophétique selon les Écritures : le prophète d'Israël ne peut parler au nom de Dieu que parce qu'il a d'abord été *envoyé* par Lui[29]. Appel et mission font corps. Paul le sait, lui qui coule son propre appel sur le chemin de Damas

---

29. Ex 3, 12 ; Is 6, 8 ; Jr 1, 7 ; 7, 25 ; Ez 2, 3.

dans les mots empruntés à *Jérémie* 1, 15 ou à *Isaïe* 49, 1 (Ga 1, 15).
Cependant, même là, le mot grec *apostolos* n'est pas utilisé dans
l'Écriture[30]. Plus tard seulement, le Judaïsme usera d'un mot hébreu
analogue (*shâliah*) pour désigner le commissaire chargé d'inspecter
une communauté[31]. D'où, ce mot lu dans la *Mishna* du IIe siècle de
notre ère : « l'envoyé d'un homme est comme cet homme lui-même »[32].
Mais, auparavant, dans le milieu chrétien, le mot apôtre est beaucoup
plus fort encore que cette représentation quasi juridique. L'apôtre
n'est pas seulement *comme* son mandataire : en Christ et dans
l'Esprit, il déclare son identité en fonction d'un lien vital, personnel
et communautaire, avec son Seigneur. Sans la foi dans le Christ
ressuscité qui continue d'envoyer les siens, il n'y a plus de ministère.
Au fait, l'auteur de l'épître au Hébreux n'hésite pas à désigner Jésus
lui-même comme *l'apôtre* de Dieu, pour signifier le lien indicible avec
le Père (He 3, 1). L'évangéliste Jean souligne aussi l'importance de
cet envoi, mais en usant du radical verbal seulement (Jn 3, 17.24 ;
etc.), sans jamais employer le mot « apôtre » à proprement parler, ni
pour Jésus, ni même pour ses disciples – ce qui ne l'empêche pas de
souligner le lien vital entre Celui qui envoie et ceux qui sont ainsi
envoyés : « Comme tu m'as envoyé dans le monde, moi aussi, je les ai
envoyés » (Jn 17, 18).

Un tel lien vital entre le Ressuscité et ses envoyés, au sein même
du « Corps du Christ » toujours vivant depuis les Apôtres, demeure
la pierre de touche d'une théologie du ministère, au sens large ou
précis de ce mot. Les chrétiens et leurs ministres diffèrent des *rabbis*
ou docteurs d'autrefois qui entendaient seulement s'inscrire dans la
coulée d'une tradition révélée, à transmettre depuis Moïse[33]. Car ils
croient à la présence actuelle de celui-là même qu'ils « re-présen-
tent » : « Ce n'est plus moi, mais le Christ qui vit en moi » (Ga 2, 20).
Sous des modalités diverses, le chrétien est l'apôtre du Ressuscité, et
non pas seulement le messager ou le facteur d'un enseignement mis

---

30. Sinon, dans la version grecque des *Septante* sur 3 R 14, 6.
31. Jacques Bernard, « Le *Shaliah* : de Moïse à Jésus Christ et de Jésus Christ aux
Apôtres », Collectif, *La vie de la Parole*, Paris, 1987, p. 409-420, souligne cependant
l'antiquité de l'expression, appliquée déjà à Moïse dans les milieux juifs et samaritains
(en fait, difficile à dater).
32. *Mishna*, traité *Berakot* 5, 5.
33. Cf. *Mishna, Pirqêy Abbot* (Sentences des Pères) 1, 1 : « Moïse reçut la Torah au
Sinaï et la transmit à Josué, Josué aux (70) Anciens, ceux-ci aux prophètes (d'Israël),
ceux-ci aux hommes de la Grande synagogue », et donc aux scribes qui répercutent la
révélation écrite et orale du Sinaï.

autrefois par écrit. Une telle perception ne s'est toutefois pas imposée partout d'emblée, et elle demeure encore l'objet de discussions. Quelle est donc la nature de ce lien vital, signifiant le fondement de tout apostolat ?

DES DOUZE AUX APÔTRES

Rappelons d'abord que le cercle des apôtres dépasse celui des Douze. À l'origine, il s'en distingue même. Plus tard seulement, après Pâques, le titre d'apôtre sera donné au groupe des Douze, et cela d'une manière plutôt ponctuelle[34]. De son côté, Paul continue de distinguer le groupe des Douze de celui des apôtres dans la liste qu'il donne de ceux qui ont vu le Seigneur :

> « ...il est apparu à Céphas, puis au Douze ; il est apparu ensuite à plus de cinq cents frères à la fois : la plupart d'entre eux vivent encore, mais certains sont morts ; ensuite, il est apparu à Jacques, puis à tous les apôtres, et après eux tous, il est apparu à moi, comme à un enfant posthume » (1 Co 15, 5-8)[35].

Apparemment, deux listes de témoins du Ressuscité sont ici conjointes : la première, avec Pierre en tête des Douze, et la seconde, avec Jacques, le frère du Seigneur, en tête des apôtres. D'un côté, on aurait les disciples qui ont suivi Jésus durant sa vie pour témoigner ensuite de sa résurrection. De l'autre, s'inscrivent Jacques et les apôtres, puis, Paul qui entend bien s'insérer dans la liste, comme après coup, puisque, à lui aussi, le Seigneur s'est laissé voir. Par ailleurs, Paul et Luc mentionnent des apôtres qui ne relèvent pas du cercle des Douze ; ainsi dans 1 Th 2, 6 ; 2 Co 8, 23 ; Ga 1, 19 ; Rm 16, 7 et Ac 14, 4.14. On remarquera enfin qu'après Ac 6, 2, Luc ne parle plus des Douze en tant que groupe, même si les apôtres de Jérusalem sont souvent mentionnés.

La signification de ces deux groupes, celui des Douze et celui des apôtres, est sensiblement différente. Tel un geste symbolique à la manière des prophètes, Jésus a fondé le groupe des Douze pour

---

34. Chez Mc 3, 14 ; 6, 30 ; à peine plus en Lc 9, 10 ; 22, 14 et 24, 10 ; et jamais en Jn.

35. *Un enfant posthume*, (et non pas l'avorton ou l'enfant né après termes), pour signifier ici le retournement des alliances, alors vécu par l'Apôtre. Ainsi, d'après Maurice Carrez, *Nouveau Testament, interlinéaire grec/français*, Alliance biblique universelle, 1993.

déclarer l'existence déjà présente de cet Israël nouveau, aux douze tribus à bientôt rassembler ; il alloue en plus aux Douze un rôle fondamental, celui de juges eschatologiques (Mt 19, 28). La pensée porte alors sur l'Israël futur. De son côté, l'apostolat, à la manière paulinienne surtout, appelle l'idée d'une mission à engager parmi les Nations. Ainsi, d'une part, il est question d'un originaire fondateur et d'une mission eschatologique à l'endroit d'Israël d'abord. De l'autre, il s'agit d'une activité missionnaire plus large à entreprendre, en profitant d'un délai de la parousie qui ne met pas cependant en question l'urgence des temps. Faut-il l'ajouter : le ministère chrétien dans sa dimension apostolique d'aujourd'hui entend s'appuyer sur Pierre et les Douze, et sur Paul aussi. La mission ne saurait être authentique sans ce rapport aux apôtres fondateurs, dans ce double originaire de l'apostolat. Et sans une visée missionnaire de l'avenir, dans l'optimisme d'une parole victorieuse, le ministre perdrait sa raison même. Qui peut alors user encore du titre apostolique ?

LES DIVERS TYPES D'APÔTRE

En fait, la situation paraît complexe dès l'époque de Paul, comme si chacun voulait s'approprier le titre apostolique pour mieux légitimer sa parole. Quatre types d'apôtres, au moins, se confrontaient : (1) les premiers disciples qui avaient suivi Jésus durant son ministère jusqu'à la croix du Ressuscité ; (2) ceux qui, à la manière de Paul, fondaient cet apostolat sur leur rencontre avec le Ressuscité ; (3) ceux qui, désignés comme de « faux apôtres » par Paul, n'en appelaient pas moins à l'Esprit pour légitimer leur prétention ; (3) et, enfin, ceux qui étaient commissionnés par leur propre église, à titre de délégués ponctuels. Les premiers entrent dans la définition de l'apostolat selon Luc, d'après la parole de Pierre, prononcée avant le choix de Matthias :

> « Il faut que parmi les hommes qui nous ont accompagnés pendant tout le temps que le Seigneur est allé et venu par nous, depuis le baptême de Jean jusqu'au jour où il a été enlevé d'auprès de nous... » (Ac 1, 21-22).

Les Douze entrent dans ce cadre, mais non pas Paul. D'où ce dernier, avec d'autres apôtres encore, déclare la légitimité de son propre apostolat en raison de sa rencontre personnelle avec le Ressuscité (1 Co 9, 1), et non pas à cause de son lien avec « le Christ selon la chair ». Car ce lien lui fait défaut, et il s'en glorifierait presque (2 Co 5, 16). Par ailleurs, d'autres sont seulement les apôtres d'une communauté particulière, et non pas directement accrédités par le Seigneur, à la manière de Tite selon 2 Co 8, 23. Enfin, viennent ces « super-apôtres » qui, aux yeux de Paul, ne faisaient que s'accréditer eux-mêmes (2 Co 11, 5.13 ; 12, 11). Il est difficile de distinguer plus précisément la figure de ces apôtres ou de ces prophètes qui usent ainsi du titre apostolique. Au demeurant, ces *faux apôtres* dont parle l'Apôtre (2 Co 11, 13) peuvent fort bien avoir été reconnus comme authentiques dans le cadre de certaines communautés judéo-chrétiennes qui, à leur tour, récusaient Paul. Sans doute certains d'entre eux devaient venir de Galilée ou d'Antioche de Syrie, comme le laisseraient entendre quelques éléments tirés de la *tradition Q* (Mt 10, 5-16 et par.), sans parler d'un ancien écrit judéo-chrétien appelé la *Didachè* (11, 3-6). Mais comme on le voit, tout tourne en fait autour du motif de l'accréditation. Par qui est-on *envoyé* ? Car un ministère apostolique qui ne saurait dire sa référence perd d'emblée sa légitimité.

De toute façon, l'apostolat demeure premier. On comprend alors la distinction opérée par Paul entre l'apôtre, en premier, et le prophète chrétien, en second (1 Co 12, 28). L'apôtre, selon Paul, entend s'appuyer en direct sur le crucifié, maintenant ressuscité, car son ministère est fondateur, à la racine même de l'Église. Quant aux prophètes, ils ne sauraient se dispenser de la médiation ecclésiale sous l'influx de l'Esprit et du discernement des autres prophètes (1 Co 14, 29). Le mot prophète se décline désormais au pluriel.

Faut-il déjà ajouter que le ministère d'aujourd'hui, saisi dans la coulée d'un vie ecclésiale sous l'emprise souveraine d'un Esprit qui la dépasse, se situe comme à la croisée de ces deux charismes majeurs. Car il s'agit alors d'en appeler au « principe apostolique », c'est-à-dire à cet originaire apostolique toujours à l'état vif dans l'Église, tout en respectant la spécificité de l'apostolat fondateur, celui de Pierre et des premiers apôtres. Plus tard, l'auteur de la lettre aux Éphésiens en élargira plus encore le cercle, lorsqu'il rappellera aux chrétiens qu'ils sont « bâtis sur la fondation des apôtres et des prophètes, avec Christ Jésus lui-même, comme pierre de faîte » (Ep 2, 20). Car il s'agit de bâtir sur des fondations déjà acquises, et non pas d'en fonder de nouvelles. Cette fondation première garantit l'unité de l'ensemble et sa cohésion (v. 21-22). Elle demeure vive aujourd'hui, toujours représentée à neuf, sans jamais être peu ou prou remplacée.

LE LIEN APOSTOLIQUE

Concluons par quelques mots sur le ministère apostolique saisi au niveau de base, sans aborder de front la question de « la succession apostolique » du collège des évêques, entre autres. La question ne se posait pas encore en cette haute époque, du moins sous cette forme et avec ces mots. Elle ne surgira apparemment qu'au départ du IIe siècle, alors que le passage des apôtres et prophètes aux épiscopes, presbytres et diacres vient justement de s'achever. Le relais de la parole est alors transmis. Or, à la racine de cette parole, en ses diverses formes, se situe l'Esprit Saint dans la dynamique d'une parole qui veut construire la communauté et appelle à la mission. Mais cela, à la condition de respecter le lien vivant du ministre avec le Ressuscité dont on demeure seulement l'envoyé ou le porte-parole. La parole ecclésiale et missionnaire se nourrit de cette présence du Ressuscité, en se référant fermement aussi au lieu fondateur des premiers apôtres et des prophètes. Cette parole du salut, soulevée par l'Esprit, donne au *serveur* chrétien la raison de sa mission. Paul, nous l'avons vu, souligne fortement ce rapport à la parole ; ainsi, dès le départ de l'épître aux Romains : « Paul, serviteur du Christ Jésus, apôtre par appel, mis à part pour l'Évangile de Dieu », c'est-à-dire l'annonce de la Bonne Nouvelle (Rm 1, 1 ; cf. 15, 16). On comprend dès lors l'insistance sur le *dépôt* de cette parole du salut chez les pauliniens de la seconde génération chrétienne, à la manière des Pastorales (1 Tm 6, 20 ; 2 Tm 1, 14). En sorte que les ministres chrétiens qui se succèdent doivent désormais s'appuyer sur cet enseignement fondamental (1 Tm 4, 11 ; 5, 7).

Mais comment s'opère alors un tel lien ? S'agit-il seulement d'un lien – ou d'une succession –, disons, de type doctoral, dans la réception fidèle, la transmission et la compréhension d'une parole devenue scripturaire ? Car l'Esprit travaille toujours sur ce *dépôt*, devenu lettres d'une Écriture nouvelle. Ou bien, ce lien s'exprime-t-il aussi sur le registre d'une parole apostolique et prophétique, encore en effervescence à la condition de continûment respecter le lien avec la tradition fondatrice ? Au regard des catholiques, entre autres, l'insistance est mise alors sur cette tradition vivante qui porte les ministres chrétiens à se référer au corps toujours vif du Ressuscité, dans l'unité et la continuité avec les apôtres fondateurs. Car Jésus continue de parler aux siens, et la fondation apostolique demeure vive encore, sans pourtant en jamais effacer leur singularité propre.

Au reste, le phénomène littéraire dit pseudépigraphe[36] s'enracine dans cette même conviction. Ainsi l'auteur des Pastorales inscrit le nom de Paul en tête de ses écrits – une pratique bien étonnante pour un moderne puisqu'elle apparaît presque comme une fraude. Mais pour les pauliniens comme pour les pétriniens de la deuxième et de la troisième générations chrétiennes, le fondateur de leur propre église est toujours là, vivant dans le Christ. Comme le Ressuscité, il continue toujours de parler aux siens et de les diriger par le truchement de leur *prophète*, c'est-à-dire du porte-parole de Paul et d'autres encore. L'auteur des lettres à Timothée n'entend pas seulement se mettre sous le patronage de Paul et répéter un message d'hier. Pour cet auteur, c'est Paul, en Christ, qui continue de parler et d'écrire aux siens à la manière des prophètes chrétiens qui faisaient toujours résonner la parole de Jésus dans sa vive actualité. Bref, le fait pseudépigraphique, si curieux soit-il de prime abord, témoigne à sa manière de ce lien référentiel et de l'attachement vivant des chrétiens à la personne même de leur fondateur. Plus tard seulement, les Pères de l'Église, tel Ignace d'Antioche, oseront rompre ce fil vivant dont témoigne la pseudépigraphie, en usant cette fois de leur propre nom. Car il était temps de clore le mouvement de la révélation. Ils sauront cependant déclarer hautement leur attache à l'Église vivante et à son dépôt scripturaire. Et comme chez Paul encore, ils sauront mieux distinguer entre ce qui relève de la « parole du Seigneur » et leur parole propre, même si cette dernière parole s'inscrit toujours dans le sillage de la parole apostolique et prophétique première.

---

36. La pratique pseudépigraphique était en fait courante dans le monde ancien, jusque dans les écoles philosophiques où le disciple signait du nom de son maître l'apport qu'il apportait à la pensée de ce dernier. La foi en la résurrection de Jésus et la conviction de la vie par delà la mort devaient amplifier plus encore la pratique chrétienne de la pseudépigraphie. Sur la pseudépgraphie dans le monde ancien et l'Écriture, voir par exemple D.G. Meade, *Pseudonymity and Canon,* Tübingen, 1986 et Y. Redalié, *Paul après Paul,* Genève, 1994. Voir les remarques de Edouard Cothenet, *Exégèse et liturgie II,* Cerf, 1999, p. 223s ; 252s. Nous reprendrons le sujet p. 75ss.

D'AUTRES ALLUSIONS DE PAUL AU MINISTÈRE

De nombreux éléments concernant le ministère chrétien pourraient encore être puisés chez l'Apôtre. Toutes ses lettres seraient à relire pour l'entendre parler de son activité ministérielle, disons, de l'intérieur ; citons en particulier : 1 Th 2 ; 1 Co 9 et Rm 15, 14-20. Le texte lu en 2 Co 3, 1-18 mérite aussi l'attention. Certains réclamaient de l'Apôtre des lettres de recommandation selon la coutume de l'époque où les charges attribuées devaient s'appuyer sur un billet d'accréditation (cf. Rm 1, 1 à propos de Phoebé). Or, Paul ne se réclame de personne, mais du Christ en direct. Il ne peut produire aucune attestation, sinon en désignant le fruit de son action. La communauté corinthienne constitue concrètement sa lettre de référence rédigée par le Seigneur : « Vous êtes une lettre du Christ, confiée à notre service » (v. 3). C'est Dieu et son Christ, lors d'un second Sinaï d'où surgit une parole nouvelle déclarée désormais en face à face, qui donnent à Paul et aux croyants d'être maintenant « des serveurs de l'Alliance » (v. 6). On relèvera cette double mention du service et du serveur : les croyants sont des *ministres de l'Alliance* de par le *ministère* exercé par l'Apôtre. L'un ne va pas sans l'autre[37].

Achevons ce chapitre en attirant l'attention sur l'en-tête de la lettre aux Philippiens : « Paul et Timothée, serviteurs du Christ Jésus, à tous les saints qui sont à Philippes, ainsi qu'aux épiscopes et serveurs » (Phi 1, 1). On devine l'importance de cet élément qui, au sein même des lettres pauliniennes considérées au sens strict, constitue en quelque sorte un pont avec les écrits qui vont suivre. Dans le cadre de l'une de ses communautés au moins (Ac 16, 12-40), Paul connaît déjà des *épiscopes* et des *serveurs*. Mais quelle date attribuer alors à cette lettre et, plus encore, quel sens donner à ces expressions ? Ces deux questions n'ont pas encore trouvé de réponses décisives. Ce qui n'en gomme pas l'intérêt, car l'important n'est pas tant de préciser les modalités exactes de ces titres de fonction que de constater le surgissement de ces nouvelles titulatures en lien direct

---

37. J. Eckert, « Die Befähigung zur Dienern des Neuen Bundes (2 Ko 3, 6). Neutestamentliche Perspektiven zum Amt in der Kirche », *Trierer Theologische Zeitschrift* 106 (1997), p. 60-78, insiste sur l'attribution du ministère nouveau à tous les croyants.

avec une communauté locale, celle de Philippes en l'occurrence. Déjà, le passage du relais est en train de s'opérer. Des exégètes datent cette lettre de l'an 56 environ ou, selon d'autres, du début de 63. Dans le premier cas, Paul l'aurait écrite à Éphèse, lors d'une première captivité en cette ville (1 Co 15, 32 et 2 Co 1, 8) ; et, dans le second, il l'aurait rédigée à Rome vers la fin de sa première captivité romaine. Quant au sens à donner aux mots épiscopes et serveurs, la discussion reste vive. Nous préciserons plus loin ce point[38]. D'un mot seulement : le grec *épiscopos* (l'épiscope) évoque l'idée d'un surveillant ou d'un intendant, et donc une fonction de régence ou d'administration ; sa traduction par *évêque* touche l'anachronisme. Le grec *diakonos*, souvent rencontré chez Paul, a surtout le sens de *serveur* de la parole. C'est là, nous l'avons dit, le titre ministériel fondamental chez l'Apôtre. Les deux titres (sans article), maintenant accolés dans Ph 1, 1, rappellent, d'une part, la distinction faite par Paul entre la régence d'une communauté et le travail de la parole, et, d'autre part, nous le dirons, l'investissement nouveau de cette charge de régence par le service de la parole, en donnant alors à la parataxe *et* le sens, possible en grec, de *c'est-à-dire* : des épiscopes, *c'est-à-dire* des serveurs de la parole. Par ailleurs, on remarquera enfin l'absence d'un vocabulaire directement presbytéral. Dans ses lettres Paul ne parle jamais des Anciens ou *presbytres*, et cela, à la différence de Luc et des lettres Pastorales.

---

38. Voir p. 190ss et 229ss.

CHAPITRE 3

LE TÉMOIGNAGE DES ÉVANGILES

Abordons le témoignage des églises héritières des fondations pauliniennes et celui d'autres églises encore, sous la mouvance de Pierre et de Jean, par exemple. Dans ces écrits les éléments portant sur le ministère paraissent d'emblée assez divers et dispersés, comme les témoins d'une situation ministérielle encore en pleine gestation. Pour en juger, il importe d'abord de distinguer quelque peu ces églises les unes des autres. On se gardera alors de sombrer dans l'anachronisme, en projetant sur ces églises des réalités institutionnelles plus tardives. On évitera aussi d'engranger trop vite des données disparates, en liant l'ensemble dans le cadre d'une systématique évolutive et linéaire, finalement réductrice. À l'époque, la situation ministérielle demeure en mouvement selon les lieux. Précisons ces points, en divisant la matière en deux parts : d'abord, un regard sur les quatre évangiles ; puis, au chapitre suivant, nous rassemblerons les éléments tirés des autres écrits du Nouveau Testament. De prime abord, une telle lecture des évangiles saisis sous l'angle d'une recherche sur les ministères peut sembler incongrue, puisque ces écrits parlent d'abord de Jésus durant son ministère jusqu'à sa mort. Mais ce serait alors oublier combien les évangiles portent la marque des diverses églises d'où ils surgirent, y compris, peu ou prou, au niveau de leur organisation ministérielle. Ce serait ensuite méconnaître combien la figure des premiers ministères chrétiens devait s'imprégner des traditions évangéliques, orales ou écrites, d'où se révélait la parfaite image de Jésus, tel le principe et l'exemplaire de tous les dirigeants chrétiens. Le présent chapitre sera donc précédé de quelques remarques sur la manière même de se lancer dans l'investigation, en raison de la particularité de la documentation.

COMMENT ABORDER LE DOSSIER ?

Situons rapidement les écrits néotestamentaires dans leur cadre
ecclésial respectif, afin d'affiner l'investigation sur les ministères, y
compris dans le cas des éléments pseudépigraphes. Ces remarques
préliminaires dépassent donc le cas des quatre évangiles.

LA DIVERSITÉ DES PREMIÈRES COMMUNAUTÉS

La première remarque porte sur la diversité des communautés
chrétiennes, connue ou presque dès l'origine, sinon à partir de Paul
au moins. La distinction de ces églises avec leurs structures propres,
plus ou moins déployées selon le cas, est, tout à la fois, évidente et
pleine de brumes. Surgies des fondations pauliniennes, les églises
héritières de l'Apôtre présenteront vite trois figures, au moins : celle
reflétée par les auteurs des lettres dites de la Captivité (*Colossiens*
et *Éphésiens*) ; celle de Luc d'après les Actes surtout ; et enfin, celle
des lettres Pastorales, les plus riches sur le motif du ministère (*1* et
2 Timothée et *Tite*). Or, chacun de ces lieux littéraires porte plus ou
moins le reflet de la structure ministérielle de l'église qui les a
« produits ». Ce qui montre à l'évidence l'intérêt particulier des milieux pauliniens visant à mieux structurer le corps ecclésial. Les
églises non pauliniennes ne semblent guère s'en préoccuper autant.
Enfin, ces lettres dites pauliniennes témoignent du vif souci d'assurer
la continuité du lien ministériel avec la génération qui précède, mais
cela, chacune à sa manière et avec des mots différents. Les héritiers
de Paul, pourtant classés parmi les derniers venus des communautés
chrétiennes, cherchent à se rattacher au passé et à asseoir authentiquement l'avenir. Parler du ministère, c'est parler d'une parole en
pèlerinage, en ses divers lieux d'une médiation toujours en efflores-
cence.

Car le message constructeur de l'Apôtre sur les ministères n'est
pas oublié, mais il est adapté à la situation de chacun. Sans l'ignorer
entièrement, d'autres églises manifestent apparemment un moindre
intérêt sur la question, du moins les textes produits en leur sein
n'abordent guère le sujet. Citons les églises sous la mouvance des
traditions pétriniennes d'Asie Mineure, énumérées dans 1 Pierre 1, 1
(le Pont, la Galatie, la Cappadoce, l'Asie et la Bithynie) ; ou encore,

les communautés situées sous la mouvance johannique, qui vont d'Antioche à Éphèse, en passant par Laodicée et Pergame, à la manière des sept églises de l'Apocalypse. De même ; sont rares les éléments tirés des écrits de type strictement judéo-chrétien, reflétés par quelques éléments transmis par l'ancienne *Tradition Q*, antérieure à Marc[1] ; ou encore, les éléments tirés des écrits judéo-hellénistes chrétiens, à la manière de l'épître aux Hébreux et de l'auteur grec de la lettre dite de Jacques. Voilà déjà une belle constellation d'Églises, aux structures d'apparence diverse, avant qu'un langage ministériel commun ne s'impose progressivement à toutes. Il faudra pour cela attendre le second siècle de notre ère au moins. Et même plus tard, certaines Églises judéo-chrétiennes ne semblent guère avoir accepté une hiérarchie à deux, sinon à trois degrés à la manière d'Ignace d'Antioche.

LES TRACES D'UNE HISTOIRE

La deuxième remarque entend inviter encore à la prudence dans le maniement des données éparses portant sur le ministère. Car nous ne possédons que des traces d'une histoire complexe où des coutumes, d'abord propres à une église, en viennent progressivement à en influencer d'autres. Il en est de l'histoire des ministères comme de l'histoire de la christologie ou de l'ecclésiologie, construites en quelque sorte par contacts, liens et confrontations mutuelles, en raison des rapports, disons, œcuméniques, peu à peu tissés entre les communautés[2]. Il importe donc de ne pas surimposer trop vite à une documentation plutôt pauvre des schémas évolutifs cadenassés. On risque alors d'obscurcir le dossier plus que de l'éclairer.

---

1. C'est-à-dire, la double tradition (ou source, en allemand *Quelle*) recueillie dans les éléments de Matthieu et de Luc, qui n'ont pas de parallèle en Marc. Cette tradition tissée surtout de paroles (*logia*) apparaît souvent plus ancienne que l'évangile de Marc, écrit vers l'an 70 ; elle peut refléter, entre autres, d'anciennes traditions galiléennes ou des éléments déjà ramassés à Antioche de Syrie.

2. Sur ces points, C. Perrot, « Des premières communautés aux églises constituées », *Recherches de Science Religieuse* 79 (1991, p. 223-252 ; ibid., *Jésus, Christ et Seigneur des premiers chrétiens*, Desclée, Paris, 1997. On relèvera, entre autres, combien la Question synoptique (le rapport littéraire entre les quatre évangiles) porte en partie l'écho de cette circulation des données évangéliques et des structures ecclésiales.

Sans doute serait-il séduisant pour l'esprit d'en appeler d'abord à une communauté d'allure enthousiaste, sans structures établies, qui se serait ensuite progressivement durcie et *institutionnalisée*, afin de parer aux coups de la Gnose et autres dérives. Un tel schéma, emprunté à Max Weber, a son intérêt pour distinguer, par exemple, les temps et les moments d'une institution en train de se construire : le temps de la fondation des communautés, dans la spontanéité et la recherche d'un langage adapté à chacun des terrains, n'est pas celui de la stabilisation nécessaire à une vie communautaire pérenne. Encore ces deux mouvements se compénètrent-ils souvent, sans qu'il faille d'emblée en appeler à une déperdition de l'Esprit ou à une *routinisation* (le mot est de Weber) impliquant plus ou moins l'idée d'une dégradation progressive de l'élan originel. À la manière, dit-on, d'un François d'Assise et des déboires qui suivront son départ ! Mais si une telle sclérose demeure menaçante, jusqu'à quel point cela s'applique-t-il à la situation concrète des premières communautés chrétiennes à la recherche d'une certaine consolidation ministérielle ? Car la pointe même de leur effort repose sur le service d'une parole toujours vive, à adapter à des milieux chrétiens aux configurations diverses selon la mission de chacun. Il ne s'agit pas pour eux d'organiser l'héritage charismatique d'un mort, mais d'écouter toujours le Ressuscité dans la résurgence d'une parole nouvelle. En d'autres mots, appliquer sans plus la pensée de Weber au cas des premières communautés risquerait vite de faire l'impasse sur une donnée majeure à la base de ces constructions communautaires, à savoir la proclamation de la Résurrection. Les chrétiens ne pleurent pas un mort avant d'en gérer l'héritage, ils en vivent toujours et l'écoutent encore.

De la mort de Jésus à la fin du premier siècle environ, cette résurgence de la parole vive du Seigneur, sous forme orale ou progressivement écrite, fait corps avec l'établissement et l'aménagement des multiples rouages permettant sa transmission. Car la parole n'est plus « à la dérive », du moins si elle se noue au cœur du « Corps du Christ », doté de ses multiples articulations comme le déclare l'auteur d'Éphésiens :

> « ... nous croîtrons en tout jusqu'à lui qui est la tête, Christ, de qui le corps tout entier, grâce aux ligaments dont il est pourvu, tire cohésion et étroite unité, et par l'activité assignée à chaque partie, opère sa propre croissance pour se bâtir lui-même dans l'amour ». (Ep 4, 14.15-16).

La parole, l'Église et les ministères font corps dans le devenir d'une même construction ayant Jésus pour principe.

Faut-il ajouter combien l'opposition, souvent reprise de nos jours, entre « le charisme » et « l'institution » est en fait artificielle, dans le cadre des églises pauliniennes en particulier ? Il est même étonnant de constater que les églises les plus charismatiques, comme on dit aujourd'hui, sont en passe de devenir les mieux organisées et ordonnées. Car Paul est là, sans ménagement à cet égard (1 Co 11, 17s.34) !

Donnons encore un autre exemple de ces reconstructions historiques, élaborées hâtivement. Certains déclarent que l'Église de Jérusalem aurait d'abord suivi un schéma structurel de type synagogal, avec une autorité régentée par des notables dits presbytres. Puis, Paul aurait adopté une structure plus démocratique à l'instar des cités hellénistiques, en distribuant à tous les croyants les charismes et les ministères, de manière égalitaire ; car tous sont responsables dans l'Église. La thèse peut sembler séduisante, mais jusqu'à quel point ce genre de reconstruction n'est-il pas marqué par l'idéologie d'aujourd'hui ? Comment procéder alors ? Et d'abord, comment répartir ces données disparates sur le ministère ?

LA PSEUDÉPIGRAPHIE[3]

Dans le cadre d'une ecclésiologie de type classique, on voudrait répartir l'ensemble des données sur le ministère entre, d'un côté, ce qui relèverait des apôtres fondateurs et, de l'autre, les éléments de l'époque dite *post-apostolique*, donc après la mort de ces derniers. Or, cette césure demeure floue en réalité. Selon l'ancienne tradition[4], Pierre et Paul sont morts martyrs sous Néron dans les années 64 à 68. Mais qui peut situer avec sûreté la mort du disciple bien-aimé qu'il faut très probablement identifier à Jean l'apôtre ? Les écrits du Nouveau Testament, y compris les Actes des Apôtres dans le cas de Pierre et de Paul, ne parlent pas de ces morts, sinon d'une manière allusive et sans leur accorder un sens particulier, à la différence de celle de Jésus (Jn 21, 19 ; Ac 20, 25). On peut d'ailleurs se demander si les premières traditions ecclésiales n'ont pas cherché plutôt à

---

3. Voir p. 67, note 36 ; et H. Hauser, *L'Église à l'âge apostolique*, Le Cerf, Paris, 1996, p. 116-132.
4. Dès 96, selon Clément de Rome, 1 Clément 5, 4ss.

gommer le souvenir de ces morts, ou, du moins, à ne guère insister à
leur propos. Car, si la mort du Ressuscité constitue une tournant de
l'histoire pour le croyant, au départ d'un renouveau de la parole, celle
des premiers témoins ne risque-t-elle pas d'interrompre le lien avec
la parole première ? Comment déclarer la vérité de cette autre parole,
sinon avec la conviction que les premiers témoins sont encore là, dans
le Christ ? Ils demeurent vivants, « avec Christ » (Phi 1, 23). Et la
parole continue encore à se répandre « jusqu'aux extrémités de la
terre » (Ac 1, 8), « à toutes les nations » (Mc 13, 10). Le livre des Actes
des Apôtres[5] selon Luc, ou plus exactement celui de « la geste de
l'Esprit et de l'expansion de la parole apostolique », ne s'achève pas
sur la mention de la mort des apôtres, mais sur la victoire de la parole
de Dieu : Paul « proclame le Royaume de Dieu et enseigne ce qui
concerne le Seigneur Jésus, avec assurance, sans obstacle » (Ac 28,
31). Appuyé sur les deux cycles de traditions portant sur Pierre et
Paul, le second tome de Luc ne se présente pas comme une biographie
de ces deux témoins, mais comme la suite d'une Bonne Nouvelle,
toujours vivante sous le signe de l'Esprit. Ces témoins demeurent
vivants. Comme le précise Luc par rapport à sa source (Mc 12, 25),
« ceux qui auront été jugés dignes d'avoir part à ce siècle-là ... ne
peuvent plus mourir... car ils sont fils de la résurrection » (Lc 20,
35-36).

La même conviction s'exprime, en termes plus énigmatiques il est
vrai, dans Jn 21, 22-23 : la mort du disciple bien-aimé et sa présence
toujours là jusqu'à la parousie sont, en même temps, affirmées :
Pierre...« dit à Jésus : Et lui *(Jean),* Seigneur, que *(lui arrivera-t-il)* ?
Jésus lui dit : Si je veux qu'il demeure jusqu'à ce que je vienne, qu'en
(sera-t-il) pour toi ? »[6]. La question brûlante au sein de la communauté johannique n'est donc plus de savoir si Jean est mort ou va mourir,
car tout l'accent porte sur les mots de Jésus à son endroit, répétés

---

5. Ce titre ne date que du IIIe siècle de notre ère.
6. Littéralement : *Quoi pour toi ?*, souvent traduit par « Que t'importe ! », à la
manière de Jn 2, 4 (*Quoi à moi et à toi* ! Ne t'occupe pas de cela !), exprimant alors une
fin de non-recevoir qui est, en fait, suivie par l'acceptation de Jésus à la demande de
sa mère. Mais est-ce bien le sens ici ? T.L. Broodie, *The Gospel according to John*,
Oxford, 1993, remarque que cette question de Jésus répond à celle d'abord posée par
Pierre au v. 21 (littéralement) : « et lui, quoi ? » ; dans les deux cas, celui de Jean et
celui de Pierre, par-delà leur mort, leur présence pérenne semble alors évoquée, sous
le mode d'une affirmation dans le cas de Jean et sur celui qu'une interrogation dans
celui de Pierre.

deux fois (v. 22 et 23) : le disciple demeurera avec les siens jusqu'à la parousie, dans une présence active qui qualifie la référence à son nom par les siens, par-delà même sa mort. Quant à Pierre... ? La question demeure alors elliptique. Compris de cette manière, cet élément n'est pas sans conséquences au plan ecclésiologique et œcuménique. Pierre n'est pas l'unique référence pérenne de toutes les communautés chrétiennes.

Mais revenons au problème de fond. Les apôtres continuent de vivre et de parler encore. Le fait pseudépigraphe, évoqué à la fin du chapitre précédent, présente un intérêt historique et théologique considérable. L'auteur qui se coule ainsi sous la signature d'un apôtre, à la manière du rédacteur des Pastorales ou de la Seconde de Pierre, entend signifier combien l'apôtre continue toujours de parler et d'agir par l'entremise de son porte-parole actuel. Au point qu'on ne peut plus guère distinguer cette parole ecclésiale de la tradition fondatrice qui lui donne son élan et sa valeur. Les deux font corps, et les nouveaux ministres de la parole chrétienne ne peuvent que se cacher sous le nom apostolique, car la parole des apôtres demeure la seule valable. Comme on voit, les pseudépigraphes ne sont pas des fraudeurs, mais des croyants affirmant hautement que le Christ et ses premiers envoyés sont toujours vivants et continuent d'interpeller les leurs sous l'influx de l'Esprit. Les pseudépigraphes ne sont que les *prophètes*, les porte-parole d'une parole toujours en effervescence. À cette époque seconde, en train de s'éloigner du socle immédiat des Apôtres, l'apparition de ces serveurs d'une parole pseudépigraphe se situe au creux de ce passage essentiel. Car il faut assurer la continuité du message fondateur par-delà la mort, sans remplacer la parole première par une autre parole qui lui serait étrangère. Si de nouveaux dirigeants succèdent aux fondateurs, il ne les remplacent pas pour autant. Plutôt, ils les *re*-présentent, en confessant la vérité de la parole première. Une telle *représentation* appelle la conviction d'un lien vivant avec les Apôtres et le Christ, par-delà les distances qui se creusent. Dès lors, ceux que nous désignons aujourd'hui comme des pseudépigraphes assurent en fait un rôle stratégique essentiel dans le relais d'une parole, à la fois ancienne et nouvelle. On relève d'ailleurs une situation analogue au sein de la longue tradition johannique, qui prend son essor dans le disciple bien aimé et s'achève à la fin du siècle sur la signature communautaire : « nous savons que son témoignage est vrai », à savoir celui de Jean (Jn 21, 24). Au long des temps, la parole première reste vive et actuelle, à la condition d'en désigner le lieu fondateur et de s'inscrire dans sa vivante continuité apostolique.

Ouvrons maintenant le dossier de ces données éparpillées sur le ministère, en se gardant de trop vite boucher les « trous de l'histoire » et en évitant aussi un discours généalogique qui permettrait de désigner d'emblée l'originaire du ministère d'aujourd'hui. Disons-le dès maintenant, le prêtre d'aujourd'hui ne dérive pas purement et simplement de l'épiscope ou du presbytre d'hier. Son rôle actuel est le point d'aboutissement de toute une série de convergences et de déplacements fonctionnels successifs. Mais cette mobilité des formes du ministère n'en demeure pas moins liée à la continuité d'un même service, celui d'une parole vivante qui s'exprime jusque dans les gestes dits sacramentels, réels et symboliques à la fois, posés au nom du Seigneur.

LE TÉMOIGNAGE DES ÉVANGILES

Commençons par les évangiles synoptiques, et d'abord celui de Marc écrit après « *l'exode* »[7], c'est-à-dire le martyre de Pierre et de Paul comme le déclare explicitement saint Irénée (*Adversus haereses* III, I, 1). Rappelons trois points, sans grand rapport entre eux, portant sur le contexte politique et religieux de l'époque romaine, où devaient s'édifier les premières structures ecclésiales : puis, sur le type de renseignements historiques à tirer d'un écrit évangélique qui ne traite pas directement des ministères chrétiens ; enfin, sur ce passage essentiel qui va de la Bonne Nouvelle lancée par Jésus à une parole ecclésiale, à la fois, diverse et tenue dans son unité radicale sous la mouvance de l'Esprit.

LE CONTEXTE POLITIQUE ET RELIGIEUX

Après Néron et la destruction du Temple, les communautés chrétiennes, de plus en plus dispersées dans le monde méditerranéen, devaient connaître une paix relative jusqu'à l'empereur Domitien et

---

7. Dans Sg 3, 2 ; Lc 9, 31 et 2 P 2, 15, l'*exode*, la sortie ou le départ, désigne la mort.

les années 90. C'était le moment de ramasser les traditions d'hier, au sein d'écrits plus ou moins larges, rédigés par les « scribes du Royaume », pour reprendre l'expression de Mt 13, 52. Par ailleurs, la rupture entre les juifs qui ne reçoivent pas le Christ et les judéo-chrétiens s'accentue alors, et la distance va s'accroître entre la structure naissante des églises et une institution synagogale, elle-même en mouvement[8], avec ses archisynagogues et ses presbytres. C'est aussi l'époque où les fortes tensions communautaires, connues au temps de Paul (Ga 2), vont en partie s'apaiser. Vers 85 environ, Luc a même voulu tout oublier ou presque de cette histoire mouvementée afin de donner aux siens l'exemple d'une communauté parfaitement unie dès l'origine. L'activité ecclésiale est alors entièrement absorbée par la diffusion de la parole. D'autres, au contraire, à la manière de ces judéo-chrétiens ébionites connus aux IIe-IIIe siècles, se figeront dans leur violente opposition à Paul – un apôtre à leurs yeux inauthentique –, tout en exaltant les figures de Jacques de Jérusalem et de Pierre[9].

Cependant, en dehors de ce schisme encore à l'état naissant au Ier siècle, c'est aussi l'époque où les rapports entre des groupes dispersés, judéo-chrétiens et helléno-chrétiens, vont plutôt en s'améliorant à la faveur d'une communication réciproque. Les évangiles synoptiques, aux assises communautaires diverses, en sont pour une part les témoins : l'évangéliste judéo-helléniste Matthieu travaille sur le récit de Marc[10], et de même Luc, dans un contexte davantage helléno-chrétien. Quelques passerelles existent aussi entre Luc et une tradition johannique plutôt portée à s'isoler des autres églises ; la figure de Pierre est maintenant rehaussée, et non plus seulement celle du Disciple bien-aimé (Jn 20, 5s et 21). Un tel processus d'interchangeabilité aura ses conséquences sur l'organisation et les titres ministériels, eux aussi en voie d'unification. Partant d'une réelle diversité entre les communautés, sinon d'une absence de structures ministérielles chez certaines, on détecte alors un mouvement d'uniformisation et de stabilité, dans le cadre des églises héritières de Paul d'abord.

---

8. Voir notre article « Synagogue » dans *Dictionnaire de la Bible. Supplément* XIII, fasc. 74 (à paraître).

9. Voir en particulier les *Pseudo-clémentines* sur cet antagonisme ; par ex. *La lettre de Pierre à Jacques* II.

10. Ou plutôt, sur une tradition de l'évangile de Mc, saisie avant sa rédaction finale.

LES ÉVANGILES, REFLETS D'UNE SITUATION COMMUNAUTAIRE

Le deuxième point porte sur le type de renseignements historiques à tirer d'un écrit évangélique qui ne traite pas directement des
ministères chrétiens. De soi, les évangélistes n'ont pas à en parler
puisque leur regard se fixe sur Jésus. Et pourtant chacun d'eux, dans
le contexte communautaire qui lui est propre, entend produire un
récit pétri des paroles et des gestes du Maître, et en même temps
susceptible d'assurer à une église donnée tout ce qui lui est nécessaire
pour penser et vivre chrétiennement, l'eucharistie y comprise. Et
cela, que ce soit à Rome (Mc), en Syrie (Mt) et en Asie Mineure (Jn),
sinon en Grèce (Lc peut-être). Au fait, en plus d'une tradition orale
en pleine expansion, ces premières communautés n'avaient d'autres
livres que l'Écriture, puis, leur propre évangile, après l'an 70 surtout.
En outre, si Luc ou Matthieu réécrivent Marc, chacun à leur manière,
ce n'est pas pour fournir aux leurs « un autre évangile », car l'évangile
est unique, même s'il est chez eux davantage adapté à des oreilles
juives ou grecques. Mais, ne l'oublions pas, nos évangiles sont nés à
l'origine sans nom d'auteur, comme des écrits anonymes. Au cours du
second siècle seulement, devait s'inscrire le nom de leur auteur :
« selon Matthieu », « selon Marc », etc.[11]. Cette anonymat originel, à
la manière des écrits pseudépigraphes dont il a été plus haut question, procède encore de la conviction qu'un ministre de la parole, en
l'occurrence l'évangéliste, ne saurait dire son propre nom, puisque la
Bonne Nouvelle n'a de valeur que par le Seigneur ressuscité qui la
déclare toujours. Le ministre de la parole, caché sous le voile d'un
narrateur invisible, n'est rien de par lui-même. Il demeure un simple
porte-parole, c'est-à-dire un prophète de la parole de Jésus et des
siens.

Toutefois, la manière de rapporter la parole et les gestes du
Maître est influencée par les destinataires de chaque écrit. La mémoire est sélective, en fonction de chacun des contextes ecclésiaux.
Sous ce biais, il est possible de voir comment chacun des évangiles
porte le reflet d'une situation ministérielle encore en mutation. On
ne saurait donc s'étonner de la différence de tonalité entre ces quatre
écrits sur le motif ministériel. Les situations sont diverses et les

---

11. Cette nomination, seconde au plan littéraire, n'en est pas moins historiquement
valable, certifiée par Papias dès le IIe s., selon l'*Histoire Ecclésiastique* d'Eusèbe de
Césarée.

ministères chrétiens se cherchent toujours, dans leur dénomination du moins. Car leur rôle brûle déjà d'actualité dans le fait même de rapporter la parole première. Ajoutons cependant que les évangélistes disent surtout comment il faut vivre le ministère chrétien, plutôt qu'ils n'en épellent les acteurs. La transmission de la parole leur importe d'abord, par le jeu d'une dissémination à laquelle participent tous les prédicateurs et autres serveurs de la parole.

DE LA PAROLE DE JÉSUS À CELLE DE L'ÉGLISE

Une telle transmission devenait même impérieuse, face à l'urgence des temps curieusement conjuguée à l'expérience concrète d'un « délai de la parousie » (cf. 2 P 3, 4). Car les temps derniers sont déjà là, sinon tout proches (Mt 10, 23), et cependant l'Église paraît comme s'installer dans le temps intérimaire qui précède cette fin (Mt 24, 48 ; 25, 5). Dès lors, la Bonne Nouvelle lancée par Jésus et ses envoyés se doit de trouver des relais. La tradition anonyme des évangiles, puis, les pseudépigraphes évoqués à l'instant en constituent les rouages essentiels pour aller de Jésus et de ses apôtres aux serveurs d'une parole désormais ecclésiale. Luc a consciemment opéré ce passage dans le temps de l'Église, en rédigeant les Actes après son évangile, comme le second tome d'un même ouvrage. De Jésus, la parole passe aux disciples et aux apôtres. C'est la première transmission d'un « relais » qui, sous l'influx de l'Esprit, deviendra l'exemplaire de tous ces échanges de la parole constituant le fondement même du ministère. Jésus continue de parler, et l'Esprit parle encore. De ce point de vue, Luc occupe une place remarquable dans le passage de ce relais ministériel.

LE MINISTÈRE SELON MARC

L'évangile de Marc s'inscrit à une époque où les titres ministériels de la seconde génération chrétienne n'apparaissent guère au grand jour, du moins si l'on considère – avec précaution assurément – l'absence d'une mention ou de quelques allusions à l'endroit des dirigeants actuels d'une communauté probablement romaine. Tout est centré sur Jésus, le groupe des Douze et l'ensemble des disciples, c'est-à-dire les croyants qui se mettent « à la suite » du Christ, jusqu'à en porter la croix (Mc 8, 34). Ils suivent Jésus ; ils en sont « les disciples ». Cette dernière expression, souvent employée à l'absolu, marque déjà la différence avec les disciples de la Torah, connus dans le Judaïsme de l'époque, car il ne s'agit pas alors de s'attacher à tel ou tel maître, mais à la Loi d'abord. En tant que disciple de Jésus, le ministre chrétien ne saurait oublier cette dimension éminemment personnelle qui traverse toute sa vie, et donc son ministère même.

Toutefois, l'intérêt de l'évangéliste ne porte pas sur ceux qui exercent présentement quelques fonctions, sinon pour dire, avec un certain radicalisme, comment ils se doivent de l'exercer. Simon-Pierre, à la tête des Douze (Mc 1, 16 ; 3, 16), n'échappe pas à ce regard critique, et le manque d'intelligence des disciples est lourdement souligné (Mc 6, 52 ; 8, 33). Non point que les Douze soient alors contestés par l'évangéliste, mais en raison même de leur rôle référentiel. Car il s'agit de rester aujourd'hui fidèle à cette parole transmise par les disciples, alors même qu'avant Pâques ces derniers s'étaient parfois égarés. La croix du Ressuscité donne maintenant sens à leur message, telle une parole nouvelle qui n'en demeure pas moins en continuité avec la parole d'hier. La *succession* de la parole apostolique devient alors d'importance première.

LA PROCLAMATION DE LA PAROLE

Dans la ligne de Paul, Marc souligne le rôle majeur de cette parole, d'abord lancée par Jésus (Mc 1, 14 ; 2, 2) ; ainsi, lors de l'interprétaticn de la parabole du semeur (4, 13-20). Elle doit être proclamée jusqu'aux confins du monde, avant le temps d'une fin pourtant proche : « Il faut d'abord qu'à toutes les nations soit proclamé l'Évangile » (13, 10). La « cause de l'Évangile » marque entièrement la vie du disciple, et elle fait corps avec la personne même de Jésus : « à cause de moi et à cause de l'Évangile » (8, 35 ; 10, 29). Cela dit, deux types de parole sont alors distingués par l'évangéliste : d'abord, une parole d'évangélisation, tournée vers la mission à la manière de Paul (13, 10 et 14, 9) ; ensuite, une parole d'enseignement ou de catéchèse visant l'ensemble des croyants. Une parole *ad extra* et *ad intra*. C'est du moins ce qui apparaît d'après le dédoublement de cette parole, alors que Jésus s'adresse d'abord à la foule, puis, aux disciples pris à part[12]. Par ailleurs, dans un contexte palestinien, un bref discours de Jésus illustre le motif missionnaire (Mc 6, 6-13), en précisant la charge des envoyés, apôtres ou missionnaires : une charge qui vise la proclamation du salut et leur action efficace par des guérisons et les exorcismes (Mc 6, 12). Pourtant, Marc n'usera du mot *apôtre* qu'une seule fois, après ce retour de mission (Mc 6, 30)[13]. L'évangélisation des Nations n'en demeure pas moins essentielle au regard de cet auteur, et le message de Pâques appelle d'abord à rejoindre le Ressuscité en Galilée, dite « la Galilée des Nations » (Mt 4, 15), afin de reprendre au départ la mission commencée par Jésus. Pierre et les disciples seront les témoins du Ressuscité et la mission va continuer (Mc 16, 7)[14].

UN POUVOIR À L'ENVERS DU POUVOIR

Cela dit, l'évangéliste se garde plutôt de mettre en exergue ces missionnaires de la parole. Son écrit sonne presque comme un avertissement adressé aux dirigeants chrétiens du temps : Jésus lui-même les invite à ne pas s'en accroire en la circonstance. Car les fonctions exercées au sein de la communauté romaine et ailleurs doivent désormais s'exercer comme à l'envers des pouvoirs de ce monde. L'affaire ne manque pas d'un certain piquant dans le contexte de Rome surtout, c'est-à-dire le lieu par excellence du pouvoir impérial. Au reste, la christologie de Marc, centrée sur la figure du Fils de Dieu, en arrive à effacer ou presque la désignation de Jésus en tant que *kyrios*, désignant d'abord un maître de maison ou quelques seigneuries idolâtres et impériales[15]. Bref, l'évangéliste reprend avec insistance les paroles de Jésus, qui en appellent à un retournement des hiérarchies de ce monde, y compris chez les dirigeants chrétiens.

---

12. Voir Mc 4, 1-2s et 10 ; et 4, 34 ; 7, 17s ; 9, 28 ; 10, 10.

13. Après la mention des Douze, quelques manuscrits ajoutent les mots : *»auxquels il donna le nom d'apôtres »* (Mc 3, 14).

14. Mc 16, 7 pose néanmoins quelque problème, tant cet élément semble être une surcharge (provenant d'une retouche même de Marc ?) dans le récit du tombeau ouvert (Mc 16, 1-8), et cela en fonction de Mc 14, 28. Le récit s'achève sur le mutisme des femmes, considérées ici comme les premiers témoins de la Résurrection, et cela, à la manière des récits théophaniques où la crainte musèle la parole devant l'indicible du message (cf. Mc 9, 6, lors de la Transfiguration). Le message de l'ange au v. 7 demeure alors en suspens.

15. Voir C. Perrot, *Jésus, Christ et Seigneur,* p. 249s.

Car si Marc ne les mentionne pas directement, ils n'en sont pas moins présents, disons, comme à rebours, dans la manière même de déclarer ce qu'ils ne doivent pas être ou faire. Et ils ne peuvent même pas trop se camoufler sous la figure de Pierre et des autres disciples qui essuient plutôt les remarques acides de Jésus ou de l'évangéliste (7, 18 ; cf. 4, 13 ; 8, 17 ; 9, 32).

Le renversement des valeurs du pouvoir s'exprime surtout dans les paroles de Jésus selon Marc : « Si quelqu'un veut être le premier, il devra être le dernier de tous et le serveur de tous (en grec, *diakonos*) » (Mc 9, 35) ; et « si quelqu'un veut être grand parmi vous, qu'il soit votre serveur ; si quelqu'un veut être premier, qu'il soit votre serviteur (*doulos* ; 10, 43-44). Dans le langage populaire de l'époque les mots *grand* et *premier* désignent en particulier les autorités juives. Or, Jésus désigne un enfant comme le modèle, alors qu'à l'époque ce dernier était plutôt considéré comme un « rien du tout ». Le ministère chrétien doit en conséquence refléter comme l'envers de ces structures de pouvoir.

Au fait, à une époque où le vocabulaire immédiatement ministériel, (« diaconal ») devait déjà s'imposer quelque peu, à la suite de Paul au moins, on constate combien Marc en use avec une certaine parcimonie : les anges du récit de la Tentation *servent* Jésus, et ce dernier est désigné comme celui qui sert : « Le Fils de l'Homme n'est pas venu pour être servi, mais pour servir et donner sa vie en rançon pour beaucoup » (Mc 10, 45)[16]. Autrement, le verbe *diakonein* (servir) revient deux fois encore, avec des femmes pour sujet : la belle mère de Simon et les femmes au tombeau (Mc 1, 31 et 15, 41). On relèvera à ce propos la nouveauté de l'expression, car si les femmes juives pouvaient à l'époque préparer un repas, elles ne devaient pas pour autant *servir à table*. C'était l'affaire du jeune homme de la maison ou d'un serviteur (*doulos*). Là encore, à la suite de Jésus assurément, Marc fait mine d'une étonnante audace. Si le ministère découvre en

---

16. Le *Fils de l'Homme* : à partir de l'araméen l'expression est à comprendre ici au sens du pronom personnel *Je*. Il est plus difficile d'interpréter le lien mis entre ce service et sa conséquence sotériologique et libératrice. Le mot *rançon* appelle l'idée d'un dédommagement pécuniaire en vue de libérer un esclave, par exemple, et non pas celle d'un sacrifice d'expiation. Voir Simon Légasse, *L'Évangile de Marc*, Paris, Le Cerf, 1997, p. 640s. Comme en Mc 10, 43-44, Marc assimile ou presque les mots *diakonos* et *doulos* : le serviteur libère, en portant le péché de la multitude (Is 53, 12) – ce qui est plutôt paulinien.

Jésus son modèle par excellence, il ne saurait jamais étayer pour autant des structures de pouvoir à la manière des pouvoirs de ce monde. Marc insiste à fond sur ce point, en raison même des rapports nouveaux à instaurer au sein des communautés.

UNE QUERELLE DE POUVOIR

Un dernier récit de Marc ne laisse pas, en effet, de surprendre, en plein situé dans une querelle entre les disciples visant à occuper la première place dans le Royaume. D'où, l'indignation des autres disciples contre les fils de Zébédée, Jacques et Jean (Mc 10, 35-41). Une histoire aussi navrante n'aurait guère pu franchir le seuil de la première mémoire chrétienne si des exemples analogues n'étaient, hélas, connus parmi les dirigeants chrétiens – comme Paul le suggère à propos des *pseudo-apôtres*, par exemple (2 Co 11, 13). L'évangéliste Marc, à la fois proche et cependant quelque peu distant par rapport à Pierre et à Paul[17], n'hésite pas à laisser percer son sentiment à l'endroit des lourdes querelles de pouvoir qui déjà pesaient sur l'Église. Matthieu reprendra le récit de Marc, mais en attribuant le péché à la mère des fils de Zébédée, et non plus aux disciples (Mt 20, 20-28) ! Luc gommera l'épisode. Les erreurs d'hier sont oubliées.

Comme on le voit, le dossier de Marc sur le ministère est restreint, et cependant riche d'enseignements sur la manière même de le vivre. Il ne s'agit pas pour lui de miner l'autorité des Douze avec Pierre en tête, ni de récuser l'existence de ces dirigeants. Il s'agit de rappeler à tous que ce travail de la parole et de l'action chrétiennes ne saurait s'abstraire d'une vie entièrement vouée à *suivre* Jésus, jusqu'à la croix, les dirigeants y compris. Relevons enfin combien la figure des Douze fait chez lui corps avec celle des disciples, au point de quasi les identifier les uns aux autres – du moins, après Mc 6, 30. Les Douze, « établis pour être avec lui » (Mc 3, 14 ; 5, 18), n'ont de vérité qu'à la condition d'être des disciples authentiques. Les Douze restent chez Marc le modèle fragile des ministres chrétiens, mais sans jamais en arriver au rehaussement de leur figure dans la ligne de la *Tradition*

---

17. « proche », comme le déclare Papias selon qui Marc était « l'herméneute de Pierre » (cf. 1 P 5, 13) ; mais il est aussi à distance de ce dernier et n'hésite guère à relever les failles de Pierre (Mc 8, 27 ; 14, 66s). De son côté, Paul voulut l'exclure de son cercle immédiat selon Ac 15, 36, du moins pour un temps (Phm 24 et Col 4, 10).

Q où le rôle de juges du Royaume leur est directement attribué (Mt 19, 28 et Lc 22, 30). Matthieu et Luc seront moins abrupts.

LE MINISTÈRE SELON MATTHIEU

Considérons, là encore, les particularités de l'église judéo-chrétienne de Matthieu, une église de disciples, portée à exhausser la figure de Pierre.

UNE ÉGLISE JUDÉO-CHRÉTIENNE

L'évangéliste judéo-helléniste Matthieu reprend le récit de Marc avec d'autres éléments, dont l'ancienne *Tradition Q*. Il n'en colore pas moins l'ensemble de sa marque personnelle, proche des préoccupations des croyants judéo-chrétiens de Syrie-Palestine. En fait, l'église de Matthieu semble assez mêlée, un peu comme le blé et l'ivraie poussant dans un même champ (Mt 13, 24-30.36-43). La rupture avec les Juifs qui ne reconnaissent pas Jésus est maintenant consommée, particulièrement avec les scribes d'affinité pharisienne qui dominaient la Galilée depuis la ruine du Temple. Comme Jésus, les croyants ne fréquentent plus « leurs synagogues » (Mt 10, 17) et ils ne s'attachent plus à « leurs scribes » (7, 29). Les paroles de Jésus, selon Mt 23 en particulier, sont dures à l'encontre de ces scribes et des pharisiens hostiles, perçus comme une menace latente contre la communauté judéo-chrétienne des années 80-90. Par ailleurs, cette église semble tiraillée par deux mouvements en relative contrariété : l'un, toujours étroitement attaché à Israël et à la Loi, puisque Jésus venait d'accomplir parfaitement cette Loi (5, 17-18) ; et l'autre, davantage ouvert aux Nations (Mt 2, 1s et 28, 19). Matthieu reflète les deux tendances, mais, dans le dernier cas, sa position missionnaire est différente de celle de Paul. Ce type de judéo-chrétiens aspirait assurément à la conversion des païens, mais pour les adjoindre à l'Israël maintenant couronné de son Messie[18]. Chez Paul, au contraire, les convertis n'ont plus à « judaïser » ; ils n'ont plus à suivre la Loi ainsi que les coutumes. Élargissons le débat pour mieux comparer les positions respectives au plan des tâches ministérielles.

---

18. Voir ch. 2, p. 60, sur la position de Jacques et de Pierre par rapport à Paul.

DEUX TYPES DE PAROLE

Du clivage susdit, représenté ici par les figures de Paul et de Matthieu, devaient surgir comme deux types de paroles missionnaires : les unes adressées en premier aux Juifs et les autres, aux gens des Nations. Ce qui laisse d'emblée soupçonner une certaine différence entre les ministres de ces diverses annonces, y compris sur le registre de leur dénomination, plus juive ou plus grecque selon le cas.

D'un côté, l'accent porte sur la transmission d'une parole à la manière des scribes et des docteurs de la Loi. Dans ce contexte le ministre chrétien est d'abord un docteur, un enseignant, c'est-à-dire un transmetteur des paroles de Dieu et de Jésus, comme l'étaient les scribes pour la Torah. Entre autres, il ramasse ensemble les paroles de Jésus relevant d'un même type – des paraboles, des règles de vie en commun, des paroles eschatologiques, etc. – et il les transmet comme les scribes transmettaient la Torah et les coutumes. Ces recueils des premières traditions, ainsi récupérées, aménagées et organisées, seront ensuite intégrés dans la trame narrative des évangiles, et en particulier par Matthieu qui récupèret largement ces *discours* de Jésus.

De l'autre côté, avec Paul surtout, l'accent est mis sur l'invention d'une vie *en Christ*, dans le cadre d'une communauté *imitant* son Seigneur de manière nouvelle, dans l'Esprit. Le lien avec le Seigneur, médiatisé par la communauté et son apôtre, devient alors plus personnel et communautaire. Dès lors, le *docteur* chrétien, déversant sa connaissance à des disciples, laisse maintenant la place à une communauté vivante dont les serveurs animent les multiples services. En conséquence, la communauté devient le lieu premier de la référence apostolique, et non plus la Loi de Moïse (2 Co 3), ni même quelques recueils des paroles de Jésus, maniées à la manière des scribes d'hier. Paul n'en appelle généralement pas aux paroles et aux gestes de Jésus, en direct du moins – hormis le geste de la Cène et l'événement de la croix. En durcissant quelque peu les positions, pour lui c'est le Seigneur d'aujourd'hui qui importe, et non plus les paroles d'un Nazaréen d'hier. Il en arrive même à s'écrier : « Si nous avons connu le Christ à la manière humaine, maintenant nous ne le connaissons plus ainsi » (2 Co 5, 16). Bref, le lieu référentiel de la parole se déplace en quelque sorte, allant, disons, de la lettre à l'Esprit, du livre à la Communauté. Le rôle d'un ministre de la parole en est par là même modifié. Paul construit ses communautés, non plus sous le mode doctoral, celui d'un scribe entouré de ses disciples, mais, disons, de manière endogène, de par la force d'une action intérieure de l'Esprit. Car c'est l'Esprit qui suscite la vie d'une communauté voulant à son tour vivre et revivre la vie même de son Seigneur. La proclamation de l'événement pascal et la mémoire active de la Cène demeurent au cœur de cette construction « en Christ » (1 Co 10, 16s et 11, 23ss ; 15, 1ss), et non plus la seule transmission des paroles du Nazaréen. L'apôtre, envoyé en direct par Jésus, et le porte-parole prophétique l'emportent sur le docteur.

On mesure mieux en conséquence la différence entre un docteur judéo-chrétien et un dirigeant paulinien. Les deux en appellent à la parole, mais de manières différentes : l'un se situe sur le registre d'une parole à transmettre, et l'autre, sur celui d'une proclamation de salut qui construit la communauté. L'un privilégie l'enseignement, et l'autre, le kérygme. L'un est d'abord un enseignant, et l'autre, un pasteur. L'un s'appuie sur la tradition des paroles de Jésus par des disciples authentifiés, et l'autre, sur la construction active d'une communauté vivant de l'Esprit. Paul s'inscrit surtout dans cette seconde ligne, ce qui ne signifie pas qu'il récuse entièrement la première. Nous l'avons vu dans 1 Co 12 et 14, l'Apôtre tance les glossolales, interroge la pratique de certains prophètes et réduit les docteurs au troisième rang de la hiérarchie de la parole (12, 28). L'action apostolique, en ses multiples contours, dépasse la seule transmission de la parole. Toutefois, si les scribes chrétiens doivent céder la place, ils n'en demeurent pas moins présents. De ce clivage essentiel, le rôle du ministre se déplace singulièrement. Mais qui donc va gagner de Paul ou, disons, de Matthieu ? En fait, les deux, et de manière nouvelle, en déplaçant peu à peu le rôle polymorphe du ministère chrétien. Car chacun des évangiles, à sa façon, appelle déjà la conjonction de ces deux types de parole. La tradition paulinienne, sans l'existence ensuite des évangiles, aurait débouché sur une certaine Gnose ; et, sans Paul, le seul évangile de Matthieu, sur une certaine re-judaïsation du christianisme.

Déjà, en produisant son évangile à partir d'une tradition catéchétique judéo-chrétienne, coulée dans le moule paulinien d'une théologie de la Croix[19], Marc tente en quelque sorte de réduire l'espace entre

---

19. Selon (Jean) le Presbytre, déclare Papias vers 125, Jean Marc, le compagnon de Paul dont parlent les Actes, aurait été aussi « l'interprète de Pierre ».

les deux configurations qui précèdent. Car le chrétien n'est plus un scribe, mais un disciple qui marche « à la suite » de Jésus. De même le dirigeant chrétien, à l'envers des prétentions du pouvoir doctoral des scribes d'hier, ne sera jamais qu'un suiveur du Christ. L'action du salut l'emporte en un sens sur la parole et la tradition des *logia* (paroles) de Jésus, et les « discours » de Jésus sont effectivement rares chez Marc.

Mais, revenons à Matthieu qui s'inscrit dans un sillage judéo-chrétien différent de Paul, sans pour autant s'opposer entièrement à ce dernier. Chez lui aussi, des liens se tissent avec d'autres églises, à commencer par celle de Marc dont il reprend l'évangile comme le support de sa propre rédaction, avec d'amples modifications ensuite. La différence d'accents n'en est pas moins perceptible entre eux. Bref, un ministre chrétien change quelque peu de couleurs selon la qualité de l'annonce qu'il est amené à produire. Le kérygme ou la proclamation missionnaire se distingue toujours d'une catéchèse domestique. Ce point essentiel posé, jusqu'où l'évangile de Matthieu reflète-il la situation ministérielle de son Église ?

LES CHRÉTIENS ET LEURS DIRIGEANTS

L'évangéliste grec donne de rares indications sur les dirigeants chrétiens de son époque, indirectement désignés par le biais d'une série de convictions portant : sur l'égalité des croyants à l'encontre des fausses prétentions de pouvoir ; puis, sur l'importance de la figure de Pierre et des apôtres ; et enfin sur le rôle majeur de l'enseignement au sein d'une « école » de disciples, toujours régie par le Seigneur. Quelques mentions, portant sur les prophètes chrétiens en particulier, apparaissent çà et là, mais plutôt comme des éléments repris d'une ancienne tradition judéo-chrétienne, sans trop correspondre à l'époque de l'évangéliste.

Matthieu reprend Marc, et accentue plus encore le motif d'une humilité radicale : tous les croyants doivent prendre exemple sur l'enfant, celui qui à l'époque était considéré comme un rien du tout ; désormais les disciples doivent être comme ces *petits* (Mt 10, 42 ; 11, 11 ; 18, 6-14). Dans le discours communautaire du chapitre 18, Matthieu orchestre et développe toute une catéchèse morale, sans tenir compte des préséances à respecter et sans insistance aucune sur des règles juridiques qui alourdiraient le comportement chrétien et ébranleraient une charité mutuelle entre les frères. Chez lui aussi, les hiérarchies humaines marquées par le pouvoir sont désormais renversées (Mt 18, 1-4 ; 20, 25-27 et 23, 11-12). Honorifiques ou non, les titres sont récusés dans Mt 23, 7-10 : ceux de *rabbi*, de *père* (à la différence de Paul dans 1 Co 4, 15) et même de *guide* ou de directeur[20]. L'exercice des rôles prophétiques, exorcistes et guérisseurs, pourtant opérés « en ton nom », ne protège pas ceux qui les exercent (Mt 7, 22). Si l'on ne suit pas « la volonté du Père » (v. 21), si l'action n'accompagne pas la pensée (v. 24-26) et si la dimension éthique se dilue, rien n'y fera. Car le disciple est d'abord un serviteur, l'esclave de son Seigneur.

Déjà vive chez Marc, une telle insistance sur une pratique chrétienne à l'envers des usages de ce monde, ne saurait guère s'expliquer si elle ne reflétait une réelle tentation au sein des églises matthéennes et autres. Il devenait urgent de remédier à une certaine manière d'exercer le pouvoir. Sous le couvert des paroles authentiques de Jésus, Matthieu en appelle presque à un certain égalitarisme, pour mieux signifier combien les rôles dirigeants au sein de l'Église ne sont pas à assimiler à des pouvoirs impériaux même légitimes, voire à la séduction de quelques faux prophètes. Car seul Dieu en son Christ possède le pouvoir, et tous les croyants sont des disciples enseignés par le Seigneur, même ceux qui les enseignent. Les croyants sont égaux. Paul, assurément, ne récuserait pas le message (cf. Ga 3, 28), mais, par-delà cette égalité radicale, il n'hésite pas aussi à distinguer des fonctions et des rôles divers au sein des églises, au service même de cette égalité foncière. Au contraire, ces rôles n'apparaissent guère mis en relief chez Matthieu, à l'exception de celui de Pierre et des Douze. Tout paraît se concentrer sur ces figures reférentielles. Et de ce fait, l'écart semble presque trop considérable entre Pierre et « le plus petit dans le royaume » (Mt 11, 11).

LA FIGURE DE PIERRE ET DES APÔTRES

Par rapport à Marc par exemple, Matthieu met fortement en relief la figure de Pierre en Mt 14, 28-31 ; 15, 15 ; 17, 24-27 ; 18, 21,

---

20. En grec *kathègètès*, au sens de guide, celui qui montre le chemin. Voir une expression analogue dans He 13, 17, à l'aide d'un radical différent. À la différence de Mt, le titre d'*higoumène* est reconnu dans cette autre communauté judéo-chrétienne (p. 119ss).

c'est-à-dire dans les éléments propres à son évangile, sans correspondant en Marc. Pierre est placé à la tête des « douze disciples », identifiés aussi aux « douze apôtres » (Mt 10, 1-2). Du Père lui-même, il reçoit la première révélation christologique (16, 17) ; et le Christ lui signifie son rôle : « Tu es Pierre, et sur cette pierre je bâtirai mon église » (v. 18). Il possède les clefs d'une interprétation décisive de ce que Dieu veut (v. 19-20).

Précisons seulement un point. Le mot ici traduit par *pierre* a plutôt le sens de roc ou de socle rocheux (en araméen *Kepha* ; grécisé, *Céphas*), et non pas celui de la première pierre d'un bâtiment. L'apôtre est désigné, comme le point d'enracinement et le garant solide d'une construction dont Jésus reste le maître d'œuvre. L'Église matthéenne ne glissera pas sur du sable (7, 24-27), tant qu'elle désigne son constructeur en Jésus, et le lieu de sa construction en lien avec la personne de Pierre. Cela, du moins, tant que ce dernier suit authentiquement le Christ, sans revêtir la figure d'un démon : « Va-t'en derrière moi, Satan ! », c'est-à-dire : demeure un disciple, celui qui suit son maître et reste derrière lui (16, 23). Il est étonnant de voir l'évangéliste nouer ou presque le rappel du rôle essentiel accordé à Pierre à la menace d'une déviance mortelle. Le premier des disciples occupe une place dangereuse.

Ainsi Matthieu, ramassant une tradition pétrinienne sans écho chez Marc et chez Luc, relève-t-il hautement le rôle de Pierre en tant qu'intendant du royaume, les clefs à la main, avec le pouvoir décisionnaire de lier et de délier, jusqu'à compromettre Dieu lui-même (ou « les cieux » ; v. 19)[21]. Certes, ce pouvoir est accordé aussi aux disciples (18, 18), comme si la décision du premier des apôtres et celle de l'ensemble des disciples s'appelaient l'une l'autre. La figure de Pierre n'en efface pas moins ou presque celle des autres disciples.

L'Église matthéenne entend donc posséder un pouvoir de régence dans le cadre d'une instance décisive qui peut, le cas échéant, provoquer l'exclusion du pécheur (Mt 18, 17). Encore faut-il situer le lieu d'un tel pouvoir, car c'est Dieu en son Christ qui, en premier, lie et délie jusqu'à donner à Pierre et aux disciples le pouvoir de nouer et délier à leur tour ce qu'Il décide souverainement. On peut difficilement croire que l'évangéliste ait pu ainsi insister sur de tels points,

---

21. Sur Mt 16, 17s, voir surtout Gérard Claudel, *La Confession de Pierre*, Paris, 1988.

sans que l'Église judéo-helléniste de Syrie-Palestine des années 80 ne déclare avec lui l'étonnante autorité de référence que constituait pour eux le premier des apôtres. Toutes les communautés n'en étaient pas là.

En signant de Babylone la première lettre de Pierre, le secrétaire de l'apôtre, ou plutôt son pseudépigraphe grec, appelle déjà l'attention sur Pierre, Rome et son église (1 P 5, 13). Il devient alors piquant de constater que l'évangéliste Marc, dans un contexte probablement romain et peu après le martyre de Pierre, n'apparaît pas aussi enthousiaste. Ses remarques demeurent pointues à l'encontre de Pierre et des Douze, sans pour autant récuser leur importance fondamentale[22]. Au contraire, chez Matthieu le rôle de Pierre et des Douze est mis en exergue, en monopolisant ou presque le double titre d'apôtres et de disciples. Plus encore, dans la ligne de la *Tradition Q*, les Douze exerceront le rôle de juges eschatologiques au sein d'un Israël réunifié (Mt 19, 28). Et déjà ils ont « autorité » sur les forces du mal au point de pouvoir ressusciter des morts (Mt 10, 1.8). Un tel motif, dans le cadre de la *Tradition Q* surtout, pourrait bien faire corps avec l'auto-désignation de Jésus, comme « le Fils de l'Homme »[23]. En effet, ce dernier syntagme appelle, entre autres, la figure du juge transcendant et eschatologique, dans la ligne de Dn 7, 13. Le rôle alloué aux Douze serait alors lié à cette figure de transcendance.

On en arrive donc à un étonnant paradoxe où l'évangéliste qui met le plus l'accent sur le renversement des pouvoirs et l'égalité, sinon sur la préséance à accorder aux petits du royaume, est en même

---

22. Voir T.V. Smith, *Petrine Controversies in Early Christianity*, Tübingen 1985. Sur la figure de Pierre, voir en particulier, Oscar Cullmann, *Saint Pierre, disciple, apôtre, martyr*, Neuchâtel-Paris, 1952 ; R.E. Brown, K.P. Donfried, J. Reumann, *Pierre dans le Nouveau Testament* (trad. fr.), 1974 ; G. Claudel, *op. cit.*, 1988 ; Christian Grappe, *D'un Temple à l'autre*, PUF, Paris, 1992 ; ibid., *Images de Pierre aux premiers siècles*, PUF, Paris, 1995.

23. Sur le Fils de l'homme, voir *Jésus et l'histoire*, p. 208-232. En parlant ici d'auto-désignation, nous ne voulons pas nous situer au niveau de la conscience de Jésus, mais seulement constater un fait littéraire : l'expression *Fils de l'homme* n'est pas un attribut (un titre) donné à Jésus ; elle se situe dans les *logia* (paroles) comme une manière de se désigner lui-même en tant que locuteur (« Le Fils de l'homme n'a pas où reposer sa tête », au sens de : je n'ai pas où reposer...). Par ailleurs, dans les lignes qui précèdent au sujet des Douze, nous ne nous situons pas au niveau dit événementiel, en évoquant la question historique de l'institution des Douze par Jésus ou l'existence de ce groupe après Pâques seulement. C'est là un autre sujet.

temps celui qui souligne le plus fortement le rôle décisif de Pierre et des disciples. Comment donc se structure la communauté matthéenne des années 80, qui œuvre toujours au service de la parole (cf. Mt 13, 19-23)? Là encore, le témoignage est indirect, mais il ne laisse pas d'impressionner, tant la différence est perceptible avec Paul et Marc, entre autres.

UNE ÉGLISE DE DISCIPLES

Dans ses lettres authentiques, Paul n'use jamais du mot *disciple*, et Jésus n'est pas désigné comme un maître ou un rabbi. Au contraire chez Matthieu, le mot *maître* est appliqué à Jésus, du moins par ceux qui ne sont pas directement des siens[24], et la mention des disciples est continuelle, de Mt 5, 1 à 28, 19. Jésus est le maître et Seigneur, par-delà tous les maîtres qui portent ce titre. Il enseigne (*didaskein*) et il « fait des disciples » (*mathèteuein*). L'évangéliste est d'ailleurs le seul à employer ce dernier verbe (13, 52 ; 27, 57 ; 28, 19). À la fin de son évangile le Ressuscité appelle les siens à faire des disciples à leur tour : « Allez, de toutes les Nations faites des disciples... en leur enseignant à garder tout ce que je vous commanderai » (28, 19-20 ; cf. 5, 19). L'Église de Matthieu se présente dès lors comme une *école* où l'enseignant domine celui qui est enseigné, et « le scribe devenu disciple du Royaume des cieux » devient l'image du maître de la maison où se trouve le trésor d'une parole ancienne et nouvelle à la fois (13, 52). Les premières communautés ne présentaient pas toutes la même figure, au point que les *docteurs* au sein d'une nouvelle école de sagesse semblent ici l'emporter sur les prophètes. Nous l'avons dit, Paul réagira sur ce point : la sagesse des sophistes et des docteurs de la Loi constitue l'envers d'une sagesse de Dieu qui s'exprime sur la Croix, et les docteurs chrétiens, y compris, sont relégués par lui au troisième rang (1 Co 1, 18s et 12, 28). Ce qui ne minimise pas pour autant la pertinence de leur charge particulière, distincte de celle des pasteurs[25]. L'insistance de Matthieu sur le motif doctoral implique-

---

24. Les disciples disent plutôt : *Seigneur*, au vocatif, et non pas : *le Seigneur*. Le mot *kyrios* appelle d'abord l'idée d'un maître de maison ; cf. C. Perrot, *Jésus, Christ et Seigneur*, p. 251s.

25. Sur ce point discuté, voir C. Perrot, « Quelques réflexions sur l'enseignement et les enseignants selon le Nouveau Testament », *Revue de l'Institut Catholique* (de Paris), 52 (1994), p. 11-20.

rait-elle chez lui l'effacement d'une présence active des prophètes chrétiens ?

DES PROPHÈTES CHRÉTIENS ?

L'évangéliste mentionne en effet l'existence de prophètes chrétiens, mais d'une manière presque marginale, comme si ces porte-parole itinérants du Ressuscité n'exerçaient plus guère de rôle au sein de son église, un peu à la façon des prophètes dont parle la *Didachè* (11, 3-12*)*. Ce sont des hommes d'hier ou presque. Leur rare mention chez Mt n'en demeure pas moins importante, car elle certifie l'origine syro-palestinienne de ces prophètes dans la Galilée de la *Tradition* Q jusqu'à Antioche sur l'Oronte. Paul n'est pas au départ de cette tradition dite « charismatique » et eschatologique. Il la reprend et la corrige.

En plus des nombreuses références de Matthieu aux prophètes bibliques, trois éléments attirent l'attention, qui appellent la pensée sur une certaine activité prophétique perdurant au sein de son église, en Mt 7, 15.22 ; 10, 41 et 23, 34 : « Méfiez-vous des faux prophètes » (7, 15s) ; ou encore :

> « Beaucoup me diront en ce Jour-là : Seigneur, Seigneur, n'est-ce point par ton Nom que nous avons prophétisé, et par ton Nom que nous avons chassé les démons, et par ton Nom que nous avons fait de nombreux miracles ? Alors je leur déclarerai : Jamais je ne vous ai connus... » (Mt 7, 22s).

Comme dans la *Didachè* § 11-13, les règles du discernement d'une authentique prophétie sont donc posées. Car, pour être authentique, il ne suffit pas de parler sur le ton de la plus haute autorité ou d'accomplir des merveilles en déclarant user de l'autorité du Seigneur. Il importe d'abord de « faire la volonté » du Père (v. 21), et de ne pas pratiquer « l'illégalité » (v. 23) – ce dernier est à comprendre au sens large d'un comportement qui s'inscrirait en faux par rapport à ce que Dieu veut. En d'autres mots encore, le ministre chrétien doit se garder de faire passer sa propre pensée sous le couvert de l'autorité divine.

Lisons la deuxième référence :

> « Qui accueille un prophète en qualité de prophète recevra un salaire de prophète, et qui accueille un juste en qualité de juste recevra un salaire de juste. Et quiconque donnera à boire... à l'un de

ces petits, en qualité de disciple, en vérité je vous le dis : il ne perdra pas son salaire » (10, 41-42).

Qu'est-ce à dire ? Celui qui reçoit chez lui un prophète chrétien parce qu'il est prophète (littéralement, en [*son*] nom de prophète) recevra sa récompense du prophète lui-même ? Ou plutôt, il en recevra une récompense au jour du jugement final ? En répercutant ainsi la parole de Jésus, l'auteur tient apparemment compte d'une situation de son temps où s'exerce l'hospitalité à l'endroit des prophètes et des justes, sans oublier le souci du plus petit des croyants. La séquence « prophète » et « juste » – deux mots quasi synonymes ici – se trouve encore dans Mt 13, 17 et surtout en 23, 29 à propos des justes persécutés d'autrefois : « Vous qui bâtissez les sépulcres des prophètes et décorez les tombeaux des justes ». Or, en Mt 10, 41-42, ces prophètes et ces justes, sans être désavoués, cèdent en quelque sort la place aux petits du Royaume. Certes, on reçoit davantage des personnages honorés auxquels on fait du bien qu'on ne leur a donné en fait : on en recevra un gros « salaire de prophètes ». Mais, dans le cas de celui qui ne peut rien vous rendre, un don fait à un disciple, même le plus minime, tel un verre d'eau, découvre sa valeur plus grande encore. Dès lors, le plus petit (disciple) du Royaume pèse plus lourd que les grands d'autrefois, Jean le baptiste y compris (Mt 11, 11). Le salaire du Royaume est meilleur. Comme on voit, une allusion de Matthieu à un ministère prophétique apparaît faible ici, sinon comme une trace du passé.

La troisième référence est aussi énigmatique :

> « C'est pourquoi, dit Jésus, j'envoie vers vous, des prophètes, des sages et des scribes. Vous en tuerez... » (Mt 23, 34).

L'allusion aux trois catégories de dirigeants mentionnés dans Jr 18, 15 semble claire, et de même, le rappel du motif des prophètes et des justes persécutés. Là encore, il est difficile d'en tirer un renseignement sur la situation de l'église matthéenne. Toutefois, cette parole de Jésus provient de la *Tradition Q,* comme l'assure le parallèle de Luc : « Je leur enverrai des prophètes et des apôtres, et ils en tueront... » (Lc 11, 49). Ce qui montre, au niveau de Luc du moins, combien ces figures s'assimilaient facilement les unes aux autres. Et ce qui montre aussi, cette fois à une époque antérieure à Mt et à Lc, combien ces prophètes, ces sages et ces scribes du royaume avaient leur place au sein d'une ancienne communauté judéo-chrétienne. Matthieu rappelle leur existence, sans plus. Paul s'appuie aussi sur ces traditions, quitte à promouvoir le rôle prophétique de la parole par dessus celui de l'enseignant et des scribes d'hier. Sur ce point précis, touchant la structure même du ministère, Paul et Matthieu divergent l'un de l'autre, nous l'avons déjà dit. La séquence « apôtres, prophètes et docteurs » (1 Co 14, 28s) est proprement paulinienne, non point parce que chacun de ces divers ministères n'existait pas auparavant, mais en raison d'une nouvelle hiérarchisation de ces fonctions qui n'était pas alors reçue de toutes les églises. L'église judéo-chrétienne de Matthieu demeure une église enseignante. Et comment pourrait-il y avoir d'autre maître que Jésus ?

LE TÉMOIGNAGE DE LUC

L'évangile de Luc apporte peu d'éléments sur le ministère. Le livre des Actes est heureusement plus riche, mais les indications semblent alors aller en tout sens, comme si l'institution et les titulatures ministérielles n'étaient guère stabilisées. Ramassons les principales données, dans l'évangile d'abord[26]. D'une manière assez arbitraire – puisque l'évangile lucanien fait corps avec le récit des Actes, tels les deux pans d'une même œuvre – nous les séparerons cependant pour la commodité de la présentation. Cela permettra de mieux comparer les éléments touchant le ministère dans les églises particulièrement marquées par l'influence de Paul, chacune à leur manière. L'évangéliste insiste sur les points suivants :

– En premier, il met en relief le motif d'une parole identifiée au message évangélique et désignée comme la parole de Dieu (Lc 1, 2 ; 5, 1 ; 8, 11s ; 11, 28). Les témoins oculaires deviennent les ministres d'une parole nouvelle. La vue appelle la parole, et Luc aime souligner le caractère concret de la vision nouvelle du Ressuscité et l'importance du témoignage porté par les disciples. « De cela vous serez témoins » : le ministre chrétien est d'abord un témoin de la mort et de la résurrection et il saura en témoigner jusque dans ses propres épreuves (Lc 24, 48 et. 21, 13)[27].

---

26. Voir en particulier les travaux sur le ministère chez Luc, ramassés par François Bovon, *Luc le théologien*, Genève, 1988 (2è éd.).

27. Cf. R. Dillon, *From Eye-witnesses to Ministers of th Word*, Rome, 1978.

– Ensuite, Luc insiste sur l'importance à accorder aux douze disciples, assimilés nommément aux « apôtres » (6, 13 ; 9, 10 ; 11, 49 ; 17, 5 ; 22, 14 ; 24, 10). Ces disciples accompagnent Jésus, partent en mission, prêchent et évangélisent (9, 2.7). Toutefois, leur groupe est plus large que celui des Douze (6, 17), et parmi eux Jésus devait choisir un autre groupe, envoyé lui aussi en mission, au nombre de soixante-douze à l'instar des soixante-dix ou des soixante-douze Nations existant de par le monde, selon la version grecque des *Septante* d'après Gn 10 (Lc 10, 1-20). Le rôle de ce large groupe est considérable aussi, puisque Luc définit leur mission à l'aide des mêmes mots employés par Matthieu dans le cas des Douze (Mt 10, 5s). Ces derniers ne sont donc pas les seuls à être envoyés en mission – ce qui ne minimise pas leur rôle référentiel et n'empêche pas l'évangéliste de souligner la place de Pierre. Le premier des apôtres, « une fois revenu » ou repenti, doit « affermir » ses frères (Lc 22, 32), comme Paul le fera à son tour en « affermissant tous les disciples » (Ac 18, 23). Enfin, selon Lc 8, 28-39, un possédé d'origine païenne, une fois guéri par Jésus, est lui aussi chargé de parler aux siens en terre idolâtre. Tout se passe donc chez Luc comme si trois types de parole étaient maintenant à distinguer : la parole missionnaire adressée par les Douze à Israël ; puis, la parole des soixante-douze disciples à probablement identifier avec celle des judéo-hellénistes chrétiens dispersés parmi les Nations ; et enfin, la proclamation d'un pagano-chrétien, cette fois adressée directement aux gens des Nations.

– En troisième lieu, on relèvera le rôle des femmes selon l'évangéliste : non seulement elles aident Jésus (8, 1-3), mais elles sont aussi les premières à rapporter aux disciples, sans grand succès apparent, l'événement de la résurrection, et cela, avant Pierre lui-même (24, 9s.22s). De son côté, l'auteur des Actes n'oubliera pas de souligner leur importance ; ainsi, Lydie à Philippes (Ac 16, 14s.40), puis, Priscille à Corinthe (Ac 18, 2.18) et à Éphèse avec son mari – cette dernière devait même assumer un rôle d'enseignement, dans un cadre apparemment limité : « Priscille et Aquilas prirent (*Apollos*) avec eux et lui exposèrent plus exactement la Voie de Dieu » (Ac 18, 26). En outre, sur les huit mentions du radical verbal *diakonein*, c'est-à-dire le vocabulaire ministériel par excellence, Luc désigne trois fois des femmes comme le sujet d'un tel office (Lc 4, 39 ; 8, 3 ; 10, 40). Toutefois, si l'évangéliste use du verbe *diakonein* (servir), il évite pourtant le mot *diakonos*. À la différence de Marc, Jésus est désigné comme « celui qui sert » (Lc 22, 27), par le détour du verbe *diakonein*, et non pas directement comme un *diakonos*, un serveur. Ce dernier mot n'apparaît pas, non plus, dans les Actes, y compris dans le récit d'institution des sept dirigeants de la communauté judéo-helléniste chrétienne, dont il sera question plus loin (Ac 6, 1-7). Comme on voit, la différence est nette avec Paul qui use vingt fois du verbe *diakonein*, et dix-huit fois le mot *diakonos*. Apparemment, dans le cadre d'une Église lucanienne du moins, le service de ce *serveur* était en train de se modifier, au point d'en arriver à une sorte de séparation entre « le service de la parole » et « le service des tables » selon Ac 6, 2. Mais laissons pour l'instant ce dossier considérable, afin d'aborder le témoignage johannique sur le ministère.

LA TRADITION JOHANNIQUE

À nouveau, plongeons quelques instants au sein d'une communauté johannique aux visages divers selon les lieux et les temps probablement. Cette communauté découvre en Jésus l'exemplaire même du ministère selon l'acception la plus large de ce terme : il est l'Envoyé du Père et il envoie les siens dans le monde. Là encore, le langage ministériel change, sans pouvoir encore s'appuyer sur de fortes structures. Le rapport avec Pierre posera d'abord quelques problèmes, avant la reconnaissance de son ministère propre.

LA COMMUNAUTÉ JOHANNIQUE

Comme on sait, la communauté johannique présente des singularités par rapport aux autres Églises, à la mesure même de la distance entre les écrits johanniques et les récits synoptiques[28]. Cette différence considérable se manifeste sur deux points au moins, ayant des répercussions sur la question des ministères.

D'une part, la tradition johannique paraît antérieure à l'écriture des évangiles synoptiques et elle est aussi postérieure à eux dans sa rédaction finale, vers 95 environ. De plus, cette tradition vivante reflète un milieu judéo-chrétien sensiblement distinct de celui d'un

---

28. Sur Jean voir en particulier Raymond E. Brown, *La communauté du disciples bien-aimé*, (Lectio Divina 115), Le Cerf, Paris, 1983.

Matthieu, par exemple, au sein d'une communauté plutôt à part, sinon marginale par rapport aux autres groupes chrétiens.

D'autre part, le récit johannique présente un déroulé narratif et un « genre littéraire », différents des autres récits évangéliques. Au fait, le mot *évangile* est absent chez Jean, et l'ensemble se présente plutôt comme un « témoignage » dans le cadre d'un « discours judiciaire »[29] où le jugement de Dieu est déjà posé en son Christ : « C'est maintenant le jugement de ce monde » (Jn 12, 31). Les derniers temps sont déjà là ou presque, dans le présent d'un jugement souverain, en sorte que le regard johannique n'évoque guère l'avenir. Le récit n'est pas un *évangile*, tourné vers un futur immédiat à la manière de Marc qui lance la Bonne Nouvelle du salut aux Nations. Jean ne se présente pas, non plus, comme une catéchèse à la manière de Matthieu. Il ne déroule pas une « histoire », tel le récit de Luc dans les deux tomes de son œuvre, afin que le rappel du passé ouvre le présent et l'avenir de l'Église (Lc 1, 1-4 et Ac 1, 1s). Chez Jean, le regard ne porte guère sur l'avenir, à l'exception de quelques éléments çà et là dispersés. Sans doute l'auteur inscrit-il alors sa pensée dans le cadre de ce qu'on appelle « l'eschatologie réalisée », déjà concrétisée, c'est-à-dire une pensée enracinée dans la conviction que toutes les valeurs du salut sont déjà là, entièrement assouvies dans le Verbe de Dieu. À la différence de Paul par exemple, le futur du salut paraît voilé ou presque. L'histoire est en suspens, et donc aussi l'intérêt, même indirectement détecté, à l'endroit d'une organisation ecclésiale avec ses ministères. Au reste, le type même de ce « discours judiciaire » imposait déjà ce qui nous semble aujourd'hui être un rétrécissement du regard. Le jugement est déjà posé[30]. Les avocats de la défense sont là – les deux *paraclets*, à savoir Jésus et l'Esprit. Les témoins sont appelés à la barre, à savoir Dieu lui-même, puis, Jésus, Moïse, toute l'Écriture, et les disciples aussi : « Vous aussi, vous témoignerez » (15, 27). Le texte johannique, pétri surtout des paroles de Jésus, porte

---

29. La rhétorique distingue trois grands types de discours : le discours démonstratif (ou le discours d'école), en style objectif ; le discours délibératif, à la manière d'un discours politique visant des décisions à prendre pour l'avenir ; et le discours judiciaire, portant un jugement sur l'événement d'hier.

30. Voir l'importance du verbe *krinein*, juger, chez Jean, plus de vingt fois ; de même, le verbe *martyrein*, témoigner, près de 40 occurrences ; en Jn 14, 16, Jésus annonce « un autre Paraclet », l'Esprit ; dans 1 Jn 2, 1 Jésus est ce Paraclet. Voir Edouard Cothenet, « Le témoignage selon saint Jean », *Exégèse et Liturgie II*, (LD 175), Le Cerf, Paris, 1999, p. 161-177.

l'inscription de ce « témoignage » d'un jugement déjà posé en Christ. Dans un tel contexte, les éléments concernant le ministère n'affleurent guère, sinon pour désigner les disciples comme les témoins de ce jugement radical. Car le procès de Jésus est déjà gagné.

Par ailleurs, la communauté johannique demeure sous la mouvance judéo-chrétienne, en forte réaction contre les Juifs qui ne reçoivent pas Jésus. Mais elle se situe aussi à quelque distance d'autres communautés judéo-chrétiennes qui ne relèvent pas du *troupeau* du Seigneur (Jn 10, 16), maintenant serré autour du « disciple bien-aimé ». On prie assurément pour l'unité de tous au sein d'une même bergerie, mais l'unité n'en demeure pas moins à réaliser encore (Jn 10, 14.16). On connaît aussi l'existence d'autres ministres chrétiens, et l'on doit même se dépenser pour ces « *frères étrangers* » : « Nous devons accueillir de tels hommes afin de collaborer à leurs travaux pour la vérité » (3 Jn 5).

Cette communauté judéo-chrétienne n'en demeure pas moins d'un type particulier, sans trop user du mot *église* (sinon, dans 3 Jn 8.9s). Elle semble intérieurement peu structurée, comme si le rapport personnel du croyant au Christ suffisait alors à l'entretenir. À lire la troisième lettre de Jean à propos de Diotréphès « qui aime à tout régenter » (3 Jn 9), on pourrait facilement penser qu'une telle communauté n'aimait guère ce genre de régence ! Bref, le Disciple bien-aimé est l'exemple même de ce croyant, et non pas tellement Pierre. Ainsi, le rapport de maître à disciple charpente le groupe, à la manière de l'Église judéo-chrétienne de Matthieu, mais sans qu'on puisse davantage distinguer l'existence d'autres chargés de fonction. C'est une communauté de « disciples » (plus de 70 occurrences), serrée autour de son Maître ou de son Rabbi (Jn 1, 38ss), avant de s'attacher au Disciple bien-aimé d'abord (21, 20.23-24). Un certain égalitarisme prévaut là encore, comme chez Matthieu. Relevons néanmoins quelques traits qui, au sein même de la communauté johannique, touchent l'action des disciples et donc aussi, au sens le plus radical, l'action de tous les croyants envoyés en mission.

« COMME MON PÈRE M'A ENVOYÉ, MOI AUSSI JE VOUS ENVOIE » (Jn 20, 21)

Le radical verbal *servir* est peu fréquent chez Jean, sinon dans Jn 2, 5.9 sur les serveurs de Cana ; puis, dans Jn 12. On voit ainsi

Marthe servir à table (12, 2), et nous avons déjà dit la singularité d'un tel service féminin à l'époque, à propos de Mc sur la belle-mère de Pierre (Mc 1, 31)[31]. On relèvera surtout dans Jn 12, 26 : « Si quelqu'un me sert, qu'il me suive, et là où je suis, là sera aussi mon serveur. Si quelqu'un me sert, mon Père l'honorera ». En dehors de ces rares indications, le radical verbal *servir* n'est guère mis en relief. De même, si le verbe envoyer (en grec, *apostellein*) est fréquent, souvent appliqué à Jésus et à ses disciples, le substantif *apôtre* n'est employé qu'une seule fois, sans constituer alors un titre de fonction à proprement parler : « Le serviteur n'est pas plus grand que son maître, ni l'apôtre plus grand que celui qui l'a envoyé » (13, 16). Le mot *serviteur* (*doulos*) qui précède n'est pas davantage en relief, sinon quasi refusé par Jésus lorsqu'il est question de ses disciples : « Je ne vous appelle plus serviteurs, car le serviteur ignore ce que fait son maître, je vous appelle amis » (15, 15). Sans privilégier un vocabulaire directement diaconal et apostolique, l'accent est alors mis sur le motif de l'envoi. Le disciple est un envoyé, entraîné à son tour dans le mouvement sublime de l'envoi du Fils par le Père.

Reprenons quelques textes, en remarquant que les principales mentions se situent dans ce qu'on appelait autrefois « la prière sacerdotale » de Jésus (Jn 13 à 17)[32]. Mais l'étude du texte johannique ne permet guère de restreindre cette prière aux seuls prêtres. Dans ce discours de type testamentaire – un genre bien connu à l'époque[33] – Jésus s'adresse aux disciples, et par eux, à tous les croyants. Car l'envoi ou la mission touche l'identité chrétienne en soi, en deçà de toutes les formes particulières de ce ministère radical. Tous sont alors concernés, y compris dans le futur : « Car je ne prie pas pour eux (les disciples) seulement, mais aussi pour ceux qui, grâce à leurs paroles, croiront en moi » (17, 20).

Le vocabulaire de l'envoi, à l'aide des deux verbes grecs *apostellein* et *pempein*, est fortement mis en exergue. Le point est important car la tradition johannique découvre le principe même d'une action

---

31. Voir p. 84s.
32. Sur ce point, la lecture d'André Feuillet (*Le Sacerdoce du Christ et de ses ministres d'après la prière sacerdotale du quatrième évangile*, Paris, 1972) n'a guère retenu l'attention des spécialistes de saint Jean.
33. On en trouve de nombreux exemples chez le Pseudo-Philon, *Livre des Antiquités bibliques* et, auparavant, dans le *Testament des Douze Patriarches*. Voir les textes dans André Dupont-Sommer et Marc Philonenko, *La Bible. Les écrits intertestamentaires*, Gallimard, Paris, 1987.

ministérielle jusque dans le mouvement d'envoi allant de Dieu, le Père, à son Fils, et de Jésus à chacun de ceux qu'il envoie. Le principe du ministère se situe dans le mystère même de Dieu : « Comme tu m'as envoyé dans le monde, moi aussi je les ai envoyés » (Jn 17, 18) ; « Comme le Père m'a envoyé, moi aussi je vous envoie » (20, 21). Cet envoi trouve donc son principe en Dieu (10, 36), il vise le salut (3, 17), il est lié à la parole de Dieu (3, 34), à l'Esprit Saint (14, 26 ; 15, 26 ; 16, 7) et à la personne même de Jésus : « Qui reçoit celui que j'envoie, me reçoit, et qui me reçoit reçoit celui qui m'a envoyé » (13, 20). La théologie johannique du ministère s'exprime donc d'une manière dynamique et missionnaire, en partie dans la ligne des discours de mission de Jésus, repris dans un cadre judéo-chrétien selon Mc 9, 37 ; Mt 10, 40 et Lc 10, 16. Le point est d'autant plus remarquable que la communauté johannique, au départ plutôt fermée sur elle-même, a su progressivement s'ouvrir au monde, à Antioche, à Éphèse, et donc jusqu'aux sept villes de l'Apocalypse sans doute.

Ajoutons deux remarques, l'une sur l'Esprit Saint, relié au motif de la parole, et l'autre, sur le choix et l'établissement des ministres de cette parole. Comme chez Luc à la suite de Paul, l'Esprit Saint joue un rôle majeur dans le témoignage johannique. « Le Paraclet, l'Esprit Saint que le Père enverra en mon nom, lui, vous enseignera toutes choses et vous rappellera tout ce que je vous ai dit » (14, 26). Là encore, le point est capital, car il est à la base d'une théologie de la parole sous la mouvance de l'Esprit, c'est-à-dire au cœur du travail de cette parole chez l'apôtre et le prophète chrétien. Certes, Jean ne parle pas de ces derniers, mais le titre prophétique de Jésus est bien rappelé (Jn 4, 19.44 ; 7, 52 et 9, 17) et, plus encore, l'épanouissement plénier de ce titre dans celui du Verbe de Dieu (Jn 1). Le prophète, le porte-parole de Dieu, devient alors la Parole par excellence. Et c'est l'Esprit Saint qui sera au principe de tout l'enseignement des croyants, à commencer par le travail d'anamnèse ou de rappel actif des paroles de Jésus. Comme dans les autres communautés, ces paroles, sous l'action médiatrice des apôtres et des prophètes chrétiens, resurgiront progressivement dans chacun des évangiles. L'Esprit Saint est au principe d'une action ministérielle, éminemment enracinée dans la parole de Dieu et de son Christ.

La seconde remarque porte plus précisément encore sur ces missionnaires de la parole, toujours dans le cadre d'un discours testamentaire de soi ouvert sur l'avenir (Jn 13 à 17). Jésus prie le

Père pour les siens : « Sanctifie-les par la vérité. Ta parole est vérité » ; puis, « pour eux je me sanctifie moi-même, pour qu'ils soient, eux aussi, sanctifiés par la vérité. » (Jn 17, 17.19). Là encore, la parole est au cœur de ce choix de Dieu. Le verbe *sanctifier* appelle plutôt l'idée d'une séparation, d'une mise à part dans un contexte cultuel en particulier[34], et non pas directement l'idée d'une participation au monde de Dieu ou *a fortiori* au sacerdoce du Christ. L'adjectif *saint* est d'ailleurs accolé au nom divin en Jn 17, 11 qui précède : Dieu est saint, séparé et toujours Autre. Plus haut encore, ce verbe est appliqué à Jésus, « celui que le Père sanctifia » (Jn 10, 36). À l'aide d'un autre langage, imprégné par celui des Prophètes d'Israël, Paul saura dire aussi la séparation fondatrice de son ministère apostolique (Ga 1, 15 « mis à part »). Chez Jean encore, relevons l'insistance de Jésus sur le choix de ses disciples : « Vous ne m'avez pas choisi, mais moi je vous ai choisis et je vous ai établis pour que vous alliez... (Jn 15, 16). Le verbe *établir* a ici un sens fort, presque celui d'instituer, du moins lorsqu'on le compare aux autres emplois faits par Paul dans 1 Co 12, 28, sur les apôtres et les prophètes « établis par Dieu » ; puis, par Luc dans Ac 20, 28 ; et finalement dans 1 Tm 1, 12 (« en m'établissant dans le ministère ») et 2 Tm 1, 11.

Comme on voit, l'apport johannique à une théologie du ministère est considérable, touchant des éléments essentiels portant sur la mission, l'Esprit, la parole et finalement le choix de Dieu. Mais il faut constater aussi la singularité de ce témoignage qui n'use pratiquement pas d'un vocabulaire directement ministériel et apostolique, au point de donner parfois l'apparence d'un nivellement de toutes les situations ecclésiales. Toutefois, en en appelant expressément à la figure du Disciple bien-aimé, puis, à celle de Pierre, la tradition johannique a su distinguer les premiers d'entre ses dirigeants, mais d'une manière là encore singulière. Tous les croyants sont des disciples, choisis, sanctifiés et chargés sous l'action de l'Esprit de cette parole qui porte la vie. Ce qui n'évince pas pour autant l'action propre aux figures exemplaires et toujours actives de Jean et de Pierre. Mais, comme au sein d'autres communautés chrétiennes des premiers temps, on aurait presque l'impression d'un désir délibéré de ne pas trop citer des ministres subsidiaires, susceptibles de faire en quelque sorte écran entre Jésus, quelques disciples choisis et l'ensemble des

---

34. Voir *Exode* 28, 41 ; 40, 13 ; *Lévitique* 8, 30, etc.. Le verbe *sanctifier*, en grec *hagiazein* est aussi traduit par *consacrer*.

croyants ; le lien entre eux paraît toujours immédiat. Sans doute fallut-il un singulier acte de foi avant d'en arriver à désigner d'autres ministres encore. Et, pour faire court, c'est Paul surtout qui en fit naître l'existence. Mais revenons à Jean.

PIERRE ET LE DISCIPLE BIEN-AIMÉ

À la différence des synoptiques, il faut d'abord constater la rareté de la mention des Douze dans l'évangile de Jean, et le groupe comme tel n'apparaît guère mis en valeur (Jn 6, 67.70-71). Ils ne se sont pas évidemment choisis eux-mêmes[35] ; Jésus les a choisis, ce qui n'a pas empêché la défection de « l'un des Douze » (6, 71). Cette dernière expression, quasi réservée à Judas dans le récit de la Passion selon les Synoptiques, est attribuée aussi à Thomas dans Jn 20, 24, pour souligner cette fois son importance. À ce propos, relevons l'insistance de la tradition johannique à l'endroit d'André, Philippe, Nathanaël et Thomas, sans parler du disciple bien-aimé. Les acteurs de cette tradition diffèrent singulièrement de ceux des évangiles synopti-ques ; les « fils de Zébédée », sans préciser les noms de Jacques et Jean, ne seront mentionnés qu'en Jn 21, 2. Le point le plus étonnant porte justement sur la figure anonyme de ce disciple bien-aimé par rapport à la figure triplement nommée de Simon, Céphas ou Pierre. Car ce disciple anonyme, devenu l'exemplaire du croyant, l'emporte largement sur les autres figures, y compris celle de Pierre. N'est-il pas le témoin véridique par excellence, le garant de la foi d'après Jn 19, 35 ? Par ailleurs, l'image de Pierre est sensiblement différente entre, d'une part, Jn 1 à 20 achevé par la conclusion des versets 30-31, et, d'autre part, Jn 21 avec une seconde conclusion au verset 25. Comme on sait, ce dernier chapitre, de frappe johannique aussi, constitue un appendice à l'ensemble qui précède. Ce qui permet de mesurer concrètement le développement de la figure de Pierre au sein même des communautés johanniques.

Dans Jn 1 à 20, Pierre apparaît plusieurs fois, mais d'une manière plutôt contrastée, sinon surprenante par rapport aux Synoptiques. Le premier à suivre Jésus n'est pas Simon, mais André « le frère de Simon-Pierre » (Jn 1, 40s ; 6, 8), et c'est André qui découvre d'abord le Messie, et non pas Simon, appelé pourtant Céphas par Jésus dès

---

35. Cf. Jn 13, 18 ; 15, 16.

leur première rencontre (Jn 1, 42 ; comparer Mt 16, 16-18). Mais au cœur de la difficulté provoquée par le discours sur le pain de vie, alors que des disciples s'éloignent, Pierre déclare l'identité souveraine de Jésus : « Tu es le Saint de Dieu » (6, 69). C'est là une profession de foi analogue à celle de Césarée de Philippe selon Lc 9, 20s. Ajoutons avec humour que les mots susdits sont ceux dont usent les démons d'après Mc 1, 24 : « Tu es le Saint de Dieu », disent-ils. Par ailleurs, Pierre n'est pas le premier à désigner Jésus dans son authenticité. C'est Jean le baptiste, le premier d'entre les croyants selon la trame johannique, qui le confesse comme le Fils de Dieu (Jn 1, 34). Plus tard, en 11, 27, avec une pointe d'ironie peut-être, Marthe, une femme, devait proclamer Jésus comme « le Christ et le Fils de Dieu », à la manière de Pierre selon Mt 16, 16. En outre, Jean insiste sur l'incompréhension de l'apôtre (13, 8s.) et sur son triple reniement (13, 36s ; 18, 18-27), sans même chercher à lui trouver l'excuse de la peur, comme dans les autres évangiles.

Au contraire, le Disciple bien-aimé ne reniera jamais son maître, et il sera présent au pied de la croix. Dans un jeu de mouvements pleins de saveur, la tradition johannique saura cependant rappeler que ce disciple, pourtant arrivé le premier au tombeau, cédera quand même la place à Pierre (20, 4s). Mais à propos de Jean seulement, l'auteur ajoutera : « Il vit et il crut » (v. 8). Manifestement, la première tradition johannique connaît l'importance de Pierre, en termes un peu pointus comme en Marc, sans pour autant en faire la figure exemplaire du véritable disciple. La référence à Pierre n'en demeure pas moins réelle, même si elle ne semble guère se situer au cœur de cette tradition. On en appelle d'abord au Bien-aimé, le disciple anonyme et silencieux du récit johannique, quitte à se référer aussi à la figure de Pierre dont on ne peut faire l'impasse.

Or, ce mouvement référentiel à l'endroit de Pierre va s'accentuer d'une manière étonnante dans le cadre de Jn 21 situé en appendice. Cette fois, le regard porte d'abord sur Pierre. Sans doute un tel revirement de pensée traduit-il une certaine évolution de la pensée au sein de quelques communautés johanniques de date tardive. Car, à la mesure des années, les liens se tissent entre les églises, comme en témoignent les nombreux contacts et les rapports mutuels entre les évangiles. Ce qu'on appelle le « problème synoptique » (étudiant les rapports historico-littéraires entre les quatre évangiles) en constitue la vive illustration. Par exemple, Luc s'appuie sur Marc et le modifie en fonction des besoins propres à sa communauté ; ou encore, les traditions johannique et lucanienne se pénètrent pour une part l'une l'autre, dans le récit de la Passion par exemple. Dès les années 70 au moins, ces églises sont entrées, disons, dans un processus d'œcuménicité. Dès lors, la communauté judéo-chrétienne du Bien-aimé, au départ si différente des autres églises, en arrive à mieux se situer par rapport à elles, et cela, à partir de la reconnaissance du rôle toujours alloué à Pierre qui pourtant était mort à l'époque (Jn 21, 19)[36]. Du point de vue historique, sans doute avons-nous là l'un des témoignages les plus forts sur l'importance référentielle de Pierre, à la manière de Mt 16, 17-19 qui reflète la conviction de l'une des églises judéo-chrétiennes des années 80. Chez Paul (Ga 1, 18) comme dans la tradition johannique, Pierre est la figure de celui qu'il faut *quand même* accepter.

Reprenons la lecture de Jean. Avant même André et Pierre, « les deux disciples » sont accueillis par Jésus en premier (Jn 1, 37-40). Lors de la pêche miraculeuse, c'est le Bien-aimé qui, le premier, reconnaît le Seigneur (Jn 21, 7), mais c'est Pierre qui agit en tirant à terre le filet, non rompu, d'une énorme pêche, à l'image d'une mission aux fruits surabondants. Jean confesse Jésus, et Pierre agit. Plus encore, le Ressuscité s'adresse trois fois à Pierre, en lui disant : « Fais paître mes agneaux », comme si ce rôle pastoral devenait la marque et le fruit d'un amour qui le reliait à son Seigneur (21, 15-16). Car le pasteur aime ses brebis, à l'image d'un Pierre qui doit toujours davantage aimer son Pasteur (cf. Jn 10, 11.14). Pierre reçoit donc le rôle de guider le troupeau, à la manière du pasteur qui va en tête du troupeau pour trouver le pâturage. Ce langage pastoral imagé demeure sans doute difficile à expliciter. On ne saurait, toutefois, en minimiser l'importance, car à l'époque et dans un milieu judéo-chrétien surtout le recours à ce langage pastoral a des connotations directement messianiques[37]. Le *pasteur* est un titre royal, qui s'inscrit dans la tradition messianique judéo-chrétienne. Ce qui provoquera d'ailleurs une certaine réticence à son endroit dans le cadre d'autres milieux chrétiens. Or, selon Jean, Jésus est « le bon Pasteur » (Jn 10, 11.14)[38] ; il est même l'unique pasteur (Jn 10, 16). Puis, en Jn

---

36. Voir p. 76s sur la parole énigmatique de Jn 21, 23.
37. Le titre est surtout matthéen : Mt 2, 6 ; 9, 36 ; 10, 6 ; 15, 24 et 26, 26, 32, citant Za 13, 7. Voir C. Perrot, *Jésus, Christ et Seigneur*, p. 218s.
38. Voir aussi He 13, 20 et 1 P 5, 4.

21, 16 et en d'autres lieux communautaires non directement pauliniens, le titre pastoral sera attribué aux dirigeants chrétiens (Ep 4,
11 ; Ac 20, 28 ; cf. 1 P 5, 2). Sans doute était-il alors comme « dé-mes-
sianisé », neutralisé, sans trop insister sur le motif royal et messianique où, selon l'Écriture, sont désignés pasteurs Moïse, David[39] et
le berger de la fin des temps, à la suite de Dieu lui-même[40]. Bref,
selon la tradition judéo-chrétienne de Jean, saisie au niveau de Jn
21, Jésus remet trois fois de suite le pastorat à Pierre, et la dimension
royale et messianique de la charge persiste apparemment, même si
la royauté en question voit son sens renouvelé, à la mesure du
royaume céleste de Jésus (Jn 18, 36). Comme on le constate, le titre
de pasteur n'est donc pas indemne de toute ambiguïté, en son départ
du moins. Comment désigner alors cette régence pastorale, à l'endroit
de Pierre en particulier ?

Les traditions évangéliques n'expriment pas les rapports entre
Pierre et les autres disciples en termes de « primauté d'honneur » ou
de « primauté de juridiction », comme nous le disons aujourd'hui dans
un langage qui ne relève pas de l'exégèse. Elles vont plus loin en un
sens, sans d'abord en appeler à ce langage de pouvoir. Car ces
rapports, exprimés en termes existentiels et dans la langage de
l'image, s'inscrivent dans la coulée d'une référence et d'un lien vivant
avec le Seigneur, au point que cette référence vitale ne peut authentiquement se dire sans cet autre lien organique avec Pierre lui-même.

Mais, ajoute le théologien catholique, ce lien référentiel ne s'exprime pas seulement dans la désignation du passé, cristallisée dans
l'Écriture ; il n'évoque pas seulement le passé du Pierre d'autrefois
dans le souvenir évanescent de sa foi d'hier. Ce lien doit se dire
aujourd'hui dans l'actualité ecclésiale. Sans entrer dans ces considé-
rations qui excèdent le champ de sa spécialité, l'exégète catholique
souligne à ce propos combien les données néotestamentaires – en
l'occurrence, l'importance ici accordée à Pierre dans le Nouveau
Testament – n'ont été progressivement sélectionnées et rappelées par
les premières traditions orales et écrites qu'en fonction de leur
importance actuelle au sein de ces communautés. Le passé d'où jaillit

---

39. Cf. Is 40, 10s ; Jr 23, 1-4 ; Ez 34, 2-10 ; Mi 4, 6s. Sur le berger messianique,
voir par exemple D.C. Allison, *Ps 23 (22) in Early Christianity*, citant : Mc 6, 32-44 ;
1 Clément 26 ; Ap 7, 17.
40. Cf. Gn 48, 15 ; 49, 24 ; Nb 27, 15-20 ; 2 S 7, 7s et Ps 23.

le souvenir de cette référence essentielle à Pierre appelle l'existence d'un lien organique toujours tissé avec cette figure première. Assurément, la parole de Dieu et le lien vital avec son Christ l'emportent d'abord, et non pas, en soi, l'attribution de quelques pouvoirs à Pierre. La figure de ce dernier n'en demeure pas moins incontournable, même si les premières communautés ont parfois peiné à en distinguer les traits. Car Pierre est lié de quelque manière à cette parole souveraine, et il reste toujours compromis dans le lien tissé entre les croyants et leur Seigneur. Au fait, nous l'avons déjà dit, Jean rappelle d'emblée le changement de nom de Simon en Céphas (Jn 1, 42), et il est même le seul à prononcer son nom en araméen, avec Paul en Ga 2, 9. Or, *Kepha* a le sens de roc ou de rocher, et non pas celui d'une première pierre sur laquelle s'ajouteraient les autres pierres de l'édifice. Il n'a sans doute pas, non plus, celui d'une pierre de fondation au sens strict, car ce roc est le Christ lui-même (1 Co 10, 4 ; 1 P 2, 8), mais plutôt celui du rocher solide sans la présence duquel l'édifice ne pourrait que s'effondrer, telle une maison bâtie sur le sable (Mt 7, 24s). La figure de Pierre est de celles dont on ne peut faire l'impasse. Faut-il ajouter que cette lecture exégétique de Pierre, dans le champ, à la fois, essentiel et limité de l'Écriture, ne préjuge en aucune manière de la valeur des développements postérieurs à son propos, voir, dès le départ de certaines communautés judéo-chrétiennes à la manière de l'Église de Matthieu.

CHAPITRE 4

LE MINISTÈRE DANS LES ÉGLISES JUDÉO-CHRÉTIENNES

Les écrits pauliniens et les quatre évangiles portent l'écho de situations communautaires diverses dès le départ, selon les milieux judéo-chrétiens et helléno-chrétiens. La manière de situer l'Église par rapport à Israël et au monde, puis, par rapport à son Messie et Seigneur, et, plus encore, la façon de faire circuler partout le message du salut et d'organiser le jeu de la parole apostolique au sein de communautés urbaines stables, ont eu d'immédiates conséquences sur l'agencement des premiers ministères. Venue de Jérusalem, de Galilée et d'Antioche, cette parole a partout déferlé dans un bouillonnement intense, d'apparence désordonnée. Elle explosait en tout sens, et des dérives menacèrent vite son exercice effectif. Déjà, Paul veut juguler une certaine anarchie ministérielle au sein de ses propres communautés, comme à Corinthe. Une telle effervescence, soutenue par les ministres de cette parole nouvelle, montre la vitalité des églises, surtout lors du délicat passage de cette parole dans la langue des Nations. À partir des rôles ministériels, plus ou moins reçus dans les églises judéo-chrétiennes, il fallait se jeter dans l'inconnu d'une mutation nécessaire, et en fait d'une double mutation : car par-delà la mort des apôtres, la parole devait continuer son parcours dans sa vitalité entière, et elle résonnait désormais en fonction des terrains nouveaux du monde hellénistique.

Sur quoi baser l'enquête en la circonstance ? D'abord, sur quelques éléments épars, reflétant plus ou moins la pratique des églises judéo-chrétiennes, avant d'en arriver ensuite, au chapitre 5, aux diverses églises héritières de Paul. Nous l'avons dit plus haut, en raison même de leur genre particulier les évangiles contiennent peu d'indications directes à ce propos, et l'accent de chacun diffère en l'occurrence. Dans l'un des milieux judéo-hellénistes d'Antioche probablement, d'allure plus traditionnelle et différent du groupe d'Étienne par exemple, Matthieu situe encore le ministère chrétien dans le cadre d'un rapport de maître à disciple. tout en réservant à Jésus le titre de maître. Il met aussi en valeur la figure de Pierre, le disciple sans lequel rien de solide ne se construit, tel un roc de fondation. Dans un autre milieu judéo-chrétien encore, la tradition johannique s'attache à la figure exemplaire du disciple bien-aimé, quitte à mettre plus tard en relief celle de Pierre, en Jn 21. Par ailleurs, dans le sillage de Paul au sein d'un milieu largement ouvert aux Nations, le *serveur* chrétien doit selon Marc « suivre » Jésus jusqu'à la croix, sans s'arroger nul pouvoir sur autrui. Enfin, après les troubles d'hier, Luc insiste sur la nécessaire référence apostolique, qui puisse préserver l'unité de la parole première. L'église prenait alors conscience de l'épaisseur de l'histoire et de son unité foncière, par-delà les clivages d'hier entre les judéo-chrétiens et les helléno-chrétiens (cf. Ep 2, 14s). Les quatre récits évangéliques ne nous fournissent donc pas des informations directes sur les divers ministères au sein de leur église respective. Ils n'en reflètent pas moins une image réelle de la manière même de les vivre. C'était là l'urgent et l'essentiel.

L'enquête devient plus précise à partir des autres écrits néotestamentaires, en dehors du cercle des textes strictement pauliniens : d'une part, les écrits deutéro-pauliniens ou sous une influence largement paulinienne, à la manière des *Actes des Apôtres*, et, d'autre part, les éléments relevant des communautés d'origine non paulinienne. Commençons par le plus étrange, à savoir le cas de ces dernières Églises d'apparence moins structurées, même si nos renseignements à leur endroit sont pauvres et si les dates restent indécises, plutôt postérieures à l'activité de l'Apôtre. Les Églises héritières de Paul semblent mieux organisées, mais sans doute différemment selon les cercles qui se réclament de ce dernier. La lettre aux Éphésiens reflète une situation quelque peu différente de celle de Luc dans les Actes, et, plus encore, de celle des Pastorales. Or, l'extraordinaire dans l'affaire n'est pas tellement le constat des diversités premières, mais le mouvement d'unité qui, très rapidement, traverse ces églises pour une meilleure gestion de l'essentiel : la parole de Dieu et le lien vital des communautés avec le Christ. Les titres alloués aux ministres semblent alors le dernier de leur souci.

Le regard portera d'abord sur l'*Apocalypse* dans la ligne de la tradition johannique ; puis, dans le cadre de différents milieux judéo-chrétiens, sur l'épître aux Hébreux, sur les lettres de Pierre, de Jacques de Jérusalem et de Jude. Nous ajouterons les précieuses indications fournies par l'*Enseignement des Apôtres* (*Didachè*), provenant aussi d'un milieu judéo-chrétien[1]. Les rares indications relevant de ces communautés vont donc être rassemblées, mais sans oublier qu'une chronologie historico-littéraire de ces éléments, épars et souvent peu homogènes entre eux, est difficile à établir. Ces écrits se situent en dehors de la tradition paulinienne, ce qui parfois n'empêche pas une certaine influence de cette dernière tradition sur eux, tant les milieux chrétiens tardifs s'interpénétraient de plus en plus. Relevons, par exemple le radicalisme de l'auteur des *Hébreux* sur l'institution sacerdotale ancienne, en relative consonance avec la pensée de Paul ; ou encore, la théologie de compromis qui s'exprime dans la Première de Pierre, comme si la pensée de Pierre rejoignait celle de Paul[2]. Là encore, se décèle un réel mouvement vers l'unité qui, plus tard, s'achèvera dans le Canon des Écritures, considéré en son entier.

D'ordinaire, les exégètes discutent l'apport de ces textes non pauliniens après une lecture des Actes ou des Pastorales, avec parfois le risque d'en aligner les données plus ou moins claires sur les écrits de l'héritage paulinien. Or, même rédigées tardivement, ces données se situent plutôt *en deçà* et/ou *à côté* de l'effort d'unification dont la tradition paulinienne a été l'un des moteurs. Elles apparaissent parfois comme des organes-témoins d'un temps révolu, et vont alors un peu en tout sens. Ces indications n'en demeurent pas moins précieuses pour mesurer la situation avant Paul et après lui aussi, dans le cadre de certaines communautés qui peinaient à se glisser dans un mouvement ecclésial plus large. Tout ne s'est pas fait partout d'un même mouvement. Le schéma d'une évolution linéaire ne convient guère en la circonstance, avec, en plus, le sous-entendu qu'un

---

1. Du seul point de vue historique, la césure mise entre les écrits canoniques et les apocryphes (ou les pseudépigraphes non canoniques) n'est pas de soi pertinente.
2. Voir en particulier l'article de Albert Vanhoye, « Pierre au carrefour des théologies du Nouveau Testament », dans ACFEB, *Etudes sur la première lettre de Pierre* (Lectio Divina 102), 1980, p. 97-128.

auteur de l'époque aurait dû connaître immédiatement tous les écrits produits de son temps dans les diverses églises. Luc, lui-même, ne semble guère avoir lu les lettres de l'Apôtre. Bref, nous en savons plus que chacun d'entre eux, pris isolément, ... et beaucoup moins aussi !

Ajoutons une remarque générale. Dans le cadre d'une étude des évangiles où le regard ne porte pas en direct sur la vie ecclésiale, l'usage de l'argument e silentio[3] est assurément délicat. Mais il n'en est déjà plus tout à fait de même dans le cas des autres écrits qui touchent, cette fois, en direct la vie et l'organisation des églises. Par exemple, l'absence des mots disciples et presbytres dans les lettres authentiques de Paul n'est plus innocente ; elle devient une question.

LES PROPHÈTES DE L'APOCALYPSE[4]

Commençons par la fin, avec le rouleau de l'Apocalypse reflétant l'existence d'une communauté judéo-chrétienne étonnante avec ses anges et ses prophètes, sinon ses presbytres, apparemment sans grand lien avec les titres ministériels des autres Églises.

UNE AUTRE COMMUNAUTÉ JUDÉO-CHRÉTIENNE

L'Apocalypse s'inscrit dans la tradition johannique d'une manière originale. Jean, son auteur (Ap 1, 1), rédige une apocalypse, c'est-à-dire une révélation visant le dévoilement des réalités dernières, à la manière des apocalypses bibliques et apocryphes de l'époque[5]. Si, comme nous l'avons suggéré plus haut, l'évangile johannique a plutôt la forme d'un discours judiciaire où le jugement définitif est déjà déclaré par le Fils de l'Homme (Jn 5, 27), voilà maintenant la sentence exécutée dans l'Apocalypse, à la fois, dans le présent et le futur immédiat du Voyant de Patmos. Le jugement est là, en train de se réaliser. Par ailleurs, le milieu reste judéo-chrétien comme dans

---

3. C'est-à-dire, induit à partir de l'absence d'un élément donné dans un écrit, par rapport aux autres du même type.

4. Voir A. Satake, Gemeindeordnung in der Apokalypse, 1966 : Edouard Cothenet, « Prophétisme dans le Nouveau Testament », Supplément au Dictionnaire de la Bible, VIII, col. 1222-1337.

5. Ainsi, le livre de Daniel, puis après la ruine du Temple l'Apocalypse syriaque de Baruch et le Quatrième Esdras ; voir A. Dupont-Sommer et M. Philonenko, La Bible. Les Ecrits intertestamentaires, Gallimard, Paris, 1987.

l'évangile, mais, cette fois, avec en plus une pointe apocalyptique tournée vers un avenir immédiat. Ce milieu particulier semble encore proche des premiers prophètes eschatologiques vivant dans la fièvre des derniers temps déjà commencés (Ac 2, 17). L'auteur se classe d'ailleurs parmi ces prophètes (Ap 22, 9), car l'urgence des temps est grande : « le temps est proche » (v. 10). Ce qui n'empêche pas les sept églises, s'étalant de Laodicée à Éphèse, de célébrer l'Agneau et de multiplier les chants, les hymnes et les cantiques nouveaux (Ap 14, 3 ; 15, 3). La liturgie céleste est déjà inaugurée, mais aussi les épreuves de la persécution, signant la fin des temps. Pire, certaines églises se déchirent intérieurement.

Comme ceux d'hier, les prophètes chrétiens sont maintenant persécutés (Ap 11, 18 ; 16, 6 ; 18, 24). Plus encore, des conflits agitent les églises, comme le relève aussi l'auteur de 1 Jn 2, 19 et 3 Jn 9s. L'église de Pergame est blâmée pour avoir accueilli en son sein des partisans de Balaam (Ap 2, 14), et l'église de Thyatire de même, car elle tolère chez elle la présence de Jézabel (v. 20). Au contraire, l'église d'Éphèse a écondui ces faux apôtres, et elle hait les œuvres des Nicolaïtes (2, 2.6). Ces désignations cryptiques, sous le voile des figures honnies dans l'Écriture[6], cachent apparemment des chrétiens d'origine étrangère qui n'appartiennent pas à l'Israël authentique, comme Balaam et Jézabel justement[7]. Plus encore, ils adoptent un comportement « hellénisant », disons, à la manière de Paul. Car ce dernier était considéré comme un laxiste par certains judéo-chrétiens (Rm 3, 8), d'autant plus qu'il admettait la manducation des viandes sacrifiées aux idoles à l'encontre des décrets judéo-chrétiens émis à Jérusalem (Ac 15, 19 et 1 Co 8, 1s ; 9, 23s). Or, les accusations formulées dans Ap 2, 14 et 20 contre les apôtres de mensonge portent justement sur ceux qui forniquent et mangent ces idolothytes – chez les Juifs de ce temps, les deux motifs sont liés. La rupture avec Paul demeure donc vive, alors même qu'un lien entre la tradition johannique, Luc et la tradition pétrinienne est sans doute en train de se tisser – au niveau tardif de Jn 21 du moins. Néanmoins, l'Apocalypse ne mentionne pas un seule fois le nom de Pierre. Sa figure n'apparaît plus actuelle ou disparaît derrière celle du Voyant de Patmos.

---

6. Ainsi Balaam d'après *Nombres* 25, 1s ; 31, 6 et Jézabel selon *1 Rois* 16, 1s ; *2 Rois* 9, 22s.

7. Sans parler des énigmatiques Nicolaïtes que certains Pères de l'Église reliaient déjà à Nicolas, le prosélyte d'Antioche (Ac 6, 7).

Ajoutons une double remarque. La première porte sur l'identité sacerdotale de la communauté, à l'aide d'un langage cultuel emprunté à la charte de l'Alliance selon *Exode* 19, 6 : « Tu as fais d'eux pour notre Dieu un royaume et des prêtres, et ils régneront sur la terre » (Ap 5, 10). Nous reprendrons ce point au chapitre 6, en remarquant déjà que ce langage sacerdotal s'applique alors à tous les membres de la communauté, qu'ils soient juifs d'origine ou helléno-chrétiens respectant des règles alimentaires. La seconde remarque est connexe à la première. Dans l'Apocalypse tout se déroule à la manière d'une immense liturgie céleste. Mais cette liturgie a déjà son double concret sur la terre, ainsi, pour la Jérusalem céleste (Ap 21), le temple de Dieu (Ap 3, 12 ; etc.), et peut-être aussi, les anges dont il va être question plus loin. Ce qui se déroule en haut se passe aussi en bas, selon une représentation orientale bien connue, dès l'époque sumérienne. Mais, là encore, le langage liturgique est celui de l'église entière qui chante déjà les cantiques nouveaux. Qui donc travaille au sein d'une telle communauté de type sacerdotal ?

LES APÔTRES, LES ANGES ET LES PROPHÈTES

Relevons les rares éléments de l'Apocalypse évoquant l'exercice d'un ministère. D'abord, on ne trouve qu'une seule mention du *service* (*diakonia*) dans ce livre : « Je sais tes œuvres et ton amour, et ta foi, et ton service, et ta constance » (Ap 2, 19). D'après le contexte, le mot correspondrait plutôt à ce qu'on appelle « l'esprit de service », sans référence à une activité précise. Il n'apparaît guère mis en valeur au sein de cette tradition apocalyptique. Relevons ensuite les diverses mentions des *messagers* (les anges, au sens premier de ce mot) et des *envoyés* (les apôtres). Mais, à la différence de l'évangile johannique, les deux verbes grecs, traduits ici par *envoyer,* sont peu courants dans ce livre, et ils sont appliqués aux anges en particulier : « Dieu... a envoyé son ange pour faire connaître (la révélation de Jésus) » (Ap 1, 1 ; cf. aussi 5, 6) ; puis, « J'ai envoyé mon ange pour publier ces révélations » (22, 16). Tout se déroule comme si les canaux de la révélation allaient désormais de Jean aux anges des sept églises, et donc à ces églises mêmes par le truchement d'une prophétie maintenant écrite. Ou encore, tout se passe comme si l'oralité prophétique se ramassait désormais dans l'écrit, à la manière des livres de Jérémie ou d'Ezéchiel (Jr 36 et Ez 2, 8s). La prophétie devient scripturaire, et la révélation s'exprime dans la lettre. D'où, ces nombreuses allusions au *livre* et à l'acte d'écriture, par exemple : « Ta vision, écris-la dans un livre pour l'envoyer aux sept églises » (Ap 1, 11) ; et surtout : « Heureux celui qui retient les paroles prophétiques de ce livre » (22, 7.9s.18s). Le livre, ou plus exactement le rouleau (*biblion*), devient le lieu médiateur d'une communication prophétique reliant le Voyant de Patmos à son lecteur, par l'entremise des prophètes et des anges. Le statut alloué au livre dans l'Apocalypse prend donc une singulière importance. Le livre devient céleste : du Voyant, la révélation écrite passe aux anges, et des anges à toutes les églises. Il n'y a plus d'autres intermédiaires apparents, sinon le lecteur dans sa lecture faite à la manière ancienne, à voix haute et en public : « Heureux celui qui lit et ceux qui entendent les paroles de cette prophétie » (Ap 1, 3 ; cf. 22, 18).

Certes, les apôtres – littéralement, les *envoyés* – ne sont pas entièrement oubliés. Ils sont mentionnés trois fois dans Ap 2, 2 ; 18, 20 et 21, 14, mais presque de manière occasionnelle. À l'église d'Éphèse, le Voyant dénonce les apôtres de mensonge : « Je sais... que tu as mis à l'épreuve ceux qui se disent apôtres et ne le sont pas, et que tu les as trouvés menteurs » (2, 2). En fonction de ce qui a été plus haut suggéré, il n'est pas impossible que ces faux apôtres de l'Apocalypse désignent en fait Paul et les siens. Du moins, l'Apôtre devait revendiquer hautement son titre apostolique contre ses détracteurs et leur retourner une accusation du même genre (1 Co 9, 2 ; 2 Co 11, 5.26 et 13, 7). Par ailleurs, Paul récusait plutôt ce genre de révélations angéliques (Ga 1, 8 ; 2 Co 12, 1ss).

Dans l'Apocalypse toujours, les apôtres sont mentionnés dans la liste de ceux auxquels Dieu fera justice : les saints, les apôtres et les prophètes (Ap 18, 20). Puis, dans Ap 21, 14, l'auteur souligne le rôle alloué aux apôtres, en évoquant la muraille de la Jérusalem céleste : « La muraille de la ville a douze assises, et sur elles douze noms, ceux des douze apôtres de l'Agneau ». Il s'agit ici de l'assise des douze portes portant chacune le nom des douze anges (v. 12)[8]. Voilà donc évoqué l'Israël eschatologique avec ses portes angéliques et les douze assises apostoliques. De ce langage cryptique on peut au moins conclure que le rôle référentiel des Douze demeure vif dans le souvenir de cette communauté apocalyptique, mais d'une manière plutôt

---

8. Cf. *Ezéchiel* 48, 30.

collégiale, sans une mention directe de Pierre. On ne saurait cependant en déduire que cette tradition apocalyptique, d'un type si particulier, insistait beaucoup sur l'importance à accorder aux apôtres en général. Au fait, même dans l'évangile johannique, le mot *apôtre* n'est utilisé qu'une fois, avec un sens atténué (Jn 13, 16). Le titre apostolique ne semble guère d'actualité dans ce milieu particulier. Les apôtres sont assurément représentés comme des « assises », c'est-à-dire le lieu incontournable d'une référence essentielle, mais cela semble relever déjà du monde d'hier, celui des premiers témoins. Au contraire, les prophètes et les anges sont toujours aux avant-postes.

La communauté entière apparaît prophétique, mais sans que l'auteur insiste sur une présence intime de l'Esprit à la manière paulinienne : l'Esprit parle et appelle (Ap 2, 7ss ; 14, 13 ; 22, 17), et il reste lié à la prophétie (19, 10 ; 22, 6), mais il ne pénètre pas au cœur de la personne et de son action chrétienne comme chez Paul. En outre, dans l'église certains sont hélas de faux prophètes. D'autres heureusement posent le geste prophétique en conformité entière avec la parole nouvelle. On relèvera, ici encore, le lien immédiat entre l'Esprit, l'activité de la parole et l'œuvre prophétique. Car, si les visions du Voyant de Patmos s'expriment dans le langage de l'image ou de l'imaginaire (au sens technique du terme), la parole du prophète chrétien s'attache fondamentalement à celle de Dieu et au témoignage de Jésus. De l'Apocalypse surgit toujours la parole prophétique, comme le demande l'ange : « Ne scelle pas les paroles de la prophétie de ce livre » (22, 10).

Enumérons plus précisément les éléments concernant ces prophètes. Le premier rappelle la situation de Jean « votre frère » qui se trouve dans l'île de Patmos « à cause de la parole de Dieu et du témoignage de Jésus » (Ap 1, 9 ; cf. 1, 2 ; 6, 9 ; 20, 4). C'est le but de sa présence dominée par cette parole souveraine. Le témoignage de Jésus est directement lié à la prophétie. À Jean qui voulait se prosterner devant l'ange, ce dernier répond : « Garde-t'en bien ! Je suis un serviteur[9] comme toi et les frères qui ont (en charge) le témoignage de Jésus... Car le témoignage de Jésus, c'est l'esprit de la prophétie » (19, 10). Ainsi l'Esprit parle-t-il toujours aux églises (2, 7.11.17.29 ; 3, 6.13.22). D'une manière analogue, l'ange s'écrie encore : » Garde-t'en bien ! Je suis un serviteur comme toi et tes frères,

---

9. En grec ici, *syndoulos*.

les prophètes, et ceux qui gardent les paroles de ce livre » (22, 8-9). Une certaine distinction est donc faite ici entre les transmetteurs prophétiques de la révélation et ceux qui la reçoivent. Un autre élément encore, adressé cette fois à l'ange de Thyatire, concerne Jézabel, plus haut mentionnée : « Mais j'ai contre toi que tu laisses faire Jézabel [sans réagir], cette femme qui se dit prophétesse et qui égare mes serviteurs en leur enseignant à forniquer et à manger des viandes immolées aux idoles » (2, 20). Nous sommes apparemment à une époque, après Paul[10], où le prophétisme féminin doit désormais se taire.

Des indications importantes sur la situation des prophètes dans cet ensemble communautaire se trouvent dans Ap 11, 18 ; 16, 6 ; 18, 20.24 et 22, 6. Mais leur interprétation demeure délicate. Commençons par les lire : « Elle est venue la colère [du jugement final de Dieu], et le moment de juger les morts et de donner salaire à tes serviteurs les prophètes, et aux saints et à ceux qui craignent ton Nom, petits et grands » (11, 18) ; puis, « Ils ont versé le sang des saints et des prophètes » (16, 6) ; et encore, « Exulte, ciel, et vous les saints et les apôtres et les prophètes » (18, 20), alors qu'à Babylone on voit « le sang des prophètes et des saints et de tous ceux qui ont été égorgés sur la terre » (v. 24). Enfin, « ce sont des paroles fidèles et véridiques, et le Seigneur, le Dieu des esprits des prophètes, a envoyé son ange pour montrer à ces serviteurs ce qui doit bientôt arriver » (22, 6).

Une lecture un peu rapide de ces éléments pourrait sans doute considérer que les saints et les prophètes ici mentionnés désignent les mêmes personnes, en donnant alors à la parataxe *et* un sens explicatif : les saints, *à savoir* les prophètes. Toutefois, ces quatre listes mises en parallèle appellent plutôt l'idée d'une distinction des rôles attribués à chacun. Les saints ne désignent-ils pas d'abord la sainte communauté judéo-chrétienne de Jérusalem, l'église des saints (Ap 5, 8, etc. ; 1 Co 16, 1 ; Rm 15, 26, etc.) ? Les prophètes, avec Jean le Voyant, se présentent comme les messagers authentiques d'une parole investie de l'Esprit de prophétie, avec une mission précise à l'endroit des autres serviteurs. Plus tard, dans le milieu judéo-chrétien de la *Didachè*, il sera encore question de ces prophètes itinérants (*Did* 10, 7 ; 15, 1s). Enfin, ceux qui « craignent Dieu, petits et grands », eux aussi persécutés, ne viseraient-ils pas la communau-

---

10. Cf. 1 Co 11, 5 ; voir ch. 8, p. 250s.

té entière, avec ses »craignant-Dieu » maintenant attachés à l'Israël nouveau ?

Comme on voit, dans l'Apocalypse le ministère est éminemment prophétique et directement attaché à la parole. Mais ces messagers du verbe sont-ils les seuls en l'occurrence ? Car l'ange intervient à son tour (22, 6), sans parler des Anciens au nombre de vingt-quatre (4, 4.10). Quels sont donc ces presbytres et ces anges de l'Apocalypse ? Ne s'agit-il pas des dirigeants maintenant attachés à chacune des églises, à la manière des presbytres ou des épiscopes des églises pauliniennes tardives ? Dans la tradition johannique il est question de Jean « l'ancien », mais deux fois seulement et sans qu'on puisse évaluer la teneur exact de cette appellation (2 et 3 Jn 1)[11]. Au niveau de l'Apocalypse, la réponse semble plutôt négative dans le cas des Anciens ; elle peut être positive pour les anges.

Le titre presbytéral n'est apparemment pas alloué aux dirigeants de cette communauté apocalyptique. Il est sans doute question des vingt-quatre anciens ou presbytres, déjà assis autour du trône de l'Agneau et participants à la liturgie céleste, mais sans qu'on puisse alors leur trouver un correspondant terrestre (Ap 4, 4.10 ; 5, 5-14 ; 7, 11 ; etc.). Sans doute, ce nombre de vingt-quatre rappelle-t-il celui des vingt-quatre classes sacerdotales dont parle l'Écriture (1 Ch 2, 1-9), comme si le sacerdoce d'hier trouvait maintenant son accomplissement dans le Temple nouveau, désormais céleste. L'intérêt porté au Temple céleste et la pointe liturgique de l'ensemble de l'Apocalypse ne sauraient donc être oubliés. La mention des vingt-quatre anciens (en grec *presbyteroi*) n'en demeure pas moins assez énigmatique.

Le rôle attribué aux anges, souvent cités dans l'Apocalypse, paraît différent de celui des Anciens. Ils font corps avec la vie des églises, jusque dans leur défaillance à l'endroit des cités qu'ils régentent, à Pergame et à Thyatire (Ap 2, 12s et 18s), et donc plus ou moins bons à la façon des hommes. Ne s'agirait-il donc pas ici d'une manière de désigner des dirigeants chrétiens ? Par ailleurs, le titre angélique, désignant les messagers divins (en grec, *angeloi*), semble avoir été attribué aussi à des intermédiaires humains, par exemple dans 1 Tm 3, 16 (« vu des anges », c'est-à-dire, peut-être, des premiers témoins de la Résurrection) et dans 5, 21 sur le « Christ Jésus et les anges

---

11. Ainsi, saint Jérôme, entre autres, distingue le Bien-aimé du Presbytre.

élus »[12]. Si cette dernière suggestion s'avère valable, on évitera pourtant de faire de cette mention angélique un titre ministériel à proprement parler. Néanmoins, dans le contexte de l'Apocalypse où tout se déroule comme à deux niveaux – sur la terre et au ciel –, une telle appellation souligne combien les messagers « angéliques » de la parole relèvent en quelque sorte des deux mondes à la fois, terrestre et céleste. D'autres traditions, à la manière de Paul par exemple, préféreront souligner l'assise céleste du ministère, en en appelant à l'Esprit Saint qui soutient, intérieurement et extérieurement, la parole de ses prophètes.

LES GUIDES JUDÉO-CHRÉTIENS DES HÉBREUX

Un autre milieu judéo-chrétien, plus ou moins proche de Paul en raison de son radicalisme à l'endroit des institutions de l'ancienne alliance, nous dépayse à nouveau singulièrement par rapport aux titres ministériels des autres églises[13]. Ce caractère singulier s'accentue plus encore, en constatant dans cet écrit l'importance du motif sacerdotal appliqué directement au Christ. Et en même temps, il n'est jamais question d'user d'un vocabulaire sacerdotal quand il est question des dirigeants chrétiens. L'idée d'une participation de ces derniers au sacerdoce du Christ n'affleure pas ici, et il faudra rendre compte de ce point dans le chapitre 6 qui suivra. Par ailleurs, le vocabulaire du service apparaît peu. On ne trouve aucune mention des mots *douleuein* et *doulos* ; et, deux fois seulement, il est question du service des anges (*diakonia*) ou de servir les saints (*diakonein*), dans He 1, 14 : « (les anges) ne sont-ils pas des esprits en fonction

---

12. R. Lülsdorff, « *Ekklektoi aggeloi* : Anmerkungen zu einer untergegangenen Amtsbezeichnug », *Biblische Zeitschrift* 36 (1992), 104-106. Pierre Prigent, *L'Apocalypse de Saint Jean*, Delachaux et Niestlé, Lausanne, 1981, refuse d'identifier ces anges à des presbytres-épiscopes, sans pour autant expliquer leur statut quelque peu ambigu. Il refuse aussi, sans doute avec raison, d'identifier les 24 Anciens à ces mêmes notables, et il suggère d'en expliquer la présence à partir des 24 livres de l'Écriture (selon leur nombre reconnu dans l'ancienne tradition juive, ainsi dans *IV Esdras* 14, 44). Les 24 Vieillards seraient alors les témoins symboliques de tous ces écrits prophétiques. Cette explication semble un peu livresque. Sur les anges, voir aussi ch. 8, p. 232.

13. Voir, entre autres, nos pages « L'Épître aux Hébreux », dans P. Bony, etc., *Le ministère et les ministères.*, Seuil, Paris 1974, p. 118-137.

(littéralement, *liturgiques*) pour le service, envoyés à cause de ceux qui doivent hériter du salut » ; puis, dans He 6, 10, portant sur la charité « que vous avez montrée pour son nom, vous qui avez servi et qui servez les saints ». On remarquera ici le lien entre le service en question et le motif de l'*agapè* (la charité), sans oublier alors que le mot *diakonia* désigne aussi la collecte en faveur des saints (2 Co 8, 4 ; 9, 1). Relevons encore l'absence des presbytres[14] ; ou encore, celle du radical *episkopein*, sinon au sens général de *veiller* (He 12, 15). Les titres de grand-prêtre 2, 17 ; etc.), prêtre et pasteur (13, 20), sont attribués au Christ seulement. De même pour le titre apostolique : Christ seul est appelé *apostolos* et *archiereus*, et nul autre que lui (He 3, 1).

Ajoutons une remarque sur le vocabulaire. L'auteur de l'épître use six fois du radical verbal *leiturgein* ou du substantif *leiturgia* (He 1, 7.14 ; 8, 2.6 ; 9, 21 ; 10, 11). Mais quel sens faut-il donner à ce mot *liturgie*, et à qui est-il appliqué ? En grec, le radical appelle l'idée d'un office ou d'un service à accomplir, d'ordre politique et autres. Selon la version des *Septante* toutefois, il prend une forte connotation liturgique ou cultuelle, en désignant particulièrement l'exercice du sacerdoce au Temple[15]. Cette connotation cultuelle est présente aussi chez Paul, mais appliquée à sa propre vie offerte en sacrifice (Ph 2, 17) ; puis, dans Ac 13, 2, à propos des prophètes et des docteurs d'Antioche « *officiant* pour le Seigneur ». Mais dans l'épître aux Hébreux ce radical est appliqué seulement aux anges (He 1, 7.14), à Moïse et aux prêtres d'hier (9, 21 ; 10, 11) ; puis, deux fois à Jésus (8, 2.6). Dans cet écrit comme dans les autres textes du Nouveu Testament le mot n'est pas directement appliqué à un ministre chrétien, à l'exception de Ac 13, 2 mentionné à l'instant. Où et comment est-il alors question des dirigeants dans cette épître ?

LA COMMUNAUTÉ JUDÉO-HELLÉNISTE DITE DES HÉBREUX

Les deux expressions qui précèdent, *helléniste* et *hébreu*, semblent contradictoires, surtout lorsqu'on en appelle à Ac 6, 2, où les

---

14. Dans He 11, 2 le mot s'applique seulement aux ancêtres, depuis Abel jusqu'aux prophètes.

15. Ainsi dans *Exode* 28, 35 ; 35, 19 ; etc., près de 100 occurrences. Ce radical grec peut traduire plusieurs mots hébreux.

deux mots sont distingués l'un de l'autre. Les *hébreux* désignent, d'un côté, des judéo-chrétiens autochtones de langue araméenne (dite « hébraïque » à l'époque), et, de l'autre, les *hellénistes* sont des juifs de Jérusalem de langue grecque (cf. Ac 9, 29), en l'occurrence des judéo-hellénistes chrétiens. Comment rendre compte alors de cette curieuse dissonance, où des judéo-hellénistes sont désignés comme des *hébreux* ? Pour la clarté, disons d'emblée que ces deux mots changent pour une part de sens selon le terrain de leur application. À Jérusalem par exemple, on désignait comme hellénistes des résidents juifs de langue grecque. Mais à Tarse, le mot n'aurait guère eu de sens, puisque tous parlent grec. Inversement, le mot *hébreu*, connu aussi dans la Diaspora (ainsi, on possède une inscription mentionnant une « synagogue des hébreux » sise à Rome), désignait en fait des judéo-hellénistes particulièrement attachés à la tradition d'Israël[16]. Paul est un judéo-helléniste de Tarse, qui se déclare hautement *hébreu* (2 Co 11, 22 ; Ph 3, 5).

Revenons à l'épître aux Hébreux, en rappelant d'abord que le titre donné à ce livre a été ajouté à la manière des autres titres des rouleaux du Nouveau Testament. Il paraît cependant ancien, dès le IIIᵉ siècle au moins d'après le *Papyrus 46*. Cette curieuse désignation n'en demeure pas moins intéressante, tant cet écrit, si particulier au sein des autres lettres néotestamentaires, s'enracine, à la fois, dans un milieu judéo-helléniste – le texte est écrit en bon grec – et dans un milieu judéo-chrétien où les valeurs d'Israël sont loin d'être oubliées, mais d'une étonnante manière. L'auteur en appelle d'emblée « aux pères », aux ancêtres d'Israël (He 1, 1 ; 3, 9 ; 8, 9), et il s'inscrit avec les siens dans « la descendance d'Abraham » (2, 16). Il emploie même un syntagme rare dans l'Écriture, celui de « peuple de Dieu », et cela, en évoquant le repos du sabbat eschatologique (4, 9). Il se compte aussi parmi « les héritiers de la promesse » (6, 17), et il appelle les siens à s'approcher de « la montagne de Dieu », de « la Jérusalem céleste » et de « l'église des premiers nés (judéo-chrétiens) » (12, 22.-23). Même si des gens des Nations peuvent se joindre à la communauté, c'est l'alliance d'Israël qui l'emporte d'abord – le mot « alliance » revient d'ailleurs plus de douze fois dans He 7, 22 ; etc. Au fait, l'accent n'est pas mis ici sur la mission auprès des Nations ; le regard reste intérieur à l'Église.

---

16. Ou encore, en usant de l'hébreu lors des lectures du sabbat, alors que la *Septante* était largement utilisée dans la Diaspora.

Encore s'agit-il d'une alliance *meilleure*, entièrement renouvelée
(He 8, 6.8-10 ; 12, 24). C'est l'un des points étranges de cette lettre :
autant demeure ferme le lien avec Israël et, d'une certaine manière,
avec l'institution originelle du Temple (sous la figure de la Tente
d'autrefois), autant la rupture est cinglante avec les sacrifices du
Temple en particulier. Au regard de l'auteur, Jésus relève d'un autre
sacerdoce, à savoir le sacerdoce angélique de Melchisédech (He 7), et
non plus celui de la lignée lévitique du Temple d'aujourd'hui. Plus
encore, les sacrifices qui s'y déroulent sont désormais invalidés, sans
commune mesure avec le sacrifice unique de Jésus, le seul et authentique grand prêtre. Sur tous ces points l'épître résonne à la manière
du discours d'Étienne (Ac 7), dans le cadre d'un milieu judéo-helléniste en forte réaction contre le Temple. Plus tard au IIe siècle, *la
lettre de Barnabé* sera très violente encore contre l'institution sacrificielle ancienne[17]. Mais auparavant – dans le cadre des lettres
authentiques de l'Apôtre, et non pas dans celui des Actes de Luc (cf.
Ac 25, 8 !) – Paul entre déjà dans ce mouvement de refus. À une
différence près : chez Paul la rupture avec l'institution sacrificielle
est déjà acquise et donc quasi ignorée ; dans l'épître aux Hébreux, elle
demeure virulente. De même chez Paul, la distance avec les juifs qui
ne reconnaissent pas Jésus est déjà si grande qu'il n'est plus guère
besoin de s'attarder à ce propos (1 Th 2, 16 ; 2 Co 3). Au contraire,
dans l'épître aux Hébreux la brûlure reste vive, d'autant plus que la
persécution est maintenant présente (He 10, 32). Cependant, même
là, l'auteur se garde d'attaquer « les juifs » en direct, puisque lui et
les siens se réclament hautement d'Israël, quitte à en souhaiter la
radicale transformation.

Dans un tel contexte, comment parler des dirigeants chrétiens ?
D'abord, selon l'auteur, il est grand temps de sortir du camp pour
aller à la rencontre de Jésus (He 13, 13), sans qu'il faille trop
s'attarder sur l'office des croyants chargés d'exhorter les leurs (He 3,
13) : ils veillent (littéralement, *ils surveillent* ; en grec *episkopountes*)
à la paix et à la sanctification de tous ou s'exercent à l'entraide
communautaire (13, 16). Car des désordres surviennent déjà, et
jusqu'à « des doctrines diverses et étrangères » qu'il faut contrecarrer
(13, 9). Comment « les participants (littéralement, *les compagnons*)

---

17. Traduction dans *Les Pères apostoliques* (Foi vivante 244), Le Cerf, Paris, 1991,
p. 263-313.

de l'Esprit Saint », ceux qui « ont savouré la parole excellente de Dieu » (6, 4), pourraient-ils encore s'abandonner au mal ? Le mal touche ces dirigeants au cœur même de leur ministère, la parole.

LES GUIDES D'UNE ÉGLISE EN PÉLERINAGE

Quels sont donc les dirigeants de cette « Église des premiers nés » (He 12, 23), sensiblement différente de l'Église judéo-chrétienne de Matthieu, entre autres ? Portons surtout notre attention sur le titre étonnant, alloué aux dirigeants des « frères » (2, 11) et des « saints » (3, 1 ; 6, 10), à savoir celui de « guide ». Ce titre est unique ou presque en son genre dans le cadre des écrits néotestamentaires. En outre, il est le seul titre donné par l'auteur aux dirigeants de son Église.

« En ces jours qui sont les derniers » (He 1, 2), dans son ultime pèlerinage, l'Église est en marche vers Dieu[18]. Le Christ en constitue le chef ou « l'initiateur » (l'*archégète,* He 2, 10 ; 12, 2) et « le précurseur », au sens de celui qui marche en avant (6, 20). Ces deux titres situent Jésus au départ et en tête de son peuple en marche lors d'un dernier exode (cf. 8, 8 ; 11, 22). Or, le titre alloué ensuite aux « guides » (*higoumenoi*) communautaires fait en quelque sorte corps avec celui donné au Christ. Jésus, le chef, et les guides s'inscrivent dans le cadre de cet immense pèlerinage. La christologie commande le choix de ce titre de fonction. Il pourrait d'ailleurs en être de même dans le cadre des autres communautés chrétiennes où les titres d'apôtre, prophète, maître et pasteur, donnés à Jésus, trouvent pour une part leur écho dans la manière même de désigner ceux qui exercent un rôle particulier au sein de ces Églises. Les titres alloués à Jésus appellent ceux accordés à ses envoyés, et la christologie, dans la diversité de ses expressions communautaires, règle pour une part les titres ministériels.

Toutefois, dans l'épître aux Hébreux le titre de prêtre (*hiereus*) accordé souverainement à Jésus n'a pas de correspondant direct chez les siens[19]. De même, le titre de pasteur est donné à Jésus seulement : « le grand pasteur des brebis » (He 13, 20) : lui seul est à la tête du troupeau. Les guides ne font que l'aider. Par ailleurs, les premiers

---

18. C. Spicq, *Vie chrétienne et pérégrination*, Le Cerf, Paris, 1972.
19. Le motif sacerdotal, assurément au cœur de l'épître, sera évoqué, p. 193ss.

milieux judéo-chrétiens insistent souvent sur l'égalité des croyants face aux faux pouvoirs de ce monde ; ainsi chez Matthieu, par exemple[20]. De même, l'auteur de l'épître interpelle habituellement les siens à l'aide du mot « frères » (He 3, 1.12 ; 10, 19 ; 13, 22 ; cf. 2, 11s) ; Timothée est désigné comme son frère (13, 23) et « l'amitié fraternelle » est d'abord recommandée (13, 1). La Première de Pierre parle de son côté d'une « communauté de frères » (1 P 2, 17). Tous sont frères, également.

L'auteur des *Hébreux* distingue pourtant dans l'Église des dirigeants et les saints : « Saluez tous les guides et tous les saints » (He 13, 24), même si les guides font évidemment partie des saints. Ces dirigeants sont désignés comme des guides (*hègoumenoi*), d'où le titre d'*higoumène*, connu dans la tradition monastique d'Orient[21], mais le mot est toujours au pluriel dans l'épître, comme si ces dirigeants n'agissaient qu'en corps, en collège à la manière des presbytres.

Plus précisément, l'épître mentionne deux ou trois types d'intervenants au sein de la communauté. Il est d'abord question des premiers témoins, d'où la parole du salut devait jaillir : « Voilà pourquoi nous devons nous attacher... à ce que nous avons entendu... » ; sinon, on court le risque de négliger le salut qui a été « annoncé d'abord par le Seigneur et nous a été confirmé par ceux qui l'ont entendu, Dieu y joignant son témoignage par des signes et des prodiges, et par des miracles divers et des attributions de l'Esprit Saint selon sa volonté. » (He 2, 1.3-4). La phrase est un peu complexe. Disons autrement : la parole s'enracine en Jésus, appuyée sur le témoignage même de Dieu ; elle continue de s'exprimer par la bouche des premiers croyants, par leur message et leur action de salut, et cela, en fonction des dons de l'Esprit. Car la parole dans son authenticité continue de faire corps avec l'Esprit (cf. He 10, 15). Et l'Esprit en répartit l'attribution à chacun (cf. 1 Co 12, 4s).

---

20. Cf. p. 89s.

21. En araméen oriental (en syriaque), les versions de Mt 23, 10 et de He 13, 7.17, traduisent les deux mots grecs, signifiant *guide* (*kathègetès* et *higoumenos*), par le même mot syriaque (*dabrânâ*) dérivant du radical *dbr*. Or, ce radical peut signifier guider, conduire ou parler. Au niveau de l'araméen, pour une part sousjacent aux traditions judéo-hellénistes de Mt et de He, un même mot semblerait donc être utilisé, en lien avec le motif de la parole. Mais, dans l'église matthéenne, ce titre est proscrit ; dans celle de He, c'est au contraire le seul titre apparemment reconnu.

Par la suite, il est question dans l'épître des chefs d'autrefois : « Souvenez-vous de vos higoumènes, ceux qui vous ont annoncé la parole de Dieu... Imitez leur foi » (He 13, 17). Enfin, l'auteur, qui se situe lui-même en position d'autorité (v.18s et 22), achève ainsi son exhortation : « Obéissez à vos guides et soyez-leur dociles ; car ils demeurent éveillés pour vous (littéralement, *pour vos âmes*), comme devant en rendre compte (v. 17). Il s'agit, cette fois, des guides actuels de la communauté. On relèvera ici les expressions « soyez dociles », ou « soyez-leur soumis », littéralement : *cédez-leur la place*, alors qu'eux-mêmes doivent veiller constamment sur vous, avant de rendre des comptes à votre endroit.

Tout est dit en ces quelques mots sur le rôle des guides par rapport à ceux dont ils ont la charge. Ajoutons seulement deux remarques. La première souligne combien cette appellation est plutôt neutre et profane (1 M 9, 30), sans aucune connotation religieuse à l'époque ; elle n'est guère employée dans le judaïsme ancien[22]. On la trouve cependant en Luc où le guide est ravalé au rang du serveur (*diakonos*) : « (Que) l'higoumène soit comme le serveur » (Lc 22, 26) ; puis, dans Ac 14, 12, où Paul est appelé Hermès « le guide de la parole »[23]. Ce titre de fonction ne sera cependant pas repris ou presque par la suite, sinon dans la première lettre attribuée à Clément, distinguant d'ailleurs les higoumènes des presbytres (*1 Clém* 1, 3).

Le lien qui précède avec le motif de la parole mérite d'être souligné, et c'est la seconde remarque. Car il s'agit d'abord d'assurer la continuité de la parole, disons « le passage des témoins », et de lutter aussi contre des doctrines erronées (He 13, 9). Comme chez Luc et Jean surtout, le motif du témoignage est fortement mis ici en relief : Dieu et l'Esprit Saint d'abord (2, 4 ; 10, 15), puis, Abel, Hénoch, Moïse, Gédéon et les Anciens (3, 5 ; 11, 2.4.39), tous témoignent à leur niveau au sein de cette « nuée de témoins » (12, 1). Un tel témoignage, dans une attestation directement liée à la parole du salut, certifie souverainement la parole et l'action de Jésus et des siens. Encore faut-il que cette parole se transmette par l'entremise des *guides* d'hier et d'aujourd'hui : « Souvenez-vous de vos higoumènes, ceux qui vous ont annoncé la parole de Dieu » (He 13, 17). En sorte que le rapport – le lien et la correspondance – qui va progressivement s'établir dans les

---

22. Cf. *2 Henoch* 69, 15 ; Ac 7, 10.
23. Le poète Iamblique désignait de cette façon le dieu Hermès (*De Myst. Aeg.* 1, 1).

milieux pauliniens entre les Apôtres et les prophètes, d'une part, et, d'autre part, les presbytres-épiscopes, trouve déjà son analogue dans la suite des témoins d'une parole qui maintenant s'exprime par les guides de la communauté. La parole d'aujourd'hui rejoint celle d'hier, celle des premiers témoins, et finalement celle de Dieu, le témoin par excellence.

Par ailleurs, cette parole s'exerce par l'entremise des maîtres (*didascales*) chrétiens, mais les croyants auxquels s'adresse l'auteur de l'épître sont encore loin du compte : « Alors que le temps aurait dû faire de vous des maîtres, vous avez encore besoin qu'on vous enseigne le début des paroles de Dieu. » (He 5, 12). Puis, il ajoute : « C'est pourquoi, laissant l'enseignement du début sur le Christ, portons-nous vers ce qui est parfait... » (6, 1) – cet enseignement portait, entre autres, sur les « baptêmes » (*au pluriel*) et sur l'imposition des mains (v. 2). L'auteur n'est guère explicite sur les divers niveaux de cette catéchèse. Mais retenons au moins l'idée d'un lien et aussi d'un décalage entre les témoins de la parole d'hier et les guides d'aujourd'hui. Ces derniers ne sont pas toujours à la hauteur et l'enseignement semble désormais l'emporter sur la prophétie. La parole n'est plus prophétique, sinon, dans le décryptage de l'ancienne prophétie. La prophétie risque de passer aux faux prophètes. Un autre milieu judéo-chrétien, celui de Pierre, fera de même.

LES LETTRES DE PIERRE

La première lettre de Pierre se situe à la croisée des chemins. Elle relie une pensée et une pratique judéo-chrétiennes, faisant écho à celles de Pierre, à des motifs déjà imprégnés par la tradition paulinienne. Après les tensions communautaires des années 50 à 60, les Églises aspiraient à l'unité au plan christologique et à celui de ecclésiologie. Déjà, Marc en son évangile repense à sa manière une catéchèse judéo-helléniste chrétienne en fonction d'une théologie de la croix, marquée par l'Apôtre. Luc, de son côté, veut unifier la première histoire ecclésiale, en situant la figure de Paul au niveau ou presque de celle de Pierre, comme en équivalence. L'auteur de la Première de Pierre entre à son tour dans le mouvement, au point de « pauliniser » à sa manière la figure de Pierre.

L'auteur s'adresse à des communautés du Nord de l'Asie Mineure, à savoir les provinces romaines du Pont, de la Galatie, Cappadoce, Asie et Bythinie. Il écrit « aux élus » qui vivent comme des étrangers résidents au sein de la Diaspora (1 P 1, 1). Ce dernier élément trouve son analogue au début de l'épître de Jacques (« aux douze tribus qui sont dans la Dispersion »). Toutefois, Pierre s'adresse aussi à des convertis venus des Nations maintenant agrégés à la « fraternité » (2, 17), comme l'indique 1 P 1, 10-12 : « Vous qui jadis n'étiez pas un peuple... ». Désormais, jusque dans leur Dispersion, ces croyants appartiennent tous au « peuple de Dieu »[24], à la « race élue », au « sacerdoce royal » et à « la nation sainte » ; ils constituent un « peuple acquis » par Dieu (v. 9)[25]. Ils veulent cependant demeurer toujours dans la continuité d'une histoire où les prophéties d'hier s'accomplissent maintenant (1, 10). L'auteur évite ici de s'opposer à la Loi de Moïse, même s'il s'en prend aux incrédules (2, 7). Il n'attaque pas les Juifs, car la césure ne s'opère plus entre ces derniers et les Nations, comme à l'époque de Paul, mais entre les croyants et les incrédules en général, juifs ou non. Des persécutions surviennent déjà, mais elles sont le fait des païens (2, 12 ; 5, 9). Toutefois, des faux docteurs ne viennent pas encore les troubler, à la manière de ceux dont il est question dans 2 P 2, 1.

Comme on voit, il s'agit surtout d'helléno-chrétiens, mais d'un type différent de ceux qui entouraient Paul. Dans la ligne de Jacques de Jérusalem et de Pierre aussi, ces croyants venus des Nations étaient ici agrégés de quelque manière au nouveau peuple messianique et sacerdotal (Ac 15, 13-21). Paul refusait ce genre d'assimilation d'allure « judaïsante ». Pour lui, les helléno-chrétiens étaient des croyants à part entière en raison de leur foi, et non pas des « résidents étrangers » au sein d'un nouvel Israël.

---

24. Ce syntagme *peuple de Dieu*, comme tel, est très rare dans l'Écriture (par ex. Jg 5, 11), bien qu'il soit souvent question du peuple élu, de *mon* peuple ou de *son* peuple. On le retrouve à Qumrân dans un contexte polémique sur les étendards de la guerre sainte. Ou encore, sous le couvert d'une citation implicite en 1 P 5, 10. L'expression, reprise d'abord par des protestants au début du XXe siècle, puis à Vatican II, risque parfois d'être mal comprise, dans le sens d'un refus ou d'une récupération des valeurs d'Israël par l'unique *peuple de Dieu*, constitué désormais par l'Église.

25. Dans 1 P 1, 9 l'expression « peuple acquis » situe ces communautés judéo-hellénistes, mêlées à des convertis venus des Nations, à la manière d'un Jacques de Jérusalem selon Ac 15, 14 : à côté du peuple élu, dont les judéo-chrétiens constituent maintenant la fine fleur, existe en plus « un (autre) peuple » venu des Nations ; cf. Mt 21, 43.

Dans le contexte de ces communautés à pointe eschatologique, dans l'attente d'une fin qu'on espère « toute proche » (1 P 4, 7) alors même que « l'incendie » ravage déjà (v. 12), est-il ici question de dirigeants chrétiens, au service des « serviteurs de Dieu » (2, 16) ? Là encore, on découvre peu d'éléments sur le sujet, comme si cela n'importait guère, en dehors d'une relation étroite à Pierre, « l'apôtre » (1, 1). Car cette relation demeure première, qu'elle soit directe ou indirecte sous le couvert d'un pseudépigraphe de langue grecque, peu importe en réalité[26]. Par le biais de Silvain, « Pierre » accomplit son double ministère d'exhortation et de témoignage (5, 12).

Comme ailleurs, l'accent est d'abord mis sur l'importance de la parole et de sa transmission :

> « Il leur a révélé que ce n'était pas pour eux-mêmes (*les prophètes d'Israël*), mais pour vous, qu'ils étaient au service de ces choses que, par l'Esprit saint envoyé du ciel, vous ont maintenant annoncées ceux qui vous ont évangélisés » (1 P 1, 12).

La phrase est un peu complexe : les prophètes d'Israël ont *servi* (*diakonein*) une parole, transmise ensuite par les prédicateurs de la Bonne Nouvelle sous l'influx de l'Esprit. La parole et l'Esprit font corps. Ce service de la parole est précisé plus loin :

> « Chacun selon le don qu'il a reçu, mettez-vous au service les uns des autres, comme de bons intendants de la grâce de Dieu qui est si diverse. Quelqu'un parle-t-il ? Que ce soit comme pour des paroles de Dieu. Quelqu'un assure-t-il un service ? Que ce soit comme par une force procurée par Dieu... » (4, 10-11).

On relèvera le mot *don* ou cadeau (*charisma*) fait par Dieu à chacun pour servir (*diakonein*) les autres. On remarquera aussi l'allusion à la diversité de ces dons, à la manière paulinienne. Soulignons surtout le mot *intendants* – littéralement, *économes*, au sens large de l'époque. C'est un titre profane de fonction, donné par exemple à Eraste, le trésorier de la ville de Corinthe (Rm 16, 23). Paul en use cependant pour désigner une tâche au sein de l'Église, celle « des serviteurs du Christ et des intendants des mystères de Dieu » (1 Co 4, 1-2). Il s'en sert encore pour parler de sa propre charge (9, 17). D'une manière plus précise, l'auteur de la lettre de Tite parle de l'*épiscope* comme d'un *intendant de Dieu* (Tit 1, 7). Le titre prend alors une connotation religieuse. Mais sur quoi porte une telle intendance ? La suite du texte de Pierre attire l'attention : d'abord sur la parole,

---

26. Sur la pseudépigraphie, p. 75ss.

puis, sur le service communautaire. Les deux ne sont authentiques que par Dieu qui les corrobore. Nous insisterons au chapitre 8 sur le lien entre cette parole et le service, comme sur leur distinction aussi, et nous relèverons un lien analogue dans Ac 6, 2. La parole et le service de la table sont maintenant distingués, mais les deux restent à la charge des intendants chrétiens, sous l'influx de Dieu.

À ce premier titre de fonction, d'allure profane et de large amplitude, l'auteur ajoute celui d'*ancien* ou de presbytre :

> « Quant aux anciens qui sont avec vous, je les exhorte donc, moi qui suis ancien comme eux et témoin des souffrances du Christ... Faites paître le troupeau de Dieu qui est chez vous, non par contrainte mais de bon gré, selon Dieu, non pour un gain honteux, mais avec ardeur, non en exerçant votre domination sur ceux qui vous sont échus en partage, mais en vous montrant les modèles du troupeau... » (5, 1-4).

On ne peut dire mieux ! Le dirigeant chrétien ne saurait exercer authentiquement sa charge, s'il se laisse dominer par l'argent et entraîner par quelque esprit de domination à l'endroit d'autrui. Il ne serait plus le simple médiateur d'une parole qui n'est pas la sienne. Ces deux tentations demeurent pourtant vives, dans le monde ancien où celui qui est appelé à prendre la parole, tel le philosophe dans le cadre d'une maison romaine, est payé pour sa prestation. La parole rapportait. D'où, sans parler de Paul[27], les Églises pauliniennes insisteront sur ce désintéressement ; ainsi dans Ac 20, 33s ; 1 Tm 3, 3.8, à propos de l'épiscope et des diacres. Il n'est pas sûr que tous les judéo-chrétiens insistent autant en la matière. Du moins, Paul les attaque sur ce point précis (1 Co 9, 8ss), et plus tard, l'auteur de la *Didachè* dénoncera les prophètes quémandeurs : « s'il demande de l'argent, c'est un faux prophète » (*Did* 11, 6). Par ailleurs, dans le contexte juif et judéo-chrétien que nous évoquerons au chapitre 8, même celui qui sert à table exerce déjà une certaine forme de pouvoir. « Si quelqu'un veut être grand parmi vous, qu'il soit votre serveur », déclare Jésus selon Mc 10, 43. Mais le sens de cette phrase peut se retourner en quelque sorte, car dans le judaïsme de l'époque ceux affectés à l'entraide communautaire étaient en fait choisis parmi les dirigeants, les archontes de la cité[28].

---

27. Cf. 1 Co 9, 14s.18.
28. Flavius Josèphe (*Antiquités Juives* 4 § 214. 287 et *Guerre des Juifs* 2 § 568-571) rappelle que les archontes avaient la haute main sur l'activité caritative. Cf. p. 181.

Soulignons aussi les mots de 1 P 5, 3 qui précèdent, à propos de « ceux qui vous sont échus en partage (en grec *klèrôn*, en héritage) ». Ce motif, cher à l'auteur (1, 4 ; 3, 7.9) comme à celui de l'épître aux Hébreux (He 1, 2.4 ; etc.), s'enracine dans l'Écriture à propos du *lot* – de la part d'héritage – alloué à chacune des tribus d'Israël. De même pour les Douze, avec chacun leur part d'héritage jusqu'à Judas qui a lui aussi « reçu son lot de ministère » (Ac 1, 17).

Ajoutons une remarque. Les *anciens* ou presbytres dont il vient d'être question sont assimilés à des pasteurs : « Faites paître le troupeau de Dieu qui est chez vous » (1 P 5, 2). On retrouve là un motif biblique (Ez 34 ; Za 11, 4-17) et judéo-chrétien aussi, où le Christ, pasteur, appelle certains des siens à paître le troupeau à leur tour. Jésus est appelé « le souverain berger » dans 1 P 5, 4, et les anciens sont désormais habilités à paître le troupeau messianique et sacerdotal. Jn 10, 11 désigne Jésus comme « le bon pasteur », et He 13, 20, comme « le grand pasteur ». Au contraire, le motif pastoral ne sera pas repris par Paul, sinon dans le milieu largement paulinien de Luc (Ac 20, 28) et celui de Ep 4, 11. En outre, dans 1 P 5, 2 selon d'importants manuscrits du moins, on lit : « Faites paître le troupeau de Dieu..., en veillant (*episkopountes*) ». Le pasteur doit en conséquence assurer au mieux son rôle de visite et surveillance « épiscopale », à l'exemple du « berger et du surveillant de vos âmes » (2, 25). Le deux motifs sont liés aussi dans Ac 20, 28. À cette époque déjà tardive, éloignée des difficultés politiques et religieuses d'hier, la charge pastorale, attribuée à Jésus et à des dirigeants chrétiens, avait déjà perdu sa pointe virulente, royale ou messianique[29]. L'auteur d'Éphésiens en usera comme d'un titre appliqué à un dirigeant chrétien, apte à guider, nourrir et garder le troupeau que le Seigneur lui a confié (Ep 4, 11). Le mot est devenu innocent.

– La deuxième lettre de Pierre, dont l'écriture est très tardive (après l'an 100 de notre ère probablement), n'apporte guère d'éléments sur le ministère[30]. Comme dans la lettre de Jude d'ailleurs, on ne trouve aucune mention des presbytres et des diacres, et le vocabulaire de l'enseignement, celui du didascale ou du docteur chrétien,

---

29. Cf. p. 106s.
30. Cf. Edouard Cothenet, « La tradition selon Jude et la deuxième épître de Pierre », dans *Exégèse et liturgie II* (Lectio Divina 175), Le Cerf, Paris, 1999, p. 239-254 [= *New Testament Studies* 35 (1989), 407-420].

n'affleure même pas, à la différence des Pastorales dont il sera question au chapitre 5. Relevons seulement l'insistance de l'auteur, qui se désigne lui-même comme étant « Pierre », sur le travail de la mémoire au sein de cette communauté (2 P 1, 12.15 et 3, 2). La présence de l'Esprit est à peine mentionnée, sinon au cœur de la prophétie (1, 21), car des faux prophètes et des faux docteurs minent la foi (2, 1). Par le truchement de « Syméon Pierre, serviteur et apôtre de Jésus Christ » (1, 1), l'auteur en appelle d'abord aux saints prophètes d'Israël et au « commandement du Seigneur », transmis par « vos apôtres » (3, 2). Ces deux types de parole, celle de Jésus comme celle des premiers disciples, reçus d'une manière équivalente dans l'actualité de la présence du Seigneur, constituent la base d'une tradition de la foi qui perdure dans son authenticité. Tous ont reçus une foi « de même prix » (1, 1), sans nulle dégradation dans sa transmission. L'existence d'autres intermédiaires semblent alors ignorée, comme si leur présence risquait de perturber l'immédiat contact avec la tradition d'origine. Au fait, selon l'auteur, Paul lui-même serait à lire avec prudence, car des impies tordent le sens des Écritures (3, 15-17). Plus que dans la *Didachè* encore, on assiste donc dans ce milieu judéo-chrétien tardif à un refus d'une prophétie chrétienne qui risquerait d'égarer. La révélation est close. Mais comment continuer alors de parler ?

LES LETTRES DE JACQUES ET DE JUDE

Situons le personnage de Jacques de Jérusalem, avant de ramasser quelques éléments sur le ministère dans les épîtres de Jacques et de Jude.

JACQUES DE JÉRUSALEM ET PIERRE

La figure de Jacques, le frère du Seigneur, demeure énigmatique[31], tant ce dernier présente des traits quelque peu différents selon

---

31. Signalons seulement l'un des derniers livres parus sur Jacques, P.-A. Bernheim, *Jacques frère de Jésus*, Noêsis, Paris, 1993, dont certaines pages sont à notre avis sujettes à caution.

les auteurs qui en parlent. Flavius Josèphe rappelle sa mort en l'an 62 à l'instigation de Anan, le Grand Prêtre qui :

> « traduisit Jacques frère de Jésus appelé le Christ et certains autres, en les accusant d'avoir transgressé la Loi, et les fit lapider. Mais tous ceux des habitants de la ville qui étaient les plus modérés et observaient strictement la Loi en furent irrités et ils demandèrent secrètement au roi d'enjoindre à Anan de ne plus agir ainsi » (*Antiquités Juives* XX § 198-203).

Jacques suivait donc parfaitement la Loi, aux dires des pharisiens probablement. « Ceux de chez Jacques », dont parle Paul dans Galates à propos de l'incident d'Antioche (Ga 2, 12), n'étaient certainement guère laxistes en matière légale. Toutefois, selon les Actes, Luc accorde à Jacques davantage de souplesse dans la manière même de régler le problème des nouveaux venus des Nations (Ac 15, 12-21).

Est-il possible de mieux le situer face à Pierre, en particulier ? En retrait comme ses autres frères par rapport à Jésus (Mc 3, 21.31-34), Jacques devint une figure de proue parmi les apôtres, distingués à l'époque du groupe des Douze (1 Co 15, 7). Il occupe donc une place à part parmi les premiers croyants. Alors que Pierre continuait son itinérance missionnaire auprès des juifs dispersés (Ga 2, 8), Jacques demeure à Jérusalem, tel le chef de cette communauté (Ga 2, 9 ; Ac 12, 17 ; 20, 18)[32]. Ne parlons cependant pas trop vite de son *épiscopat* en cette haute époque, tant l'expression semble tardive. Par la suite, d'anciennes traditions chrétiennes évoqueront l'existence d'une sorte de succession quasi dynastique, où Simon, le frère de Jacques (Mc 6, 2), et leurs descendants occuperont les premiers rôles à Jérusalem au sein d'une lignée messianique toujours vive[33].

Plus encore, dit-on, Pierre aurait finalement cédé sa place à Jacques[34]. De fait, dans le contexte de Jérusalem, Paul nomme Jacques en premier, avant Céphas et Jean (Ga 2, 9) et, nous l'avons dit, Jacques joue un rôle majeur à l'assemblée de Jérusalem (Ac 15,

---

32. Ainsi, d'après Hégésippe selon Eusèbe, *Histoire Ecclésiastique* II, 23, 4.

33. Eusèbe de Césarée cite Hégésippe : « Après que Jacques le juste eut rendu son témoignage, comme le Seigneur et pour la même doctrine, le fils de son oncle Siméon, fils de Clopas, fut établi évêque : tous le préférèrent comme deuxième (évêque) parce qu'il était cousin du Seigneur » (*Histoire Ecclésiastique* III, 20, 1-5). Voir Christian Grappe, *D'un Temple à l'autre*, PUF, Paris, 1992, p. 85.

34. À la manière de Oscar Cullmann, *Saint Pierre, disciple, apôtre, martyr*, Neuchâtel, 1952.

12-29 ; cf. 21, 18). Néanmoins, jusqu'à quel point l'argumentation suivant laquelle la primauté de Pierre passerait ensuite à Jacques ne frise-t-elle pas l'anachronisme ? Surtout, à une époque où l'on se refusait plutôt à raisonner en termes de primauté – sinon pour s'en défier (Mc 10, 35ss, à propos de l'autre Jacques !). Ou encore, à une époque où les ministères de la parole ne s'attachaient guère à des lieux ou à des cités, mais, disons plutôt, à des territoires socio-religieux, à la manière de Pierre et de Paul (Ga 2, 7). Dans un tel contexte les ministères de type itinérant l'emportent de quelque façon sur ce qu'on appellera plus tard les juridictions locales, mais partout la transmission de la parole demeure première. Pierre et Paul, y compris par le biais de la pseudépigraphie, l'emportent sur les destinataires locaux des églises (cf. 1 P 1, 1). Plus tard seulement, à l'époque de la *Didachè*, cette itinérance prophétique disparaîtra au profit des dirigeants locaux (*Did* 11, 3ss ; 15, 1).

Toutefois, l'argument qui précède mériterait à son tour quelque nuance. Au plan historique en effet, il apparaît probable qu'une certaine confrontation ait existé entre Jacques et les autres apôtres. Dans la ligne d'un judéo-christianisme strict, exalté par un messianisme virulent, Jérusalem ne devait-elle pas avoir la prééminence puisque de Sion « sortira la Loi » (Is 51, 4)[35] ? Plus tard, les milieux ébionites dans la ligne des *Pseudo-clémentines* souligneront fortement cette prééminence de Jacques[36]. En bref, deux mouvements en tension et recherche de pouvoirs semblent alors s'affronter en la circonstance, l'un d'abord attaché au lieu saint, et l'autre, à la transmission d'une parole pérégrine. Peut-être le coup de génie de Pierre a-t-il justement été de partir de Jérusalem ! Plus tard, un épiscopat localisé, d'allure quasi monarchique, cherchera à unifier les croyants d'un même lieu. Mais, en même temps, l'unité tissée par la parole du salut dépassera ces lieux et ces frontières.

---

35. En outre, depuis le privilège accordé par Jules César à Jean Hyrcan (en 66-63 avant J.C.) portant sur un pouvoir judiciaire accordé à l'autorité de Jérusalem sur les juifs de la Diaspora, même si ce privilège n'a pas été reconduit par la suite, un certain droit de regard semble néanmoins reconnu par les Judéens de l'époque : le récit des Actes sur Paul envoyé à Damas par les grands prêtres garde des traces de cette conviction au niveau populaire (Ac 9, 2).

36. André Siouville, trad., *Les homélies clémentines* (*Lettre de Pierre à Jacques*), PUF, Verdier, Paris, 1933, p. 69-71, où Paul est désigné comme « l'homme ennemi ».

LA LETTRE DE JACQUES

Cela dit, il n'est pas facile de situer l'auteur de la lettre de Jacques par rapport à la figure judéo-chrétienne évoquée à l'instant. Il y a à l'évidence un lien entre eux, mais une distance aussi entre, disons, la personne même de Jacques et la figure judéo-helléniste dont cette lettre grecque porte le reflet. Dans le sillage d'une tradition ramassée autour de la personne de Jacques, peu favorable à Paul assurément[37], l'auteur judéo-helléniste de cet écrit permet d'évaluer quelque peu les sentiments entretenus dans ce milieu particulier. L'héritage de Jacques n'est pas oublié, mais adapté à la situation hellénistique nouvelle. La « liberté » ne récuse pas « la loi parfaite » (Jc 1, 25), puisque cette dernière s'achève dans l'amour (2, 8-12). La Loi n'en résiste pas moins avec Jésus comme législateur (4, 12). Jacques et Matthieu se rejoignent en partie.

La lettre est envoyée « aux douze tribus dans la Dispersion » (Jc 1, 1), c'est-à-dire à des judéo-hellénistes chrétiens. Comme ailleurs, l'accent est mis sur la parole à accueillir, avec l'insistance sur une pratique effective : « Accueillez la parole qui a été implantée en vous... Mettez la parole en pratique » (1, 21-22). L'enseignement l'emporte alors sur les autres tâches, au point de devenir apparemment disproportionné par rapport au reste. D'où ce curieux avertissement : « Ne soyez pas nombreux, mes frères, à devenir docteurs (*didascaloi*) » (3, 1) !

Par ailleurs, l'auteur mentionne les anciens ou presbytres, mais dans un contexte assez particulier :

> « L'un de vous est-il malade ? Qu'il appelle les anciens de l'église, et qu'ils prient sur lui en l'oignant d'huile au nom du Seigneur. La prière de la foi sauvera le malade et le Seigneur le relèvera, et s'il a commis des péchés, il lui sera fait rémission » (5, 14-15).

Le ministère de guérison n'est donc pas oublié, lié à la prière et au pardon des péchés, un peu comme en Mc 2, 1-12 (cf. Mc 6, 13). Telle est l'unique mention des presbytres en cette lettre, dans le cadre d'un ministère de proximité, non itinérant, qui ne paraît pas directement lié à la transmission de la parole, mais plutôt à la prière.

---

37. Ainsi Jc 2, 14-26, sur la foi et les œuvres, prend apparemment le contre-pied de la thèse de Paul, ou au moins de certains pauliniens d'époque tardive.

Deux remarques encore : les apôtres et les prophètes chrétiens semblent ici inconnus ou absents. Ensuite, l'auteur de la lettre désigne Jacques comme « le serviteur de Dieu et du Seigneur », et non pas comme « le serveur ». Le vocabulaire « diaconal » est absent de cet écrit, comme il est ignoré ou presque dans les textes judéo-chrétiens dont il vient d'être question (Ap ; He et 1 P).

LA LETTRE DE JUDE

Le dernier point concerne la lettre de Jude. Ce bref écrit, de marque judéo-chrétienne, en lien avec Jacques de Jérusalem (Jude 1), évoque seulement le souvenir des apôtres d'hier : « Rappelez-vous ce qui a été prédit par les apôtres de notre Seigneur Jésus Christ » (v. 17). Comme dans la deuxième lettre de Pierre, tout le reste semble suspect. Les adversaires ne manquent d'ailleurs pas, apparemment proches des libertaires à l'esprit trop paulinien (v. 4). Mais ces faux docteurs ne possèdent pas l'Esprit (v. 19), et surtout, la foi a été transmise « une fois pour toutes (en grec, *hapax*) », sans qu'on puisse désormais poursuivre le mouvement de la révélation. Il faut prier par l'Esprit Saint (v. 20), mais ne plus le faire parler désormais !

LA *DIDACHÈ*, TÉMOIN D'UNE ÉVOLUTION MINISTÉRIELLE

L'*Enseignement des douze apôtres* ou *Didachè*, a été écrit au début du deuxième siècle en Syrie ou Palestine[38]. Le milieu est judéo-chrétien dans le cadre d'une communauté à pointe apocalyptique. Ce texte grec, découvert en 1873 à Constantinople, ramasse des éléments de dates diverses : ainsi, les chapitres 14-15 semblent plus tardifs que les précédents[39]. Les chapitres 11 à 13 s'interrogent en particulier sur la place à réserver aux apôtres, aux prophètes et aux docteurs. Toutefois, cette triade n'apparaît pas comme telle, à la manière de

---

38. H.R. Drobner, *Les Pères de l'Église*, Desclée, Paris, 1990, p. 65s.
39. Voir W. Rordorf et A. Tuilier, *La doctrine des douze apôtres (Didachè)* (SC 248), Le Cerf, Paris, 1978 (les citations qui suivent sont empruntées à cette traduction).

Paul dans 1 Co 12, 28. On relève seulement une double séquence :
celle « des apôtres et des prophètes (*Did* 11, 3), puis, celle « des
prophètes et des docteurs » (13, 1-2 ; 15, 1). Ces derniers apparaissent
aussi dans le contexte de l'Église d'Antioche selon Ac 13, 1 : Barnabé
et Saul sont parmi les prophètes et les docteurs de cette église.
Relevons, par ailleurs, l'absence d'une mention des presbytres dans
la *Didachè*. Manque aussi le vocabulaire du service, en dehors des
serveurs dont il va être question dans *Did* 15, 1. Il n'y est même plus
question des Douze – le mot se trouve seulement dans le titre
surajouté au livre.

À partir de ce seul texte, il est évidemment difficile de dire le poids
et les rôles respectifs des dirigeants en question. Mais, ici comme
ailleurs, l'apôtre n'en apparaît pas moins lié de quelque manière au
Seigneur, et le prophète, à l'Esprit. Les croyants doivent accueillir
ces apôtres, et les docteurs aussi, « comme le Seigneur » lui-même
(11, 2.4), et les prophètes parlent toujours « sous l'inspiration de
l'Esprit (11, 7-9.12). Ces trois ministères touchent donc directement
l'office de la parole, mais en donnant alors l'impression d'un certain
entremêlement de ces divers rôles. Un mauvais apôtre peut devenir
un « faux prophète » (11, 8), et le prophète « enseigne la vérité »,
comme le docteur (11, 1-2.10). Comme personne ne saurait discuter
la valeur d'une parole suréminente ainsi émise, c'est sur la façon de
vivre de chacun qu'on pourra discerner le vrai du faux prophète (11, 8).

Parmi les rôles attribués au prophète chrétien on retiendra surtout celui qui concerne directement l'eucharistie : « Laissez les prophètes rendre grâce (en grec, *eucharistein*) autant qu'ils voudront »
(10, 7). Le prophète chrétien est libre de développer à sa guise la
prière eucharistique. Plus fort encore, « les prémices » des produits
agricoles seront donnés par les chrétiens « aux prophètes, car ils sont
vos grands prêtres » (13, 3). Nous dirons plus loin l'importance de ces
éléments[40].

---

40. Cf. p. 205. Le lien du prophète avec la table est marqué aussi dans *Did* 11, 9 :
« Tout prophète qui ordonne une table (*trapeza*) sous l'inspiration de l'Esprit s'abstien-
dra d'en manger, sinon, c'est un faux prophète ». Le point est curieux, mais la version
copte porte le contraire : « Tout prophète qui dresse la table et n'y mange pas, pareil
individu est un faux prophète ». Dans le premier cas, le prophète refuserait par ascèse
de manger des agapes communautaires – mais, à l'époque, les agapes n'étaient
apparemment pas encore détachées du repas eucharistique. Dans le second cas, le
prophète refuserait de manger cette eucharistie ! ! Le point n'est pas clair.

À une époque déjà relativement tardive, l'auteur de la *Didachè* offre l'écho d'une situation mêlée et assez curieuse. D'un côté, il manifeste sa révérence à l'endroit des apôtres, des prophètes et des enseignants et, de l'autre, il laisse percer son inquiétude devant leur comportement. Dès lors, un apôtre, ici un missionnaire itinérant, ne doit pas séjourner plus d'un ou deux jours de suite en un même lieu – c'est-à-dire, en étant à la charge d'une Église qui n'est pas la sienne. Certes, le prophète qui « veut s'établir, mérite sa nourriture » (13, 1) ; sinon, on ne lui donnera pas d'argent à titre individuel, seulement du pain pour le voyage (11, 6). On peut cependant lui donner de l'argent, mais pour qu'il le donne aux pauvres, en raison probablement de son office, lié de quelque manière au service des nécessiteux (11, 12)[41]. Sans doute avons-nous là le dernier écho de cette pratique d'un repas communautaire, sous la gérance d'un prophète chrétien, où le soin des pauvres est directement lié au repas[42].

Bref, ces quelques indications sur les apôtres, les prophètes et les docteurs apparaissent plutôt comme des reliquats d'une situation d'hier, en train de maintenant évoluer. Le point devient clair au ch. 15 de la *Didachè*, dont l'écriture semble plus tardive :

> « Elisez-vous donc des évêques et des diacres dignes du Seigneur, des hommes doux, désintéressés, sincères et éprouvés ; car ils remplissent eux aussi près de vous l'office des prophètes et des docteurs. Ne les méprisez donc pas ; car ils sont parmi vous ceux qui sont honorés au même titre que les prophètes et les docteurs » (*Did* 15, 1-2).

On relèvera ici le verbe *élire,* au sens large sans doute[43], et surtout, le lien de succession désormais établi entre les prophètes et les docteurs, d'une part, et, d'autre part, les épiscopes et les serveurs. Ces derniers valent les premiers, sans pour autant assimiler entièrement les épiscopes à des prophètes et les serveurs, aux docteurs d'hier. Il y a succession, ce qui ne veut pas dire pure identification. La *Didachè* est un témoin capital de ce passage essentiel.

---

41. Selon *Did* 11, 12 et 13, 4, le prophète a la charge des pauvres, comme l'épiscope plus tard.
42. Cf. ch. 8, p. 242s.
43. *Elire*, littéralement, *imposez les mains* ; cf. p. 157 ; 170ss.

LE MINISTÈRE DANS LES ÉGLISES
JUDÉO-CHRÉTIENNES

Avant d'aborder le dossier des Églises héritières de l'Apôtre, formulons déjà quelques réflexions sur le ministère au sein des communautés d'inspiration judéo-chrétienne. Les hypothèses ne manquent pas à ce propos, cherchant à suivre l'évolution des ministères dans ce contexte particulier. L'entreprise est pourtant délicate, car cette évolution n'est pas rectiligne. Nous n'en relevons que des traces, empêchant toute reconstruction rigoureuse. Enfin, les éléments ramassés précédemment portent d'abord l'écho des Églises judéo-hellénistes chrétiennes – y compris en Mt, 1-2 P et en Jc –, et non pas, en direct ou uniquement, celui des communautés proprement judéennes. Une certaine adaptation au terrain hellénistique s'est déjà opérée.

Dès lors, les reconstructions trop systématiques semblent d'emblée sujettes à caution[44]. Comme si l'on connaissait tout, disons, de « l'église primitive » jusqu'à l'effervescence charismatique des églises pauliniennes, avant d'en arriver à la sclérose des institutions ecclésiales. Ce genre de présentation n'a guère de valeur. En fait, on devine seulement une série de facteurs qui ont pu jouer un rôle en la circonstance, et cela, « dans le désordre », non chronologiquement noué. À cet égard, une certaine lecture des Actes des Apôtres risque parfois de simplifier cette soi-disant évolution : aux Douze succéderaient en partie les sept dirigeants judéo-hellénistes (Ac 6, 1ss) ; puis, les apôtres et des presbytres régiraient la communauté de Jérusalem (Ac 15, 4ss) ; enfin, Paul instituerait à son tour des presbytres venus d'Éphèse (Ac 20, 17ss). Ce schéma simplifie la réalité, comme le montrent à l'évidence les lettres de l'Apôtre. Les faits sont enchevêtrés. Mais Luc veut d'abord souligner l'unité des premières figures ecclésiales : Paul ne s'oppose pas à Pierre, au contraire, et il reprend

---

44. Donnons l'exemple de P. Stuhlmacher, « Evangelium – Apostolat – Gemeinde », *Kerygma und Dogma* 17 (1971), p. 28-45, suivant lequel l'Église de Jérusalem, consciente de son pouvoir, aurait d'abord repris une structure synagogale avec l'autorité donnée en premier aux Anciens. Au contraire, les communautés pauliniennes adoptèrent une structure plus démocratique à l'instar des cités hellénistiques, avec la conviction que les charismes et les ministères étaient distribués entre tous, à égalité. Enfin, vers l'an 100, une hiérarchie presbytérale devait s'imposer suivant le schéma des ordinations dites rabbiniques (sur ce dernier point voir p. 172).

à son compte une organisation presbytérale judéo-chrétienne, maintenant acceptée dans la communauté lucanienne.

Depuis quelques décennies, il est vrai, la tendance serait plutôt d'opposer entre elles ces premières figures ecclésiales. En fonction de la christologie et de l'ecclésiologie, à chaque fois particulières, Pierre, Jacques, Jean et Paul seraient au point de départ d'une organisation ministérielle adaptée à chacun des terrains missionnaires. Les ministères seraient donc nés, disons, d'une manière éclatée, avant de s'amalgamer progressivement les uns aux autres. Ces points sont sans doute valables, mais à la condition de ne pas en durcir les termes. Des mouvements divers peuvent largement coexister selon les temps et les lieux[45], sinon même cohabiter, dans le cadre de l'Église d'Antioche par exemple. Surtout à une époque où le langage ministériel demeure mouvant, et les rôles, divers et peu précis. Il faudra, entre autres, l'action de Paul pour mettre de la clarté en l'occurrence.

Auparavant, la situation paraît plutôt « brouillée ». Les appellations ministérielles sont assez disparates, et leurs auteurs insistent en fait très peu sur les dirigeants de leurs communautés. Cependant le motif radical de la parole résiste toujours. Mais aucun titre ministériel ne semble s'imposer, et même, chez Matthieu par exemple, une certaine réticence apparaît presque à leur propos. L'insistance sur l'enseignement et la tâche doctorale est réelle, mais vite canalisée en raison de la crainte provoquée par certains faux prophètes et des mauvais enseignants. Chez Matthieu, les authentiques prophètes chrétiens relèvent plutôt du passé, et de même pour les apôtres.

De cet ensemble de facture déjà tardive, et en dehors des curieux guides dont parle l'épître aux Hébreux, on peut seulement suggérer l'existence de deux ou trois types de ministres, en concomitance, suivant le milieu judéo-chrétien en cause. D'un côté, on aurait les apôtres et les prophètes, en particulier dans le sillage galiléen de l'ancienne *Tradition Q* (Lc 11, 49 et Mt 23, 34). L'Apocalypse s'inscrit aussi dans cette ligne, même si l'évangile de Jean fait silence à leur propos. De même, la *Didachè* rappelle leur existence, malgré les difficultés posées par leur itinérance. Plus tard encore, on trouve ces deux offices conjoints dans un écrit judéo-chrétien provenant d'un

---

45. Voir J.F. O'Grady, « Ministry : Meaning and Challenge for Ecumenism », *Journal of Ecumenical Studies* 9 (1973), 556-575 : des ministères charismatiques et structurées (Pastorales) peuvent coexister, ainsi en Asie Mineure.

milieu devenu sectaire : l'épître *de Virginitate* (I, 11, 4.10) reprise dans les *Pseudo-clémentines*[46]. Paul, à sa manière, en atteste aussi la présence, quitte à donner une extension nouvelle à cet apostolat et à corriger les excès de la parole prophétique. De l'autre côté, d'autres judéo-chrétiens (Jc et 1 P)[47] reprennent l'ancienne nomination juive des presbytres, comme nous le dirons plus loin.

Ou encore, d'un côté, on aurait affaire à des envoyés ou à des porte-parole du Ressuscité, en lien direct avec une parole du salut encore en itinérance – quitte à voir s'étioler progressivement cette parole prophétique avec la conviction que la révélation est désormais entière. Et de l'autre, on aurait des presbytres, sans grand lien au départ avec le travail de la parole, qui progressivement s'attelleront à l'enseignement de la tradition du salut. D'un côté, la parole risque de déborder dans la démesure et, de l'autre, elle doit continuer d'être assurée par des gestionnaires, après le départ des premiers témoins. Jusqu'au début du deuxième siècle environ, l'histoire des ministères est pétrie de ces renversements de rôle, de ces amalgames continuels et de ces mutations sémantiques, où des titres ministériels disparaissent et reparaissent avec des sens nouveaux. Le sens que nous donnons actuellement aux mots apôtres, prophètes, docteurs ou presbytres, est singulièrement différent de celui des appellations d'hier.

N'oublions pas cependant la question essentielle : Comment est-il encore possible d'ouvrir la bouche dès lors que le Christ, par ses envoyés directs et ses porte-parole prophétiques, a comme épuisé la parole du salut ? Qui peut encore parler ? La réponse est immédiate. D'abord, elle se glisse sous le couvert de la pseudépigraphie, où ceux d'hier, toujours vivants, continuent de s'exprimer. Ou encore, elle se couvre sous l'anamnèse, le vif rappel des paroles et des gestes évan-

---

46. Par ailleurs, on lit dans les *Pseudo-clémentines* : « Pierre se tournant vers les presbytres... (leur dit) : Notre Seigneur et Prophète, qui nous as envoyés, nous a raconté comment le Mauvais... enverrait certains de ses sectateurs comme apôtres pour tromper les hommes. C'est pourquoi, avant tout, souvenez-vous de fuir tout apôtre, docteur ou prophète qui n'aura pas auparavant soumis exactement sa prédication à Jacques, appelé le frère de mon Seigneur, et chargé de gouverner l'Église des Hébreux à Jérusalem... » (*Homélies* 11, 35, 1 ; trad. A. Siouville, *op. cit.* p. 260 ; Paul est l'apôtre du Diable !)

47. Voir aussi, écrit à Rome vers 135, le *Pasteur d'Hermas* (*Vision* II, 8, 3) mentionnant « les presbytres qui dirigent l'Église » (judéo-helléniste chrétienne).

géliques où Jésus continue de parler souverainement aux siens. Silencieux sur eux-mêmes, les dirigeants de la seconde génération chrétienne ne veulent être que le lieu anonyme d'une pure transmission des paroles fondatrices. Qui peut remplacer, en effet, un apôtre ou un prophète d'hier ? Qui peut encore le représenter, et de quelle manière ? Laissons la question en suspens. Il suffit pour l'instant de mesurer l'ampleur du débat, lors de ce passage essentiel allant du fondement apostolique aux ministères du deuxième siècle, c'est-à-dire à ceux d'aujourd'hui ou presque.

CHAPITRE 5

LES ÉGLISES DANS LE SILLAGE
DE PAUL

Nous suivrons la répartition, devenue classique ou presque, des textes qui s'inscrivent dans le cadre des Églises héritières de l'Apôtre. Ces écrits sont divers, à l'image des communautés dont ils portent le reflet, dans les années 75 à 90 environ[1]. Le premier groupe comprend trois écrits deutéro-pauliniens – plus ou moins proches de Paul selon le cas –, à savoir les lettres aux Colossiens et aux Éphésiens, sans oublier entièrement la deuxième lettre aux Thessaloniciens. Ce premier ensemble comporte relativement peu d'indications sur le ministère. Au contraire, le livre des Actes des Apôtres, écrit par Luc dans la large mouvance des Églises pauliniennes, est riche en ce domaine. Enfin, les lettres dites Pastorales (1 et 2 Timothée et Tite), où l'empreinte de Paul paraît déjà lointaine, ramassent les éléments les plus décisifs sur le ministère, alors que s'opérait déjà le passage des temps dits apostoliques aux Églises du second siècle et après. Ces trois types d'écrits sont à situer à leur niveau propre. Le regard historique et théologique de Luc est différent des exhortations quasi homilétiques des *porte-parole* postérieurs de l'Apôtre, dans la résonance d'une parole paulinienne, à la fois vive et de plus en plus

---

1. Nous suivrons à ce propos l'opinion commune ou presque. Certains auteurs cependant (Jean-Noël Aletti, *Saint Paul. Épître aux Colossiens*, Gabalda, Paris, 1993) continuent de soutenir l'authenticité directe de Colossiens. Rares sont les exégètes qui attribuent les Pastorales à Paul (Philippe Rolland, *La succession apostolique dans le Nouveau Testament*, Editions de Paris, 1997 ; John Murphy O'Connor considère 2 Tm seulement comme authentique (*Paul et l'art épistolaire*, Le Cerf, 1994, p.78). La thèse pseudépigraphe ne refuse pas l'évidence d'un lien avec l'ancienne tradition paulinienne, au niveau du vocabulaire entre autres.

lointaine. Les apôtres et les prophètes, sous le couvert ou non de ces auteurs pseudépigraphes, laisseront ensuite la place aux épiscopes choisis parmi les anciens, ainsi qu'aux diacres. L'histoire de ce déplacement essentiel n'en est pas moins complexe. Retenons surtout le fait suivant : Paul, d'abord, a construit le ministère chrétien, dès son départ à Corinthe et ailleurs, puis, jusque dans la résonance des traditions pseudépigraphes qui continuent de porter sa voix et d'organiser les Églises. Sans dévaluer l'importance des autres traditions judéo-chrétiennes, johanniques et pétriniennes, l'apport de Paul paraît ici décisif, même si les croyants des années 80 et après cherchèrent ensuite à récupérer d'autres pratiques anciennes, puis, à unifier ou à fusionner des fonctions et des titres issus d'horizons divers. Or, là encore, le lieu d'unité demeure celui d'une parole vive, à garder désormais fidèlement. Toutefois, le regard porte davantage sur le passé d'une tradition à préserver contre les faux docteurs du moment. Cependant la disparition progressive des dirigeants d'hier n'entame pas la conscience aiguë d'une parole toujours neuve dans la force l'Esprit. Mais la question n'en demeurait pas moins cruciale : Est-il encore possible de « parler », après les apôtres et les témoins d'hier ? Comment assurer le passage qui va de la proclamation fondatrice à la parole d'aujourd'hui ?

LE MINISTÈRE D'APRÈS LES LETTRES AUX COLOSSIENS ET AUX ÉPHÉSIENS

Dans le cadre des épîtres dites de la captivité, les lettres aux Colossiens et aux Éphésiens insistent peu sur la présence des ministres de la parole. La voix de Paul importe d'abord, par le biais de la pseudépigraphie y compris. Leurs auteurs rappellent combien Paul demeure « l'apôtre » (Col 1, 1 ; Ep 1, 1). Il est « le serveur » (*diakonos*) de la Bonne Nouvelle (Col 1, 23 ; Ep 3, 7) ; mais d'autres aussi sont désignés comme des serveurs, tels Epaphras et Tychique (Col 1, 7 ; Col 4, 7 ; Ep 6, 21) – dans ce dernier cas, l'auteur lui adjoint le qualificatif de *syndoulos,* comme si les mots *serveur* et *serviteur* devenaient alors synonymes.

Dans Colossiens, relevons surtout l'insistance mise sur le *Corps du Christ*, maintenant identifié à une Église dûment structurée et organisée (Col 1, 18)[2]. L'auteur s'en prend alors aux déviants ou aux fauteurs de trouble qui

> « ne tiennent pas à la tête, (celui) de qui le corps tout entier, pourvu et bien uni grâce aux articulations et aux ligaments, tire la croissance que Dieu lui donne » (Col 2, 19).

La croissance vient de Dieu, et l'unité du corps s'opère de par ces *jointures* et les *ligaments* qui ordonnent l'ensemble. On retrouve ici le motif paulinien de l'unité, à la recherche d'un continuel équilibre entre « l'un » et « le multiple » (1 Co 12, 12ss). L'auteur de Colossiens ne précise pas davantage, même si l'on peut deviner en l'occurrence l'action des ministres chrétiens, au sens large du mot, dont le souci unitaire, dans l'unité d'une même parole, demeure l'exigence première. Plus loin, l'auteur s'adresse à Archippe en particulier : « Veille au service (*diakonia*) que tu as reçu dans le Seigneur » (4, 17). Le mot *service* prend désormais un sens technique. Il se reçoit, ayant sa source dans le Seigneur même, au sein d'une Église qui constitue son corps. Le lien de ce ministère avec le motif de la parole n'est pas précisé ici. Il suffit d'entendre « la parole de vérité de l'évangile » qui, naguère, a résonné (1, 5), et, plus immédiatement encore, il faut continuer d'écouter l'Apôtre, car, dit-il : « Je suis devenu un serveur (*diakonos*) selon le plan[3] que Dieu m'a confié pour vous, celui d'accomplir la parole de Dieu ». Le *diakonos* de la parole l'annonce en plénitude (1, 25). En outre, cette parole prend aussi la forme d'un enseignement reçu et transmis, suivant la manière dont « vous avez été enseignés par Epaphras, notre compagnon aimé, qui est pour vous un fidèle serveur du Christ » (1, 7 ; cf. 2, 7). Epaphras prend le relais d'une parole qui trouve en Paul son garant.

À la différence de Colossiens, l'auteur d'Éphésiens va davantage insister sur la référence fondatrice constituée par les « saints apôtres » d'hier et les « prophètes par l'Esprit ». Le tout s'appuie sur la parole d'une Bonne Nouvelle (l'évangile), gracieusement révélée à l'Apôtre qui en demeure le serveur et comme le médiateur (Ep 3, 2-7). Ce qui n'empêche pas l'auteur d'évoquer en plus la présence d'autres ministres de la parole. Ces motifs se rejoignent en quelque sorte, comme si la référence au passé suscitait une réorganisation du travail de la parole.

---

2. Sur ce point voir C. Perrot, « Des premières communautés aux églises constituées », *Recherches de Science Religieuse* 70 (1991), 223-252.
3. Littéralement, selon l'*économie*, le dessein ou la charge.

L'auteur d'Éphésiens en appelle donc aux apôtres et prophètes, dans leur unité première, en les désignant comme le lieu fondateur de l'Église : « (Vous avez été) construits sur la fondation des apôtres et des prophètes, dont Christ Jésus est lui-même la pierre de faîte » (Ep 2, 20 ; cf. 3, 5). L'Église, comme les écrits évangéliques qui en portent le reflet, a son lieu fondateur bâti sur la double parole des apôtres et des prophètes (1 Co 12, 28), à savoir cette parole de proclamation et de révélation dont nous parlerons à nouveau au chapitre 7. Les apôtres dont il est ici question ne sont pas identifiés aux Douze (cf. 1 Co 15, 5 et 7). Signalons seulement la différence d'accent, ou plutôt le déplacement opéré entre, d'un côté, 1 Co 3, 11 où le Christ est désigné comme l'unique fondation, et de l'autre, Ep 2, 20 où Jésus devient la « pierre de faîte »[4]. Dans le milieu pétrinien, Pierre assure la solidité d'un roc fondamental (Mt 16, 18).

Enfin et surtout, reprenant la liste des charismes de 1 Co 12, 28, l'auteur d'Éphésiens en précise le contenu, ou plutôt le modernise :

> « Et lui-même (Jésus) a donné aux uns d'être apôtres, aux autres, prophètes, aux autres, évangélistes, aux autres, pasteurs et docteurs pour l'équipement des saints pour le travail du ministère (*diakonia*) en vue de la construction du Corps du Christ » (Ep 4, 11-12).

Comme on voit, dans la liste reçue de Paul où se succèdent les apôtres, les prophètes et les docteurs, s'intercalent maintenant des *évangélistes* et des *pasteurs*, à l'œuvre dans une même construction. Le travail collégial de la parole se poursuit, et celui aussi du gouvernement pastoral des Églises. Mais le vocabulaire change, comme si, au sein d'une réelle continuité, il fallait pourtant instaurer une distance entre les réalités fondatrices d'hier et la parole ou l'action d'aujourd'hui. Autrement, les contours exacts de ces deux ministères nous échappent, même s'ils semblent « actualiser » le rôle traditionnel alloué aux prophètes chrétiens, en tant que porte-parole et guide communautaire – un peu comme dans la *Didachè* où les épiscopes et les diacres succèdent désormais aux prophètes et aux docteurs[5]. Il est question encore d'un évangéliste dans Actes, à propos de Philippe,

---

4. Cf. 1 P 2, 7, à moins de traduire « la tête d'angle » ou « la pierre d'angle », celle par où les murs s'édifient. La discussion continue à ce propos : Michael Cahill, « Not a Cornerstone ! Translating Ps 118, 22 in the Jewish and Christian Scriptures », *Revue Biblique* 116 (1999), 345-357 et Michel Berder, *La pierre rejetée par les bâtisseurs* ; Paris, Gabalda, 1996, p. 29.

5. *Didachè* 15, 1 ; voir ch 7, p. 205.

l'un des Sept, celui dont les quatre filles prophétisaient à Césarée (Ac 21, 8) ; puis, dans 2 Tm 4, 5 où l'auteur appelle Timothée à remplir ce « service », lié à la proclamation de la parole (v. 2). À partir d'Hippolyte de Rome (vers 189-235) seulement, le terme servira aussi à désigner l'auteur d'un évangile.

De son côté, le titre pastoral est inhabituel lui aussi, d'origine judéo-chrétienne surtout, et d'abord donné à Jésus, le pasteur, selon la tradition johannique (Jn 10, 11), puis, dans He 13, 20 et 1 P 2, 25. Si la métaphore pastorale devait être appliquée aussi à des dirigeants chrétiens (Jn 21, 16 ; etc.), le titre reçu dans Ep 4, 11 n'en demeure pas moins unique en son genre et d'ailleurs peu prisé dans le monde hellénistique[6]. Sans doute vise-t-il surtout la direction d'une communauté. Remarquons enfin dans Ep 4, 11 que Jésus est désigné comme celui qui se donne des ministres. Dans 1 Co 12, 28, c'est Dieu qui les établit, comme dans les textes de l'Écriture où Dieu est l'agent direct des missions alors confiées (Jr 1, 5 ; Is 42, 1). Le regard devient plus christologique encore dans Éphésiens.

LA SECONDE LETTRE AUX THESSALONICIENS

Ajoutons quelques remarques à propos de la deuxième lettre aux Thessaloniciens. Il n'y est pas question du ministère, mais, comme dans les Pastorales, l'insistance est grande sur la garde de la tradition reçue : « Gardez fidèlement les traditions que nous vous avons enseignées de vive voix ou par lettres » (2 Th 2, 15 ; 3, 6). Car il importe d'abord de croire au témoignage de Paul, Sylvain et Timothée (1, 1.10), afin que « la parole du Seigneur poursuive sa course » (3, 1). Les mots *apôtres* et *serveurs* ne sont pas employés ici, y compris pour Paul. Et tout se passe comme s'il n'existait guère d'intermédiaires entre l'Apôtre et les siens, sinon par le biais des lettres envoyées (2, 2.15 ; 3, 14.17). La lettre supplée en quelque sorte au lien ministériel manquant, à la condition de relever d'une authentique tradition paulinienne. Car il y a des faussaires, et n'importe quoi peut se glisser sous le nom de l'Apôtre (2, 2) ! Luc, au contraire, va d'abord privilégier les liens et les contacts humains, en s'intéressant directement à la question du ministère. Plus tard, dans le contexte particulier des lettres Pastorales, pour une part reliées à l'œuvre lucanienne, le

---

6. Voir p. 130.

ministère chrétien dans son actualité trouvera son expression ecclésiologique et quasi canonique. Commençons par les Actes dans le
cadre d'une synthèse qui pourrait se déployer à loisir, tant les éléments sur ce point deviennent abondants, mais parfois difficiles à
saisir.

LE LIVRE DES ACTES[7]

Comme dans l'évangile de Luc[8], l'auteur des Actes orchestre le
motif fondamental de la parole, en en précisant les points d'application. La parole et l'Esprit prennent alors une ampleur considérable,
car ce livre déclare l'action de l'Esprit au cœur d'un mouvement
missionnaire qui va de Jérusalem à Rome. Or, cette action spirituelle
est directement liée à la dynamique d'une parole qui traverse tout le
livre. Comme on sait, le titre *Actes d'apôtres* est d'origine tardive (IIIᵉ
siècle), et le personnage principal du livre est l'Esprit Saint, nommé
plus de cinquante fois de Ac 1, 2 à 28, 25. Le mot *logos* (parole), alors
identifié à la *Bonne Nouvelle*, survient dix fois (Ac 4, 4, etc.), et le
syntagme *parole de Dieu* ou *parole du Seigneur*, dix-neuf fois. Les
deux motifs se rejoignent d'ailleurs, par exemple dans Ac 4, 31 : « Ils
furent tous remplis du Saint Esprit, et ils annonçaient la parole de
Dieu avec assurance ». Sous l'influx de l'Esprit, la parole explose à
Jérusalem au jour de la Pentecôte pour retentir jusqu'à Rome « en
pleine assurance » (Ac 2, 1s ; 4, 29 ; 19, 20 ; 28, 25.31). Dans le
discours de Milet, Paul – suivant la figure qu'en reflète Luc – ramassera son activité apostolique en évoquant « le service (*diakonia*) dont
m'a chargé le Seigneur Jésus : rendre témoignage à l'Évangile de la
grâce de Dieu » (Ac 20, 24). Et ce témoignage s'exprime plutôt sous la
forme d'un enseignement, basé sur « l'enseignement des apôtres » ou
« l'enseignement du Seigneur » (2, 42 et 13, 12).

Ce point capital rappelé, à la racine de la pensée de Luc sur les
ministères, il n'en demeure pas moins que les diverses indications qui
parsèment les Actes sont parfois difficiles à saisir. Les éléments

---

7. Voir en particulier Jacques Dupont, « Les ministres de l'Église ancienne », dans
Les Actes des Apôtres. Nouvelles études sur les Actes des Apôtres (Lectio Divina 118),
Le Cerf, Paris, 1984, p. 133-184.
8. Voir ch 3, p. 96ss.

s'accumulent dont on ne sait pas toujours s'ils reflètent la situation présente d'une église lucanienne d'Asie Mineure ou de Grèce, ou s'ils proviennent de ces données ramassées un peu pêle-mêle par l'auteur du livre lors de sa quête de renseignements sur les communautés d'hier. Car Luc emmêle souvent le nouveau à l'ancien, à l'aide d'une plume archéologisante qui n'en veut pas moins répondre aux besoins immédiats de son Église. Mais on ne saurait surtout oublier les deux caractéristiques littéraires suivantes qui expliquent en partie l'agencement des données lucaniennes dans les Actes :

– La première porte sur le motif de l'unité qui traverse le livre en entier. L'auteur veut dire combien Paul, à la base des fondations communautaires dont il se réclame, fait corps avec Pierre, le premier des Douze ; puis, à son tour, combien Pierre est lié à Jésus ; et finalement, Jésus à Israël. La nouvelle « histoire sainte » de Luc vise l'unité de toutes les Églises, portant l'écho d'une première communauté parfaitement cordiale et unie (Ac 2, 44 ; 4, 32). Après les tumultes d'hier à l'époque de Paul, les communautés dispersées, judéo-chrétiennes et helléno-chrétiennes, ont maintenant besoin de se retrouver et de communiquer. D'où, chez Luc, ce souci constant d'unifier des éléments épars où les figures de Pierre et de Paul sont mises en étroit parallèle[9]. Alors Luc oublie facilement les frictions d'hier ; il n'évoque même pas le grave incident d'Antioche dont parle l'Apôtre dans Ga 2, 11s. Devant une telle histoire, où tout est ainsi nivelé pour le bon motif, on devine la difficulté de distinguer les réalités ministérielles d'hier, à l'époque des fortes tensions entre Jacques, Pierre et Paul, de celles connues dans le cadre des années 85.

– La seconde caractéristique est liée à la précédente. Luc veut d'abord rapporter l'histoire des fondations de Paul au long d'un discours relativement unifié, allant de Ac 13 à 28. Car son église est l'héritière de l'Apôtre. Au contraire, les pièces précédentes, portant en gros sur le « cycle de Pierre » (Ac 1 à 12), apparaissent comme un entassement de récits, seulement juxtaposés les uns aux autres. Luc raconte l'histoire missionnaire de Paul qu'il suit comme à la trace dans le cadre d'une narration homogène. Mais, auparavant, à l'aide

---

9. Sur le procédé littéraire du parallélisme et le motif de l'unité chez Luc voir, entre autres, nos pages dans *Introduction à la Bible*, éd. nouvelle, II, Desclée, Paris, 1976, p. 248s. 263s.

d'anciennes traditions judéo-chrétiennes et de petits récits d'allure autonome, il offre une sorte de *proto-histoire* des premières communautés. Ce qui lui permet de certifier à l'avance l'authenticité des fondations pauliniennes, fortement attaquées par certains[10]. Selon Luc Paul s'inscrit parfaitement dans la ligne de Pierre ; le lien d'unité est solide entre eux, et donc Paul est validé.

Par ailleurs, les courtes narrations du « cycle de Pierre » répondent au souci lucanien de raconter l'origine de l'Église à l'aide de récits archétypes. Ces récits veulent se situer au cœur de l'originaire judéo-chrétien et servir d'exemples aux helléno-chrétiens inscrits dans le sillage de Paul. Enumérons ainsi : le récit de la Pentecôte, tel celui du premier rassemblement sous la mouvance de l'Esprit à la manière d'un *nouveau Sinaï* lors de l'explosion d'une parole maintenant universelle (Ac 2, 1-11). Ou encore, les éléments rapportant l'idéal d'une communion fraternelle allant jusqu'à une communauté entière des biens (Ac 2, 42-47 ; 4, 32-37). Puis, en contrepoint, le récit d'Ananie et Saphire rappelant l'histoire du premier péché dans l'Église où se mêlent l'argent et le mensonge (Ac 5, 1-11). Plus loin sur Corneille, le récit rapporte la première action missionnaire de Pierre en milieu helléno-chrétien, avant celle même de Paul ! (Ac 10 à 11). Il s'agit, à chaque fois, de récits plongeant dans l'origine d'une naissance et d'une pratique nouvelle. Or, dans le cadre de ces récits exemplaires, à même de servir de modèle à la pratique ecclésiale, le récit de l'institution des Sept joue un rôle majeur (Ac 6, 1-7). C'est chez Luc le récit de la naissance du ministère chrétien, un récit fondateur au sens le plus fort de ce mot, sans nullement en réduire la portée au seul ministère que nous appelons aujourd'hui le diaconat. Il n'y est pas question de diacres, mais de dirigeants chrétiens dont l'action s'épuise dans le service. Il importe donc de lire ce récit avec attention, ainsi que les éléments du « cycle de Paul », rappelant, en parallèle avec Pierre, la transmission des ministères selon l'Apôtre, dans Ac 14, 24 et surtout dans le discours de Milet (20, 17-38). Pour éclairer la présentation, commençons par deux remarques, l'une sur « le service de l'apostolat » dont parle le récit sur Matthias (Ac 1, 25), et l'autre, sur Pierre et les apôtres dans les Actes.

---

10. Par les Ebionites (selon les *Pseudo-Clémentines*) surtout, mais on remarquera aussi combien certains d'entre les premiers Pères de l'Église sont peu pauliniens.

LE SERVICE DE L'APOSTOLAT ET LE TÉMOIGNAGE

Avant le récit de Pentecôte, Luc rapporte l'étonnante histoire de l'élection de Matthias (Ac 1, 15-26). Judas, « l'un des Douze » (Lc 22, 47) maintenant mort, devait être remplacé par ce nouvel apôtre. Situons le contexte, afin de saisir la fonction littéraire du récit au début des Actes et son lien, en forme de contrepoint, avec celui de l'institution des Sept. Selon la perspective théologique de Luc, il y a unité et continuité entre le prophète de Galilée et le Seigneur de Pâques. La double pliure, littéraire et historique, de l'œuvre de Luc sur le récit de l'Ascension – lu au terme de l'évangile comme au début des Actes (Lc 24, 50 et Ac 1, 9s) – le manifeste parfaitement. C'est bien le même Seigneur, hier et aujourd'hui. Dans notre langage d'aujourd'hui, nous dirions : « le Jésus de l'histoire » fait corps avec « le Christ de la foi ». (Ac 6, 1-7). La mort du Ressuscité n'est plus la rupture de ce lien. Elle l'assure au contraire.

Mais en est-il de même pour le groupe des Douze, autrefois fondé par Jésus comme le signe d'un nouvel Israël à régenter (Lc 22, 30) ? En perdant l'un des siens, ce groupe voit sa signification prophétique directement mise en question. Ils ne sont plus que onze (Lc 24, 9.33) ! La mort de Judas signe une rupture de continuité au sein même du groupe. À moins que Dieu, en son Christ, ne reconstitue le groupe comme avant, en faisant alors appel à la pratique du tirage au sort, connu à Qumrân et ailleurs[11]. C'est donc le Seigneur lui-même, et non pas les disciples, qui comble le nombre défaillant des Onze pour reconstituer celui des Douze. La continuité est reprise, en sorte que l'Israël des Douze peut maintenant déclarer son sens plénier à la Pentecôte, en ce début des temps nouveaux sous l'influx de l'Esprit. La Pentecôte d'un nouveau Sinaï eschatologique, ramassant l'unité et l'universalité d'Israël, réalise le sens du geste symbolique autrefois posé par Jésus lors du choix des apôtres (Lc 22, 30). Puis, il ne sera plus question de ce groupe, avant d'en arriver à Ac 6, 2, portant l'unique et dernière mention des Douze, au moment même où va s'ériger une autre organisation ministérielle. Désormais l'Église se donnera des ministres, sous l'influx de l'Esprit, et non plus, directement, Dieu et son Christ à la manière de Matthias. Il sera plus loin

---

11. Au temple les divers offices étaient tirés au sort (cf. Zacharie, Lc 1, 9) ; de même, à Qumrân : *1QS* 2, 23 ; 6, 21 ; *4Q Bénédictions* 4, 25.

question de Pierre, de Jean et des autres, mais non plus du groupe des Douze, en tant que tel, dans le cadre de leur rôle symbolique maintenant achevé. De même, il sera ensuite question des apôtres, mais non plus des Douze, comme tels. L'apôtre Jacques dit le Majeur mourra, et il ne sera pas remplacé (Ac 12, 2). Les Douze disparaissent, mais leur mémoire demeure vive, comme le signe d'une référence reçue par les croyants qui se veulent sous la mouvance de la parole première. Au regard de Luc, les Douze, comme tels, n'ont pas de successeurs, mais les apôtres de Jérusalem n'en constituent pas moins la suite, du moins sous la forme que nous dirons plus loin.

Revenons à Matthias. Autrefois Judas possédait « le lot de ce service (*diakonia*) ». Or, la place est vacante, et les Onze de choisir entre les deux candidats à même de « prendre la place de ce service de l'apostolat » (Ac 1, 17.24). L'apostolat en question est dûment précisé au v. 21-22 :

> « Il faut donc que, parmi les hommes qui nous ont accompagnés tout le temps que Jésus est allé et venu parmi nous depuis le temps de Jean jusqu'au jour où il a été enlevé d'auprès de nous, il y en ait un qui devienne avec nous témoin de sa résurrection. »

L'apôtre relevant du groupe des Douze doit donc avoir suivi Jésus du début à la fin. Il n'est pas seulement un témoin de la Résurrection, à la manière de Paul ou de Jacques de Jérusalem ; il doit avoir accompagné Jésus autrefois. C'est dire à l'avance que Paul n'entre pas dans la catégorie, et sans doute cela explique-t-il la réticence de Luc à lui appliquer le titre apostolique : seulement deux fois, Paul sera appelé *apôtre*, avec Barnabé (14, 4.14). S'il l'avait connue, on devine le sentiment de Paul devant une telle présentation, lui qui ne cessait d'insister sur ce titre, à l'encontre de tous ses adversaires (1 Co 9, 1s ; Ga 1) !

Luc préfère le désigner comme un témoin du Ressuscité, en donnant, il est vrai, à ce motif du témoignage une importance majeure, du début à la fin du livre (Ac 1, 8 à 28, 23). Si le groupe « eschatologique » des Douze voit son rôle pour une part achevé dans la plénitude « protologique » de la Pentecôte[12], la fonction allouée au

---

12. La Pentecôte, une ancienne fête agricole, désignée comme la fête du peuple de l'Alliance à Qumrân et dans le milieu pharisien (cf. Pseudo-Philon, *Livre des Antiquités Bibliques* 23, 2), est nommée par Luc seulement, et non par Paul ou autres. Elle se situe au départ de l'Alliance nouvelle en l'Esprit, inaugurant déjà les temps derniers, le temps de l'Église (l'*eschaton* ; Ac 2, 17).

témoignage de la Résurrection perdure et l'emporte désormais. Pierre appartient à ces « témoins que Dieu a choisis d'avance... » (10, 41-42), et Paul aussi (22, 15 ; 26, 16). Les témoins du Ressuscité, ceux qui on *vu* le Seigneur (1 Co 9, 1 ; 15, 5-8), et la succession des témoins au cours des temps vont alors tisser une lien vivant, quasi physique, entre tous les croyants. Les apôtres et les prophètes dont parle Paul dans ses lettres, puis, les ministres chrétiens et les croyants avec eux, s'inscrivent dans cette lignée d'un témoignage qui construit l'Église. Si le groupe des Douze est clos, celui des témoins demeure ouvert. Mais comment assurer alors cette succession des témoins et des témoignages, en accord tangible avec la tradition fondamentale des Douze et en lien vivant avec les premiers témoins du Ressuscité ? Dans la suite du récit de Luc, Pierre et les « apôtres de Jérusalem » joueront donc un rôle essentiel comme une instance de passage avant le surgissement d'autres relais ministériels au service du témoignage de la Résurrection. Ces instances communautaires vont se diversifier, adaptées aux temps et aux moments de chacune des Églises. Les apôtres de Jérusalem ne sont plus les Douze, et ils diffèrent des Sept et des presbytres qui bientôt les accompagnent.

LES APÔTRES DE JÉRUSALEM DANS LES ACTES

Dans le *cycle de Pierre* surtout, les apôtres sont cités vingt-six fois, jusqu'à l'Assemblée de Jérusalem, et, plusieurs fois, en compagnie des Anciens (des presbytres), mais cependant distincts de ces derniers (de Ac 15, 2 à 16, 4). Ces apôtres constituent l'instance stable de l'autorité à Jérusalem, tel le point d'unité. Cependant on mesure vite le déplacement alors opéré : ces apôtres, d'abord liés aux Douze, sont maintenant reliés aux Anciens, et leur fonction se modifie en partie, même si le titre apostolique perdure. D'autres apôtres sont là, qui ne relèvent pas des Douze (Ac 14, 4.14 ; cf. 1 Co 15, 7), et le rôle de chacun change alors quelque peu. Ils continuent assurément de proclamer la parole et de l'enseigner (Ac 1, 8 ; 2, 42 ; etc.). Ils régentent les biens communautaires (4, 35 ; 5, 2) et restent le noyau dur de la communauté de Jérusalem, alors que les autres croyants se dispersent (8, 1). Ils la président, envoient Pierre et Jean en mission et demeurent les garants de l'unité (8, 14s ; 11, 1-18). Mais, d'un côté, le groupe des Douze n'est plus là en tant que tel, et, de l'autre, une organisation ministérielle différente va s'instaurer, adaptée aux besoins des judéo-hellénistes chrétiens. Car la question demeure : comment assurer au mieux la transmission de la parole ? Comment situer dans ce cadre le rôle de Pierre ? Comment susciter des dirigeants adaptés à un monde nouveau ?

Au milieu de tous les bouleversements, la position de Pierre – telle qu'elle est rappelée à l'époque de Luc, du moins – est assez étonnante[13]. Son nom est mentionné cinquante-six fois dans les Actes, et l'importance référentielle du premier des Douze est majeure. Pierre demeure le premier et il se distingue nettement des autres apôtres et même de Jacques, le frère du Seigneur, dont l'importance est pourtant signalée (Ac 12, 17 ; 15, 13s ; 21, 25). Pierre anime l'Église, même s'il se doit de rendre des comptes en l'occurrence. Il présente le dossier de son action missionnaire auprès des craignant-Dieu à l'assentiment implicite des croyants de Jérusalem et, plus encore, à la décision de l'Esprit (Ac 11, 1-18). L'Esprit entérine le geste missionnaire de Pierre, mais l'auteur des Actes de relever aussi l'importance d'une acceptation implicite de la communauté. Déjà, *le critère de la réception*, pour reprendre les mots d'aujourd'hui, a son rôle à jouer.

Comme on voit, la situation est assez complexe. Sans doute Luc distingue-t-il, d'une part, la figure référentielle de Pierre qui continue de perdurer, reliée avec les Douze au « service de la parole » dont il va être question, et, d'autre part, une action apostolique de Pierre qui suit les aléas d'une mission régie par l'Esprit (11, 12). Mais ce n'est plus tellement la régence d'une communauté précise – en l'occurrence la première d'entre toutes, celle de Jérusalem – qui le caractérise[14], c'est d'abord son rôle référentiel au sein de l'unité ecclésiale. Selon une tradition postérieure, la mission de Pierre, l'évêque d'Antioche, sera scellée à Rome, sous Néron, par le témoignage du sang[15]. Mais reprenons le fil des Actes en disant l'importance du récit d'Ac 6, 1-7, qui, à la fois, achève en partie le rôle des Douze, car il n'en sera plus question ensuite, et inaugure une pratique nouvelle, au cœur de la succession des ministres.

---

13. Comparer le rôle de Pierre selon Matthieu, p. 96ss.

14. Selon Ga 2, 9 du moins, Jacques passe avant lui à Jérusalem ; voir p. 132s.

15. En plus de nombreux travaux sur la question voir récemment la présentation critique du dossier dans Christian Grappe, *Images de Pierre aux deux premiers siècles*, PUF, Paris, 1995, p. 49-81.

LA NAISSANCE DES MINISTÈRES SELON AC 6, 1-7

Le récit des Ac 6, 1-7 pose de nombreuses questions, car Luc paraît mêler à ses propres convictions des éléments tirés d'anciennes traditions et réécrits à sa manière, afin de mieux répondre à l'exigence pastorale du moment. Tentons de débrouiller l'écheveau.

Le narrateur rappelle d'abord le nombre croissant des disciples au point de provoquer une crise dans les rapports entre les croyants. Le conflit résolu, ce nombre augmentera encore. D'où venait donc le conflit, et comment le surmonter ? Des *hellénistes*, c'est-à-dire des juifs de langue grecque confessant la foi nouvelle à Jérusalem, murmuraient contre les hébreux, les judéo-chrétiens de souche, à la manière de ces murmures contre Dieu et Moïse entendues lors de la Manne (*Exode* I6, 7s). Le conflit porte donc sur un élément essentiel de la vie communautaire, celui de la table. Dans le « service quotidien » (Ac 6, 1) les hébreux négligeaient les veuves des croyants de langue grecque, apparemment nombreuses à Jérusalem, et l'unité était compromise. Cette division interne porte sur la table commune, tant les veuves judéo-hellénistes constituaient une charge trop lourde pour les autochtones, dits hébreux. De fait, les juifs de la Diaspora résidaient nombreux à Jérusalem pour y finir leurs jours (cf. Ac 2, 9s), et les veuves se multipliaient en conséquence. Sans parler des problèmes connexes, provenant de la différence des langues et des cultures. Bref, la charge de ces veuves provoquait non seulement un manque à la charité, mais posait en fait la question des rapports entre ces groupes chrétiens. Or, dès le départ, c'est la table commune (2, 42s), c'est-à-dire le repas du Seigneur, qui construit l'unité communautaire. Est-il donc possible de séparer la table des uns de celle des autres ? La réponse solennelle des Douze à cette difficulté marque l'importance de l'enjeu. Comment assurer l'unité de tous au sein de la table chrétienne, tout en reconnaissant l'existence d'une pluralité communautaire entre les judéo-chrétiens de souche et des résidents étrangers qui confessent maintenant la foi ? De nouvelles structures ministérielles doivent donc être mises en place – nous dirions aujourd'hui, des diocèses adaptés à une situation socio-religieuse nouvelle.

Les Douze convoquent l'assemblée des disciples. Leur parole réglera le conflit, mais d'une façon curieuse de prime abord. Ils déclarent vouloir abandonner le service des tables pour se réserver celui de la parole. Ils décident en conséquence de créer, disons, une nouvelle « diaconie », c'est-à-dire une organisation ministérielle distincte de celle des hébreux. Mais cela, sans mettre en cause l'unité radicale entre les croyants, puisée dans le lien de tous avec les Douze et leur référence commune à la parole première. La parole apostolique demeure fondamentale.

Les Douze commencent par s'interroger : « Il n'est pas juste (*au regard de Dieu*) que nous délaissions la parole de Dieu pour servir-à-table aux tables ». Ce n'est pas là une simple convenance personnelle, mais un impératif supérieur. Car ils se doivent d'être « assidus à la prière et au service de la parole » (v. 4). Bref, ils prennent du champ par rapport à une organisation judéo-helléniste qui va être mise sur pieds, mais aussi par rapport à celle des hébreux – toutefois, ce dernier point n'est pas directement précisé[16]. Une telle disjonction n'appelle pas pour autant l'idée d'une dévalorisation de la table par rapport à la parole. Elle veut d'abord mettre en évidence la nécessaire référence de tous aux Douze et à leur enseignement (cf. Ac 2, 42), par-delà les organisations ministérielles adaptées aux temps et au moments. Étienne et les Sept sont collégialement de hauts dirigeants – des évêques, dirions-nous aujourd'hui. Or, comment créer deux organisations ecclésiales, disons deux diocèses, autour de deux tables eucharistiques différentes, sans déchirer l'unité ecclésiale d'une même table ?

Pour parer à la difficulté, la solution proposée par les Douze et répercutée à sa manière par Luc porte sur deux points. Une première tâche relève de la communauté, et l'autre, des apôtres :

« Frères, passez en revue[17] sept hommes parmi vous, de qui l'on rende un bon témoignage, remplis d'Esprit et de sagesse, que nous préposerons à cet office » (v. 3).

L'assemblée accepte et choisit Étienne et ses compagnons dont les noms grecs indiquent clairement l'origine. Parmi eux, il y a Nicolas d'Antioche, un prosélyte juif, c'est-à-dire un ancien converti

---

16. Sinon, par l'ancien Codex de Bèze sur Ac 6, 1, mentionnant explicitement « la diaconie des Hébreux ».

17. Dans la *Septante* le verbe *episkeptomai* signifie *visiter,* au sens religieux de Gn 21, 1 et Ex 3, 16 (cf. Mt 25, 36.43) ou *prendre soin,* comme dans Ez 34, 11 ; ou encore *passer en revue,* particulièrement dans le livre des Nombres (Nb 4, 27 ; 26, 62 ; 27, 16). Il est alors analogue au verbe *episkopein,* d'où viendra l'*épiscope.*

qui n'avait pas le droit d'exercer une charge officielle, du moins selon la coutume juive d'alors. On remarquera surtout le nombre des dirigeants, à l'instar des sept juges qui régissaient à l'époque les communautés urbaines juives, avec la charge des pauvres en particulier. Il s'agit bien de nouveaux dirigeants, et non pas d'une fonction subalterne. Au reste, Luc n'use pas du mot *diakonos*, ici et ailleurs.

Une fois choisis, les sept dirigeants seront établis dans leur fonction par les Douze, et ils recevront l'imposition des mains. Le parallèle biblique le plus éclairant en la circonstance est tiré du livre des Nombres selon les *Septante*, portant justement sur l'institution de Jésus (Josué) comme le chef d'Israël :

> « Que le Seigneur, Dieu des esprits et de toute chair, passe en revue un homme (pour diriger) cette synagogue... afin que cette synagogue ne soit pas comme un troupeau sans pasteur ... Prends Jésus... un homme qui a l'esprit en lui, et tu lui imposeras la main » (*Nombres* 27, 16-18.23)[18].

Ainsi, à la différence de l'élection de Matthias, la désignation des dirigeants passe désormais par la médiation ecclésiale : la communauté choisit les siens et les présente aux Douze. Puis, tous prient et imposent les mains. Dans le texte grec, il est vrai, le sujet de ce dernier verbe n'est pas clair : les Douze imposent les mains ou plutôt, la communauté et les Douze ensemble, mais certainement pas la communauté sans les Douze. Car ce geste, sur lequel nous reviendrons plus loin, appelle l'idée d'un lien tissé par l'Esprit, d'une mission allouée, d'un transfert de pouvoirs ou d'une communion ecclésiale entre des personnes ou des groupes différents. Mentionnons l'imposition des mains, reliant désormais les samaritains aux apôtres (Ac 8, 17) ; ou encore, l'imposition des mains sur Barnabé et Paul, chargés d'une mission par l'Esprit Saint (13, 2-3)[19] ; et enfin, celle de Paul sur les disciples d'Éphèse (19, 6). Le geste appelle l'idée d'une désignation manuelle, opérant comme un transfert de sens et de mission, au nom même de l'Esprit. Un lien nouveau est créé, spirituel. L'homme ne choisit pas, mais l'Esprit, et cela d'une manière irrévocable, puisque Dieu en est l'agent[20].

---

18. Sur le verbe *episkeptesthai*, au sens de passer en revue dans *Nombres*, voir G. Dorival, dans *La Bible d'Alexandrie, 4, les Nombres*, Le Cerf, Paris, 1994, p. 484.

19. Une telle imposition des mains, au sens d'une délégation de pouvoirs, va à l'encontre de tout ce que Paul déclare sur son apostolat dans ses lettres authentiques.

20. Sur l'imposition des mains, voir p. 170ss.

Revenons à la distinction qui précède entre les deux *services* : celui des tables et celui de la parole[21]. Le point semble curieux de prime abord, car le service de la table n'appelle pas de soi l'exigence d'être « remplis d'Esprit et de sagesse » (6, 3) ! De plus, l'activité d'Étienne, des judéo-hellénistes et de Philippe, nommés dans la liste des récipiendaires, touche directement la parole, et non pas la table (Ac 7 ; 8, 4). Philippe sera même désigné comme un « évangéliste » (21, 8)[22]. Tout le problème est alors de cerner ce que Luc entend exactement par chacun de ces deux services ou de ces deux types de ministère, ainsi que la raison de cette relative opposition mise entre la table et la parole. Car la table n'est pas là une simple affaire de cuisine ; elle touche le repas communautaire chrétien qui demeure le lieu éminent de la parole, de la prière et de l'enseignement. Tous ces éléments sont liés, par exemple dans Ac 2, 42 où il est successivement question de l'enseignement des apôtres, de la communauté, de la fraction du pain et des prières. Nous préciserons quelque peu ces points au chapitre 8.

Il n'en reste pas moins que Luc distingue les deux offices, mais un peu à la manière de ce que cet auteur nous dit à propos de Marthe et Marie : Marie écoute la parole, assise aux pieds du Maître, tel un disciple, et Marthe s'agite et sert à table (Lc 10, 38-42). On doit cependant se garder d'opposer ici les deux femmes, en déclarant que la contemplation s'opposerait désormais à l'action, et l'écoute de la parole, aux agitations de la vie. Car l'insistance du narrateur porte en fait sur Marthe, et non sur Marie. Marthe doit laisser sa nécessaire activité entièrement traversée par la parole. Jésus s'adresse seulement à Marthe qui doit convertir son action par l'écoute de cette parole. Non pas pour opposer les deux états de vie, mais afin d'innerver toute l'action chrétienne de la force de la parole. De même, dans le récit de Luc sur les ministères l'accent ne porte pas, d'un côté, sur une parole entièrement monopolisée par les Douze, et de l'autre, sur des tables désormais sans paroles. La pointe du récit porte sur la nécessaire référence à une parole commune, liée aux Douze, par-delà

---

21. Voir 1 P 4, 10-11, p. 128. Sur le service de la parole, on trouve dans la littérature juive postérieure une expression analogue dans *Mishna*, traité *Pirquêy Abbot* 6, 6, exactement, sur « le service des sages » ; puis, dans le *Talmud de Babylone, Berakhot* 7b, sur le « service de la Torah » selon Siméon ben Jochaï, vers l'an I50.

22. On retrouve ce titre dans Ep 4, 11 et 2 Tm 4, 5.

la multiplicité des lieux communautaires où la table et la parole continuent de faire corps[23].

Ajoutons une dernière suggestion à propos d'Ac 6, 7 : « La parole de Dieu croissait... et une foule de prêtres obéissaient (se soumettaient) à la foi ». Cette finale est inattendue. Est-ce à dire que de nombreux prêtres du Temple devinrent alors des disciples ? On n'a aucune indication sur ce point, en dehors de Barnabé le lévite. Mais ne faut-il pas plutôt comprendre cette curieuse mention avec le sens suivant : la hiérarchie sacerdotale d'hier, celle du Temple, a perdu sa raison d'être ; dans la foi en Jésus, elle doit désormais laisser la place à la construction ecclésiale et à ses nouveaux dirigeants ?

Mais, de cette lecture d'Ac 6, 1-7, retenons surtout l'importance donnée par Luc à ce récit de naissance de nouveaux dirigeants chrétiens, adaptés au terrain missionnaire judéo-helléniste, afin de constituer une unité ecclésiale propre et en même temps reliée à un ensemble plus vaste, au cœur d'une parole commune et d'une même référence aux Douze.

LE CHOIX DES ANCIENS (Ac 14, 23 et 20, 17-38)

L'auteur des Actes raconte non seulement le récit de la naissance des ministères dans Ac 6, 1-7, mais il ajoute deux autres éléments, dont l'important discours testamentaire de Paul, adressé aux presbytres de Milet (Ac 20, 17-36). Du début à la fin de son œuvre, la question du ministère intéresse Luc, mais en d'autres mots que ceux de Paul et que ceux d'aujourd'hui, plus encore. Néanmoins, le passage à notre langage actuel s'amorce déjà, et plus encore dans les Pastorales.

À Antioche et ailleurs, Paul et Barnabé

> « leur désignèrent de la main des anciens dans chaque église et, après avoir prié et jeûné, ils les confièrent au Seigneur en qui ils avaient cru » (Ac 14, 23).

Selon Luc donc, Paul qui lui-même reçut l'imposition des mains « après avoir jeûné et prié » (13, 3), devait à son tour désigner de la

---

23. Cependant, à l'époque de Luc déjà, devait sans doute s'opérer une certaine dissociation entre les « deux tables », comme à l'époque de saint Justin. La question du rapport entre la parole et le pain sera abordée aux ch. 7 et 8.

main des anciens. Comme dans la *Didachè* 15, 1, le verbe *désigner de la main*, ou *élire*, est ici à distinguer d'une imposition des mains à la manière d'Ac 6, 6 ; 13, 3 ; 19, 6 et 28, 8, et cependant ce geste de la main n'est pas sans lien avec le choix d'un ministre. Le vocabulaire de l'ordination se cherche encore[24].

La pièce majeure est Ac 20, 17-38. Relevons seulement quelques traits, que l'on pourra compléter à l'aide du livre de Jacques Dupont[25]. Aux Anciens d'Éphèse réunis à Milet, Paul, rappelle d'abord son action touchant la prédication. Cet enseignement, en public et dans les maisons, s'adresse aux Juifs pour qu'ils croient au Seigneur et aux Grecs pour les convertir à Dieu (20, 18-21). Car il lui importe d'abord d'accomplir sa « course » et, précise-t-il, « le service dont m'a chargé le Seigneur Jésus : rendre témoignage à l'Évangile de la grâce de Dieu » (v. 24). Le service (*diakonia*) de ce témoignage demeure premier. Puis, évoquant sa mort, Paul déclare alors aux anciens :

> « Prenez garde à vous-mêmes et à tout le troupeau sur lequel l'Esprit, le Saint, vous a établis épiscopes pour paître l'Église de Dieu, qu'il s'est acquise par son propre sang » (v. 28).

Enfin, il ajoute : « Et maintenant, je vous confie au Seigneur et à la parole de sa grâce, qui a le pouvoir de bâtir (*l'édifice*) et de vous donner l'héritage parmi tous les sanctifiés » (v. 32). Ces derniers mots sont empruntés à Dt 33, 3 selon les *Septante*.

Là encore, bien des questions surgissent sur les titres et les rôles alloués en la circonstance, dont nous préciserons plus loin les contours. Soulignons à nouveau le lien entre ce service et le motif de la parole ou encore l'insistance de Luc sur l'Esprit Saint, situé au principe même du ministère. Le mot *episkopos*, au sens de surveillant ou d'intendant, n'est pas employé ailleurs dans les Actes ; la charge épiscopale (littéralement, *l'épiscopat*) est seulement évoquée comme celle autrefois attribuée à Judas, et maintenant dévolue à Matthias (Ac 1, 20).

---

24. Cf. p. 170ss.
25. Jacques Dupont, *Le discours de Milet* (Lectio Divina 32), Le Cerf, Paris, 1962.

LE MINISTÈRE SELON LES PASTORALES[26]

Si l'auteur des Actes rapporte à sa manière l'histoire d'une mutation des ministères, allant des Douze jusqu'aux anciens, les lettres dites pastorales (1 et 2 Timothée ; Tite) offrent un tableau assez homogène des titres et des fonctions alors exercées. L'ensemble reflète une réalité communautaire déjà tardive et plus stable, avant les perturbations de la fin du premier siècle sous Dioclétien, alors même que le phénomène pseudépigraphe commençait à s'estomper. Bientôt, Ignace d'Antioche et d'autres n'hésiteront plus à parler en leur nom propre. Mais avant eux déjà, de soi-disant docteurs en arrivèrent à trop parler, et de leur propre chef. Citons Hyménée et Alexandre, directement mentionnés dans 1 Tm 1, 20. Il fallait donc leur répondre, et exhorter les communautés à la vigilance en usant d'ailleurs d'un langage stoïcien devenu populaire à l'époque. Bref, outre la tradition évangélique d'abord anonymement véhiculée[27], on se contentait de moins en moins des écrits rédigés sous le couvert de la pseudépigraphie. Il fallait nommément s'engager, à la manière de Clément de Rome et d'Ignace d'Antioche, sinon, déjà, comme Paul avait osé le faire[28]. Mais c'était alors opérer un passage considérable dans la manière même d'énoncer et d'annoncer la parole, et donc aussi de vivre le ministère chrétien.

Cela dit, les Pastorales se cachent encore sous le voile de la pseudépigraphie, sans trop parler de l'Esprit Saint d'ailleurs. D'emblée, à leur lecture on mesure la distance avec les écrits authentiques de l'Apôtre ou encore avec les lettres appartenant au deuxième cercle de la tradition paulinienne (Col ; Ep et 2 Th). La troisième génération chrétienne est maintenant là, juste avant le point de basculement de la tradition vers d'autres ministères de la parole, à la fois, unis et à

---

26. Voir J. Roloff, *Der erste Brief an Timotheus*, Zürich-Neukirchen, 1988 ; Y. Redalié, *Paul après Paul*, Labor et Fides, Genève, 1994 (bibliographie) ; E. Cothenet, « les ministères ordonnés dans les Pastorales », *Exégèse et Liturgie II* (LD 175), Le Cerf, Paris, 1999, p. 221-238.

27. Voir p. 80 sur l'en-tête des évangiles.

28. Paul a *osé* écrire des lettres (qui feront choc à l'époque), un peu comme Marc osera, le premier (semble-t-il), ramasser en un évangile les traditions narratives sur Jésus. Les autres lettres du N.T. proviennent des milieux judéo-hellénistes, proches ou non de Paul, mais non pas directement des *hébreux* (même pas He dont l'écriture est parfaitement grecque !). Comment oser écrire une parole, différente de celle de Jésus ?

distance de la parole première. Car dans les Pastorales, Paul continue de parler aux siens, et en même temps les relais de la parole se mettent en place, sous la forme privilégiée de l'enseignement. Encore faut-il que l'Apôtre autorise lui-même ces relais.

Selon cette tradition pseudépigraphe, Paul se présente donc comme le « héraut, l'apôtre et le docteur », établi par le Christ (2 Tm 1, 11 et 1 Tm 2, 7). Le titre prophétique disparaît alors, et l'insistance porte sur une proclamation maintenant liée à l'enseignement. Nulle part ailleurs, en dehors d'Ac 13, 2, l'Apôtre est qualifié comme ici de ce titre doctoral. Désormais, l'enseignement l'emporte. D'autant plus que des faux docteurs – et non plus des faux prophètes, comme on disait autrefois – s'insinuent déjà en nombre dans les Églises. Ce nombre risque même d'augmenter, car « les derniers temps » approchent (1 Tm 4, 1). Ces docteurs d'une « autre doctrine » (1 Tm 1, 3) sont connus aussi des autres Églises d'époque tardive, et le danger est non moins considérable (cf. 2 P 2, 1 ; Jude 3-16.18-19). D'où, selon les Pastorales, la nécessité de réduire ces vains bavardages (1 Tm 1, 3-7)[29]. Pour la première fois, le mot *hérétique* est employé dans l'Écriture (Tt 3, 10). Qui donc parle avec autorité ? Les « docteurs de la Loi », comme les appelle l'auteur de 1 Tm 1, 7 avec une pointe anti-judaïsante assurément, vont-ils s'imposer ? Telle est la question située à la base même des premiers développements du ministère chrétien à l'aide d'un vocabulaire encore malléable. Dans un tel contexte, on devine l'agitation des croyants, alors que la parole immédiatement apostolique paraît comme s'échapper. Paul lui-même a achevé sa course (2 Tm 4, 6-7), et il n'est pas question d'autres apôtres. Lui seul porte ce titre.

Dans ces Églises tourmentées de l'intérieur il importe donc d'assurer la base d'un enseignement solide, d'instaurer des liens entre les communautés traversées par une parole qui les domine toutes et, finalement, de qualifier des dirigeants locaux à même d'assurer la continuité de la foi. De fait, les collaborateurs de l'Apôtre, dûment mandatés par ce dernier, circulent beaucoup : Timothée est d'abord à Éphèse, avant de se rendre à Rome (1 Tm 1, 3 : 2 Tm 4, 9.21) ; Tite réside en Crète, puis, à Nicopolis, en Épire peut-être (Tt 1, 5 ; 3, 12). La mission de ces deux « enfants » aimés de l'Apôtre[30] est encore

---

29. De même, 1 Tm 4, 1-16 ; 6, 3-5 ; 2 Tm 2, 14-26 ; 3, 1-7 ; Tt 1, 10-16 ; 3, 9-10.
30. Cf. 1 Tm 1, 2 ; 2 Tm 1, 2 ; Tt 1, 41.

itinérante. Paul s'adresse à eux, et non pas directement aux Églises. Car le ministère touche des personnes précises, et non pas simplement une église déclarée tout entière ministérielle. Leur tâche majeure sera de mettre en place les dirigeants des diverses communautés locales « dans chaque ville » (Tt 1, 5), à même de garder le terrain face à l'envahissement des fausses doctrines. Or, d'un côté, la parole de Dieu passe et dépasse tous les lieux qu'elle traverse et, de l'autre côté, la régence d'une communauté tend plutôt à l'enfermer dans un même lieu, sinon, au sein d'une même communauté. Comment passer de la parole des apôtres et des prophètes à celle de ce collège des presbytres locaux, liés bientôt à l'épiscope d'une église (trop) particulière ?

Considérons plus avant le motif de la parole qui traverse ces lettres, prenant la forme privilégiée d'un enseignement. Puis, ramassons les données sur le vocabulaire ministériel alors employé, le choix, les fonctions et les qualités des récipiendaires, à savoir les presbytres, l'épiscope et les serveurs. Achevons sur une double remarque portant sur le geste de l'imposition des mains et le motif du lien apostolique.

UNE PAROLE D'ENSEIGNEMENT

Le point est évident dès une première lecture. L'accent est mis sur la parole, sous forme d'enseignement surtout. Car la parole (*logos*) est essentielle, à la base même du ministère : « la parole de Dieu n'est pas enchaînée » (2 Tm 2, 9), et Timothée se doit de « distribuer correctement la parole de vérité » (v. 15).

D'une part, le vocabulaire de la prophétie disparaît ou presque. Le mot prophète est seulement appliqué à un poète crétois (Tt 1, 12 ; il s'agit d'Epiménide), sans même en appeler aux prophètes d'Israël. Deux fois cependant il est question de la *prophétie*, dans le contexte précis que nous évoquerons plus loin, lors de l'investiture de Timothée à la charge ministérielle (1 Tm 1, 18 ; 4, 14).

D'autre part, le vocabulaire de l'enseignement est largement déployé : le verbe enseigner (*didaskein*) survient cinq fois ; l'enseignement (*didachè*), deux fois ; « la doctrine » (*didaskalia*), quinze fois et « l'enseignant » (*didaskalos*), trois fois. Cet enseignement fait d'ailleurs corps avec la proclamation de la Bonne Nouvelle d'hier et d'aujourd'hui : « la saine doctrine conforme à l'Évangile » (1 Tm 1, 10-11). Une fois seulement, Paul exhorte Timothée à accomplir son rôle d'*évangéliste*[31], au point de l'identifier au ministère : « Fais œuvre d'évangéliste, remplis pleinement ton service » (2 Tm 4, 5). Comme on voit, l'insistance est grande sur la parole, au creux du ministère chrétien.

Ajoutons quelques éléments en lien avec ce motif. Paul demande à Timothée de « garder le dépôt » de la tradition (1 Tm 6, 20 ; 2 Tm 1, 14). Tel un dépôt bancaire à l'époque, tout devait être restitué à l'identique. Car la parole de Dieu est sûre ou « digne de foi » (1 Tm 1, 15 ; 3, 1 ; Tt 3, 8) ; la doctrine est saine (Tt 2, 1), et, de même, toutes les paroles seront enracinées dans la foi (1 Tm 6, 3)[32]. Aussi Timothée doit-il en assurer la pérennité, en les confiant à d'autres :

> « Ce que tu as entendu de moi en présence de nombreux témoins, confie-le à des hommes fidèles qui soient capables d'en instruire encore d'autres » (2 Tm 2, 2).

De même, à l'épiscope dont parle Tt 1, 7, il est demandé d'être :

> « attaché à la parole digne de foi, conforme à l'enseignement, pour être capable d'exhorter dans la doctrine et de reprendre les contradicteurs » (Tt 1, 7).

Et Paul, le héraut, adjure Timothée de proclamer à son tour la parole et d'exhorter les siens « avec le souci d'enseigner » (2 Tm 4, 2.4 ; cf. 4, 17 et Tt 1, 3). Une telle insistance sur une parole s'exprimant d'abord sur le registre de l'enseignement laisserait donc croire à la prééminence alors accordée au titre doctoral. Or, il n'en est rien. Paul est désigné comme « le docteur des Nations » selon 1 Tm 2, 7, mais d'autres dirigeants n'en porteront plus le titre ensuite. De nouvelles appellations ministérielles apparaîtront alors, comme à distance d'un titre doctoral plutôt compromis par les faux docteurs du moment (1 Tm 1, 7 et 2 Tm 4, 3 ; cf. Jc 3, 1). Au reste, les titres d'apôtre et de prophète subissent en partie le même sort, jusqu'aux pseudo-apôtres mentionnés par Paul (2 Co 11, 13), puis, aux apôtres et aux prophètes itinérants considérés avec quelque méfiance par les judéo-chrétiens dont parle la *Didachè* (11, 3s. 7s). La page est en train de tourner. Les titres d'hier ne répondent plus à la situation nouvelle du travail de la parole dans les communautés. Pourtant, l'un d'entre

---

31. Sur les évangélistes, voir Ep 4, 11, p. 146.
32. Cf. aussi 2 Tm 1, 13 ; 4, 3 ; Tt 1, 9.13 ; 2, 8.

eux va s'échapper, et chez Paul d'abord : celui de *serveur* (*diakonos*), quitte à en voir le sens progressivement modifié.

LES SERVEURS, LES PRESBYTRES ET L'ÉPISCOPE

Le vocabulaire fondamental du service n'est donc pas oublié, au principe même du ministère de Paul « établi » par le Christ à son « service » (1 Tm 1, 12). À son tour, Timothée devra être « un bon serveur du Christ Jésus » au sein de l'Église d'Éphèse, en enseignant aux siens « les paroles de la foi et de la belle doctrine » (1 Tm 4, 6). Enfin, quatre fois dans 1 Tm 3, 8.10.12.13, il est question des serveurs. À la différence d'Ep 3, 7 par exemple, ce qualificatif n'est pas donné à l'Apôtre, comme si l'attachement à un lieu ecclésial particulier caractérisait déjà ce genre de service. Les serveurs, comme les épiscopes aussi, doivent gouverner leur propre maison, avec femme et enfants (1 Tm 1, 12 ; 3, 4). Ce qui implique leur stabilité.

Au niveau des Pastorales encore, le sens exact à donner aux mots serveurs, presbytres et épiscopes n'est pas entièrement clair ou, disons, technique. La difficulté vient, entre autres, du fait qu'on les identifie facilement aux évêques, prêtres et diacres d'aujourd'hui, sans voir combien le sens de ces appellations a évolué dans le cadre d'une hiérarchie dite à deux ou à trois degrés. Or, chacun d'eux provient de milieux chrétiens différents et tous ne désignent pas, de même manière, une charge ministérielle à proprement parler. Les milieux non pauliniens ne parlaient guère de serveurs, et dans un milieu judéo-chrétien les presbytres ne désignaient pas une charge ministérielle soi-disant équivalente à celle d'un épiscope. Certes, ces diverses appellations vont tendre à s'emmêler, puis, à se situer l'une par rapport à l'autre dans le cadre d'une hiérarchie à plusieurs degrés. Mais, à l'époque des Pastorales au moins, ce processus est seulement en train d'apparaître. Nous reprendrons le dossier au chapitre suivant.

Pour le moment, relevons seulement que les presbytres sont mentionnés au pluriel (1 Tm 4, 14 ; 5, 17 ; Tt 1, 5), alors que l'épiscope demeure ici au singulier (1 Tm 3, 1.2 ; Tt 1 ;7), à la différence de Ph 1, 1 où les deux titres sont au pluriel. Assez souvent, les commentateurs ramassent les deux mots en un seul, en parlant des presbytres-épiscopes, comme si ces mots étaient interchangeables. De fait, dans Ac 20, 17.28 Luc paraît les confondre ; et, de même ou presque,

l'épiscope dont parle Tt 1, 7 relève du groupe des presbytres mentionnés au v. 5. On remarquera cependant qu'il s'agit, d'un côté, d'un
groupe et, de l'autre, d'une personne au singulier. Plus encore, le mot
presbytre évoque l'idée d'un état, celui d'un ancien par rapport à des
jeunes, sans que ce mot, dans le contexte de l'époque, appelle directement l'idée d'une charge ministérielle. Au contraire, le mot *épiscope*
évoque en premier une fonction séculière dite de surveillance. N'allons donc pas trop vite les confondre, même si la Première à Timothée
et Tite sont effectivement les témoins d'une certaine assimilation
sémantique, tissée à partir de vocables issus en fait de milieux
différents, palestinien et hellénistique. Des presbytres pourront recevoir des charges, tels ces anciens qui « exercent la présidence, jugés
dignes d'un double honneur, surtout ceux qui peinent à la parole et
à l'enseignement » (Tm 5, 17)[33]. Mais tous les presbytres n'exercent
pas une charge et *a fortiori* les mêmes charges. La nouveauté d'alors
sera justement de voir certains presbytres chargés de la parole, alors
que jusque là leur présence collégiale ressemblait davantage à un
conseil de gérance des communautés (Ac 11, 30 ; 15, 2.22s). Au fait,
la Seconde à Timothée, dont l'écriture est peut-être antérieure à la
première, ne parle ni des presbytres ni d'un épiscope.

LE CHOIX, LES RÔLES ET LES QUALITÉS DES DIRIGEANTS

Considérons maintenant les éléments lus dans les Pastorales, qui
ont largement construit le ministère chrétien d'aujourd'hui. Certains
touchent les qualités des récipiendaires (1 Tm 3, 1-13 et Tt 1, 5-9) et
ont presque une allure « canonique », à la manière des *Constitutions
Apostoliques,* compilées au IVe siècle[34]. Deux exhortations en particulier méritent l'attention :

> – « Ne néglige pas le don qui est en toi et qui t'a été donné par
> (la) prophétie avec imposition des mains du collège des anciens » (1
> Tm 4, 14) ;
> – « Je te le rappelle, ravive le don de Dieu qui est en toi par
> l'imposition de mes mains » (2 Tm 1, 6).

Ces textes sont fondamentaux, au creux du passage entre l'époque apostolique d'hier et l'aujourd'hui du ministère. Car celui-ci est

---

33. Voir p. 37 sur 1 Th 5, 12 (*prendre de la peine*).
34. Voir Marcel Metzger, *Les Constitutions apostoliques*, Le Cerf, Paris, 1992.

un don de Dieu, lié à une parole dite de prophétie et marqué par l'imposition des mains. Comment comprendre ces mots et la raison de cette imposition des mains ?

D'abord, nul ne s'arroge de lui-même une charge gratuitement accordée par Dieu. Le ministère est toujours reçu, en lien avec une parole et un geste qui déclarent son origine dans la coulée de la tradition première, apostolique (celle de Paul, en l'occurrence) et prophétique (celle des prophètes susdits). Dans les deux textes, le *don* est souligné, littéralement, le *charisme* au sens d'un cadeau de Dieu, gratuit et permanent, accordé par le Seigneur et non pas simplement octroyé par des hommes. Et cela, même si la communauté chrétienne et ses dirigeants – ici Paul et les anciens – sont directement compromis en la circonstance. Les Pastorales insistent sur ce motif dans le cas de Paul. Il a été « établi héraut et apôtre » (1 Tm 1, 7 ; 2 Tm 1, 11), et l'Évangile lui « a été confié », alors, dit-il, que le Christ « m'a jugé digne de confiance en me mettant à son service » (1 Tm 1, 11.12). Cette fois, c'est Jésus qui est désigné au principe du ministère (cf. 1 Co 12, 5). Au fait, l'Esprit ne joue guère de rôle dans ces textes, sinon pour garder le dépôt de la foi, pour pénétrer l'Écriture d'un sens nouveau ou pour vivre la grâce d'une nouvelle espérance (2 Tm 1, 14 ; 3, 16 ; Tt 3, 5). On peut assurément « aspirer à l'épiscopat » (1 Tm 3, 1) – les candidats seraient-ils peu nombreux ? –, mais sans jamais s'imposer alors. D'autres Églises insisteront davantage sur le rôle de l'Esprit et sur le choix des ministres par les apôtres (Ac 6, 3 ; 14, 23 ; 20, 28). Mais, au niveau des Pastorales, l'investiture est d'abord un acte de Dieu en son Christ, ce qui n'élimine pas l'existence d'un geste concret, celui de l'imposition des mains, en présence, sans doute, de nombreux témoins (1 Tm 6, 12).

Relevons deux éléments assez énigmatiques dans 1 Tm 4, 14 : ce charisme ou le don de la grâce octroyé à Timothée lui a été « donné par prophétie » avec l'imposition des mains du « collège des anciens » (en grec, *presbyteriou*). Ce dernier mot, au génitif, désigne apparemment le collège des presbytres (Lc 22, 66 ; Ac 22, 5)[35]. Tout le presbyterium impose les mains dans un geste collégial, à la différence de 2 Tm 1, 6 où Paul apparaît seul en scène. Le mot *prophétie* qui précède est plus inattendu. La désignation de Timothée serait-elle

---

35. Autre lecture, moins probable peut-être, selon laquelle l'imposition des mains serait donnée « (en vue) du presbytérat ». Cf. H. Hauser, *L'Église*, p. 131.

survenue à la suite d'un oracle du Seigneur, émis par quelque prophète chrétien ? Ou bien, cette charge lui aurait-elle été confiée de par la force d'une parole prononcée par un prophète chrétien, sous l'influx de l'Esprit, éminemment lié à la prophétie ?[36] Les deux motifs se tiennent en fait l'un l'autre, car ce ne sont pas des hommes seulement qui sont concernés, dans l'appel, l'attribution concrète de cette charge et dans son exercice aussi. Dieu est là en son départ et tout au long.

Le point apparaissait déjà dans 1 Tm 1, 18 : « Telle la prescription que je te confie... selon les prophéties faites jadis à ton sujet ». Car ce cadeau de Dieu doit être désigné et signifié, à la fois, par le prophète, porte-parole de Dieu, et par le geste des anciens. De toute façon, quelles qu'en soient les modalités précises[37], le geste d'imposition des mains est lié ici à la parole et à l'action des prophètes chrétiens. Ce geste inscrit Timothée, le presbytre, dans la lignée prophétique ou, au moins, en lien de continuité avec les prophètes d'hier. On mesurera le poids de cet élément dans le cadre du chapitre 7 sur la prophétie. Car parler de prophète et de prophétie dans le langage d'alors, c'est déclarer que Dieu lui-même, en son Christ, est compromis dans l'affaire. Or, Dieu est fidèle en ses engagements, même lorsque l'homme veut les récuser. L'Alliance, y compris la première, ne saurait se dissoudre au regard de Dieu. Le baptisé ne peut pas ne plus être baptisé. Si le croyant et sa communauté religieuse étaient seuls en cause, le don du ministère pourrait facilement s'évanouir. Mais le don de Dieu est définitif de par cette désignation *prophétique* du ministère[38].

Poursuivons cette lecture des Pastorales, en situant mieux les charges propres à ces nouveaux dirigeants. Les rôles sont divers, même si la parole et le gouvernement, jusque-là déliés l'un de l'autre dans le cadre des premières fondations pauliniennes[39], constituent

---

36. Le mot grec *propheteias*, précédé de *dia* est, soit au génitif singulier, soit à l'accusatif pluriel avec le sens alors de « à cause des prophéties ». En ce dernier cas, le candidat aurait été choisi en raison d'un oracle prophétique. Par ailleurs, le mot peut évoquer l'idée d'une prière, souvent liée à la parole prophétique ; mais le point n'est pas clair.

37. Soit, le choix ou la désignation du candidat par le biais d'un oracle prophétique ; soit, des prières prononcées par un prophète chrétien (1 Co 11, 4 ; *Did.* 10, 7).

38. Telle est la base de ce que la tradition postérieure appellera la sacramentalité de l'ordination des ministres.

39. Cf. 1 Co 12, 28-30.

maintenant l'essentiel de leur ouvrage. Ils enseignent et ils président. Citons surtout 1 Tm 4, 13 : « Applique-toi à la lecture, à l'exhortation, à l'enseignement ». L'écriture et la lecture prennent de l'importance ; et l'enseignement est maintenant relié à l'exhortation homilétique qui relevait surtout de l'activité des prophètes dans un contexte directement paulinien (cf. 1 Co 14, 3). Outre l'enseignement (1 Tm 3, 2 ; 2 Tm 2, 2 ; Tt 1, 9), ils doivent aussi présider :

> « Que les anciens qui exercent bien la présidence soient jugés dignes d'un double honneur, surtout ceux qui peinent à la parole et à l'enseignement » (1 Tm 5, 17).

Les deux rôles tendent à fusionner. L'épiscope doit être « un bon intendant de Dieu » (Tt 1, 7). Il doit « prendre soin de l'Église de Dieu » (1 Tm 3, 4)[40] et Timothée, le premier, doit assister les veuves (5, 3-16). Il saura aussi défendre un presbytre des accusations injustes et admonester les opposants éventuels (1 Tm 5, 19-20 ; 2 Tm 2, 25). Tite, de son côté, devra « mettre en ordre ce qui reste (à régler) » (Tt 1, 5). Enfin, Timothée doit préparer l'avenir, sans précipitation cependant : « N'impose hâtivement les mains à personne » (1 Tm 5, 22). De même, Paul demande à Tite laissé en Crète d'agir :

> « pour que dans chaque ville tu établisses des anciens, comme moi, je te l'ai prescrit » (Tt 1, 5).

L'exercice de ces ministères réclame évidemment des qualités particulières. D'abord, celle d'être : « un bon serveur du Christ Jésus » (1 Tm 4, 6), « un bon soldat du Christ » (2 Tm 2, 3), « un serviteur du Seigneur » (2 Tm 2, 24). Et cela, avec les exigences qui s'en suivent : être irréprochable aux yeux d'autrui et un modèle pour les croyants (Tt 1, 6 ; 1 Tm 3, 2.7 ; 4, 12) ; être hospitalier et détaché de l'argent (1 Tm 5, 17-18), à l'inverse des faux docteurs (Tt 1, 11) ; être le « mari d'une seule femme », au sens ici d'être fidèle à son épouse ; et sachant enfin gouverner sa maison et ses enfants (1 Tm 3, 4.5). Ce qui demande de ne pas choisir des néophytes en l'occurrence (1 Tm 3, 6). Au fait, ces qualités de bon père de famille, doublées d'un réel désintéressement et d'une bonne réputation, étaient celles partout réclamées dans le monde hellénistique lors de l'attribution d'une gérance[41].

---

40. « Prendre soin » (en grec *proïstémi*) se rencontre huit fois dans le NT, au sens de s'occuper de ou prendre soin (Tt 3, 8.14), ou encore de diriger ou présider (1 Tm 3, 4.5.12). Voir 1 Th 5, 12-13 et Rm 12, 6-8 touchant les gestes de miséricorde.

41. Voir Ceslas Spicq, *Les Épîtres pastorales*, Gabalda, Paris, 1947, p. 427.

Les qualités exigées des serveurs qui jouissent d'un rang honorable (1 Tm 3, 13), ainsi que celles des femmes qui assument apparemment cette fonction – sans en porter ici le titre –, sont analogues à celles demandées à l'épiscope (1 Tm 3, 8-13). Toutefois, à comparer les listes des qualités exigées des uns et des autres, il n'est pas demandé aux serveurs d'être hospitaliers et aptes à l'enseignement. Il n'est pas, non plus, question à leur propos d'une imposition des mains. Mais jusqu'à quel point faut-il tirer quelques conclusions de ce silence ?

Deux remarques peuvent cependant être faites à ce sujet. D'abord, à l'époque tardive des Pastorales, et déjà dans la coulée de Luc (Ac 6, 2s), une certaine distinction devait s'opérer entre la parole et le service. Nous reviendrons sur ce point au chapitre 8. Ensuite, l'épiscope doit savoir largement accueillir l'hôte de passage, ce qui n'a rien étonnant puisque sa charge, lors de l'accueil des nouveaux venus, est celle d'un intendant chargé entre autres des finances, alors que le *serveur* se contente de les servir au mieux. Bref, au niveau des Pastorales, l'office de serveur paraît déjà second par rapport à la charge d'un épiscope, sans pour autant dire que les serveurs sont particulièrement attachés à ce dernier. Ils n'en sont pas les serviteurs, ils sont les serveurs d'une table qui les dépasse tous. Les rôles de chacun sont en fait différents, complémentaires assurément et sans nullement nier la prééminence naturelle de l'intendant dans le contexte d'un repas festif (Jn 2, 5.9). Plus tard, les *diakonoi* deviendront des *diacres*, c'est-à-dire des assistants de l'évêque, et non plus, comme autrefois, les serveurs du pain et de la parole, au sens fort de ces tâches.

L'IMPOSITION DES MAINS[42]

Trois fois, les Pastorales mentionnent une imposition des mains (1 Tm 4, 14 ; 5, 22 ; 2 Tm 1, 6). Le syntagme revient dans les évangiles synoptiques, souvent aussi dans les Actes – ainsi, dans Ac 6, 6 à

---

42. Joseph Coppens, *L'imposition des mains et les rites connexes dans le Nouveau Testament et dans l'Église ancienne*, Weteren, Paris, 1925 ; G. Kretschmar, « Die Ordination im frühen Christentum », *Freiburger Zeitschrift für Philosophie und Theologie*. 22 (1975), p. 35-39 ; E. Ferguson, « Laying on of Hands ; its Significance in Ordination », *Journal of Theological Studies* 26 (1975), 1-12 ; H. Hauser, *L'Église.*, p. 150-151.

propos des sept dirigeants judéo-hellénistes chrétiens– et enfin, sans précisions, dans He 6, 2. L'expression paraît donc assez courante dans le milieu paulinien tardif, mais non chez Paul. Il est difficile d'en cerner le sens ou la fonction, y compris dans l'Écriture où une expression analogue revient plusieurs fois. Relevons, par exemple, le geste de la désignation manuelle d'une victime sacrificielle, qui opère un choix (*Exode* 29, 10) ; ou encore, le geste de bénédiction provoquant la transmission d'un pouvoir, telle la bénédiction de Joseph par Jacob d'après *Genèse* 48, 15. Plus important, ce transfert d'autorité – une autorité d'ailleurs bien signifiée par la force de la main en Orient et ailleurs – est proprement déclaré dans le livre des Nombres à propos de Josué : « Yahvé dit à Moïse : Prends pour toi Josué, fils de Noun, en qui est l'esprit et tu appuieras ta main sur lui » (*Nombres* 27, 18). De même en Deutéronome, le choix de Dieu provoque un transfert de pouvoir : « (Josué) était rempli de l'esprit de sagesse, car Moïse avait appuyé les mains sur lui » (*Deutéronome* 34, 9). L'esprit et le pouvoir sont liés, et c'est Dieu qui donne l'esprit et le distribue à sa guise (*Nombres* 11, 25). Autrement, ce geste d'investiture n'est guère orchestré dans l'Écriture, y compris dans les *Septante* et la littérature judéo-helléniste dite apocryphe. Pourtant, dans un certain milieu chrétien au moins, il sera mis en relief à partir d'une relecture du geste de Moïse sans doute, mais sans insister, à la différence de Luc, sur la présence de l'Esprit en l'occurrence. Ainsi en est-il dans les Pastorales.

Il est plusieurs fois question d'une imposition des mains dans les évangiles synoptiques – mais non chez Jean. C'est un geste de guérison ou d'exorcisme selon le cas ; ou encore, un geste de bénédiction (Mc 5, 23 et 10, 16). Ananie impose les mains sur Paul pour le guérir, et non pour l'ordonner (Ac 9, 12.17). Comme en *Nombres* 27, 18 et en *Deutéronome* 34, 9, le lien avec l'Esprit est souligné dans les Actes (Ac 6, 5-6 ; 8, 17 ; 13, 2-3 ; 19, 6). Cela dit, chez Luc le syntagme *imposer les mains*, n'est pas encore devenu technique, comme il le sera apparemment dans les Pastorales (1 Tm 4, 14 ; 5, 22 ; 2 Tm 1, 6)[43]. Luc parle cependant d'une désignation manuelle visant un ministère (Ac 14, 23), d'une imposition des mains liée à une mission (13, 3), et,

---

43. La coutume d'une imposition des mains risquait apparemment de devenir trop fréquente, au point de susciter le conseil de ne plus se hâter en la circonstance (1 Tm 5, 22) ; l'auteur ajoute ensuite : « Ne participe pas au péché d'autrui.. » comme si ce geste était relié ici au motif du pardon des péchés. Mais le point n'est pas clair.

toujours dans un contexte de prière, il mentionne l'imposition des mains sur les sept dirigeants judéo-hellénistes chrétiens (6, 6). Dans ce dernier cas, la phrase grecque ne permet pas de savoir si les Douze seuls imposent les mains, ou bien, les Douze avec la communauté entière. Ce point n'apparaît guère préoccuper l'auteur. Mais le geste prend déjà chez lui de l'importance.

En dehors du milieu paulinien reflété par Luc et les Pastorales, ce geste ne semble guère s'être imposé partout. La lettre de Clément sur les épiscopes et les presbytres n'en parle pas, ni Ignace d'Antioche, ni le pseudo-Barnabé, le Pasteur d'Hermas, saint Justin et les apologètes du IIe siècle, et cela, dit-on, jusqu'à saint Irénée y compris. Est-ce par manque d'intérêt pour les institutions ecclésiales, comme le suppose Jean Lécuyer[44] ? Ou plutôt, parce qu'au départ ce geste n'était guère accepté que dans certaines Églises pauliniennes, à partir d'une relecture des *Septante* sur Nb 27, 18 et Dt 34, 9 peut-être ? Bref, le geste d'imposition des mains a mis du temps à s'imposer...[45].

Mais n'était-il pas connu déjà dans le judaïsme du premier siècle ? Le point est souvent retenu, en raison de la pratique d'une « ordination rabbinique », en lien justement avec *Nombres* 27, 18[46]. Le disciple d'un rabbi accéderait alors au statut de ce dernier avec le pouvoir d'enseigner. Mais la thèse est discutable dans le cadre palestinien du premier siècle. Le geste est assurément connu dans les communautés juives babyloniennes, avant de pénétrer plus tard la Palestine, au IVe siècle de notre ère seulement. Mais, auparavant, un disciple de la Torah était *compté au nombre* des scribes ou des rabbis – en usant alors du mot rabbi comme d'un titre d'honneur seulement. Au fait, la même expression se trouve dans le récit de l'élection divine (par le sort) de Matthias : « il fut compté parmi les onze apôtres » (Ac 1, 26). En bref, on se gardera de parler un peu vite d'un antécédent rabbinique au geste chrétien de l'imposition des mains, particulièrement mis

44. Jean Lécuyer, *Le sacrement de l'ordination. Recherche historique et théologique*, Beauchesne, Paris, 1983, p. 21-27.

45. Ernst Käsemann, « La formule néotestamentaire d'une parénèse d'ordination (1 Tm 6, 11-16), dans *Essais exégétiques*, Delachaux et Niestlé, Neuchâtel, 1972, p. 111-119, voudrait retrouver dans 1 Tm 6, 11-16 les traces d'un ancien formulaire d'ordination, avec une profession de foi en présence de nombreux témoins.

46. Sur l'ordination rabbinique, en hébreu *semikhat zeqênim*, « l'imposition des anciens », voir J. Newman, *Semikhah*, Manchester, 1950 ; Kurt Hruby, « La notion d'ordination dans la tradition juive », *La Maison Dieu* 102 (1970), 30-56 ; L.A. Hofman, « L'ordination juive à la veille du christianisme », *La Maison-Dieu* 138 (1979), 7-47.

en relief dans les milieux pauliniens postérieurs. De toute façon, l'existence même tardive d'un geste analogue dans les milieux juifs ne manque pas d'intérêt : l'imposition des mains est liée à la transmission d'une charge, et d'abord à celle d'enseigner.

LA TRANSMISSION DE LA PAROLE ET LA SUCCESSION APOSTOLIQUE

Le motif théologique de « la succession apostolique » dépasse le regard exégétique, du moins formulé de cette manière. Il apparaît d'abord chez Clément de Rome : « (les apôtres) posèrent comme règle qu'après la mort de ces derniers, d'autres hommes éprouvés leur *succéderaient* dans leur office » (44, 1-2). Or, l'apparition d'un nouveau vocabulaire reflète souvent un certain changement de paradigme – ce qui n'implique pas pour autant une rupture de continuité, mais plutôt un certain déplacement d'accents, opéré dès le début du IIe siècle. Le motif serait-il seulement en attente dans le Nouveau Testament ? Mais l'anachronisme risque toujours de se glisser dans ce genre de formule appliquée en direct à un texte biblique. Que dire alors de la succession des apôtres sur le seul registre néotestamentaire, celui de l'exégète ? S'agirait-il d'une pure succession doctrinale, attachée à la reprise fidèle d'une parole émise autrefois par les apôtres ? Ou bien s'agit-il de succéder à la charge missionnaire des apôtres, mais sans pour autant les remplacer dans le rôle d'une fondation ecclésiale qu'ils sont les seuls, dans le Christ, à continuer d'assurer ? Contentons-nous de quelques réflexions, à partir même de l'Écriture et à titre suggestif seulement.

Les Pastorales insistent sur le motif d'une réelle continuité du message à transmettre fidèlement : « Ce que tu as entendu de moi en présence de nombreux témoins, confie-le à des hommes fidèles qui soient capables d'en instruire encore d'autres » (2 Tm 2, 2). Ou encore, « ...demeure en ce tu as appris et dont tu as acquis la certitude » (3, 14) et « garde le dépôt » de la parole (1 Tm 6, 20 ; 2 Tm 1, 14). Alors s'instaure comme une chaîne de la parole, elle-même fondée sur un lien vivant avec les premiers transmetteurs de cette parole. De même, dans le cadre de la *tradition Q*, Jésus devait déclarer : « Qui vous écoute m'écoute » (Lc 10, 16), à comparer avec Mt 10, 40 : « Qui vous accueille, m'accueille, et qui m'accueille accueille Celui qui m'a envoyé ». Le lien n'est donc pas purement doctrinal, réduit à la charge de répéter le même message en succédant à un confrère défaillant. Il atteint des personnes en lien vivant d'unité entre elles, et cela, sur la base d'une parole effervescente, émise dans l'Esprit par un Seigneur toujours vivant. Ce n'est pas seulement une chaîne de témoignages ou d'enseignements reçus et transmis, mais la chaîne des témoins qui est ici en jeu, dans l'unité vivante du Corps du Christ.

Au fait, le phénomène pseudépigraphe est l'une des belles illustrations de cette unité vivante et personnelle entre l'apôtre et ses porte-parole prophétiques – Paul et l'auteur des Pastorales, par exemple. Toutefois, le lien touche ici à la fusion ou presque, alors qu'il deviendra vite nécessaire de réduire ce genre de confusion derrière laquelle pouvaient facilement se cacher des faux prophètes[47]. De nouveaux dirigeants, cette fois distincts des apôtres et des prophètes, se devaient d'assurer sous l'influx de l'Esprit la continuité de la parole dans la coulée même de sa transmission, au cœur d'une Église qui les attachait personnellement aux apôtres et à son Christ. En d'autres mots, ce lien s'inscrit dans une parole incarnée, jusque dans la chair des témoins qui se succèdent.

Faut-il alors parler en termes d'une succession de pouvoirs : les apôtres ont *de droit divin* des pouvoirs qu'ils transmettent aux évêques au cœur de chacune des communautés ? Le Nouveau Testament, reconnaissons-le, ne s'exprime guère de cette manière, ce qui n'invalide pas cette formulation dite en termes juridiques ou canoniques, du moins pour un catholique.

Reprenons plutôt la pensée paulinienne sur les différents types de parole : la parole de révélation venant *de* Dieu et de son Christ, par le biais des apôtres et des prophètes porte-parole ; puis, la parole *sur* Dieu et son Christ, par l'entremise des docteurs (d'après 1 Co 12 et 14)[48]. Dans ce contexte de pensée, la transmission de la parole du salut et des gestes qui font corps avec elle s'opère en fait à la confluence de ces deux types de paroles à toujours poursuivre : une parole de type doctoral et une parole, à la fois, apostolique et prophétique, tant ces deux dernières paroles sont désormais unies pour déclarer le lien avec la fondation première ; ainsi, dans Ep 2, 20, sur « la fondation des apôtres et des prophètes ». Car il ne s'agit pas

---

47. Sans doute le concept de succession prendra-t-il son ampleur, disons, à la mort de la parole pseudépigraphe, peu après l'écriture tardive de la Seconde de Pierre.
48. Cf. p. 50ss.

simplement de reprendre et de transmettre la parole, devenue scripturaire, des scribes du Royaume, mais il faut aussi l'inscrire dans la
coulée d'une tradition vivante, qui reste toujours prophétique et
apostolique. Le Seigneur est toujours là, et il continue de parler en
ce Corps du Christ qui demeure vif. Le dirigeant chrétien – en qui
l'Église reconnaît la pertinence de sa propre parole, à la mesure d'un
continuel *discernement des esprits* – ne fait pas que répéter un
message d'autrefois et il ne se contente pas, non plus, d'assurer une
charge de fonctionnement en remplacement et en piètre suppléance
de celle des apôtres. Il se situe en lien vital avec les premiers témoins
de la parole, dans le cadre d'une parole prophétique et apostolique
toujours énoncée dans l'irradiation de sa formulation première. Au
regard de la foi catholique du moins, il existe une continuité vitale
entre les multiples transmetteurs de cette parole, proprement *discer-
née* dans l'Esprit, et Celui qui souverainement continue de la prononcer. Mais cette vivante chaîne de la parole n'élude pas, au contraire,
l'existence d'un réel décalage aussi, puisque cette parole n'est plus
directement fondatrice à la manière de celle des apôtres et des
prophètes d'hier. Le serveur chrétien de la parole n'est pas seulement
un docteur, il demeure aussi un prophète, un porte-parole du Ressuscité d'aujourd'hui dans une continuelle référence à la parole apostolique première. En d'autres mots encore, deux types de *succession* se
présente, chacune éminente à son niveau : un lien de succession de
type doctoral dans la succession des charges d'un enseignement
énoncé *sous* le regard de l'Esprit et d'abord appuyé sur une continuelle relecture de l'Écriture ; puis, un lien de succession de type
apostolique et prophétique au sein du Corps du Christ, où, cette fois,
la parole surgit toujours *de* l'Esprit dans une continuelle nouveauté
qui déclare son lien et sa distance avec la fondation première et
continue de se laisser discerner par l'Esprit. Une succession doctrinale, dans la transmission des pensées de Confucius par exemple,
n'est pas du même type que la succession apostolique et prophétique,
impliquant la confession d'un Seigneur toujours présent et, dans la
foi encore, l'existence d'un lien vital avec Lui, dans l'Esprit.

Un ancien texte rabbinique, tiré des *Dires des Pères*, porte l'écho
d'une tradition analogue à celle de la succession apostolique, à une
époque voisine d'ailleurs : « Moïse reçut la Torah du Sinaï et la
transmit à Josué, José aux anciens[49], ceux-ci aux prophètes (d'Israël),

---

49. À savoir les presbytres dont parle Josué 7, 6.

ceux-ci aux hommes de la Grande Synagogue » – et donc, aux scribes et aux rabbis d'aujourd'hui[50]. La tradition première s'enracine au Sinaï, à partir de Moïse. Tous s'inscrivent donc dans la coulée d'une tradition qui les dépasse, et les scribes du temps de Jésus ne sauraient guère parler en leur nom propre, mais au nom du rabbi qui les précède, et cela, jusqu'à se réclamer du Sinaï même. Les scribes se situent alors dans la succession des prophètes, des anciens, et même de Moïse. Plus tard, à partir du IIe siècle de notre ère surtout, on parlera d'une *tradition orale*, à la fois, liée à et distincte de l'écrit mosaïque[51]. Tant le Sinaï continue de porter l'écho des paroles de vie. D'une façon quelque peu analogue, le motif de la succession apostolique adopte le même schéma, mais avec une différence essentielle. Car la source de cette parole vive n'est plus à situer dans l'hier du Sinaï, mais dans l'aujourd'hui d'un Christ qui nous parle toujours. La foi en la Résurrection est au principe même de cette parole en continuel travail de transmission vivante au creux des ministères chrétiens.

Faut-il souligner en conclusion deux limites, au moins, d'une présentation des ministères selon les Pastorales. D'abord, ces lettres insistent surtout sur une parole saisie comme un enseignement, sur le seul registre doctoral, avec le fixisme d'un dépôt à conserver intact. D'une certaine manière, le concept de succession apostolique va assouplir, sinon corriger, cette position trop attachée à la lettre des docteurs et des exégètes, pour mieux la situer dans la coulée de la tradition apostolique et prophétique. En second lieu, la parole qui s'exprime dans les Pastorales n'apparaît guère de type missionnaire, kérygmatique et apostolique, comme si la communauté locale, et ses dirigeants accrédités, enfermaient ou presque la parole dans leur communauté, sans regard sur l'extérieur, sinon, pour craindre l'enseignement des faux docteurs. Là encore, l'appel à une parole apostolique, dépassant l'enfermement des lieux, devint bientôt impératif – et déjà Luc, semble-t-il, devait l'exprimer dans Ac 6, 2, comme nous l'avons suggéré plus haut. Le service de la parole se détache en partie du service de la table communautaire, car les tables s'attachent à des lieux précis, alors que la parole apostolique les surplombe.

---

50. *Mishna,* traité *Pirqêy Abbot* 1, 1.
51. Cette *Torah orale,* cette tradition issue de Moïse, est en partie à distinguer de la *tradition des Anciens* (Mc 7, 5), désignant apparemment l'ensemble des décisions presbytérales prises après l'époque d'Esdras.

LE SERVICE D'UNE PAROLE APOSTOLIQUE ET PROPHÉTIQUE

Les pages qui suivent adoptent une écriture synthétique, différentes des analyses jusque-là produites. Car il s'agit désormais de saisir des ensembles, de désigner les lieux majeurs de l'exercice du ministère, et enfin, de signifier l'essentiel de ce ministère de la parole par le biais d'une compréhension renouvelée du prophétisme chrétien. Comme toutes les synthèses de ce genre, incomplètes toujours, la présente approche se veut suggestive, sans la prétention d'épuiser un sujet qui, exégétiquement et théologiquement, dépasse celui qui tente de balbutier quelques mots à son propos. Auparavant, le chapitre 6 ramassera l'acquis de l'inventaire qui précède, en précisant le vocabulaire ministériel dont usent ou non les diverses communautés chrétiennes dans le contexte hellénistique. Et cela, sans lien apparent avec un motif sacerdotal, compris au sens vétéro-testamentaire du moins. Dès lors, comment situer le ministère chrétien ? De récents travaux sur le prophétisme chrétien et sur le motif du service permettent à cet égard une avancée nouvelle. L'idée de médiation en constitue le cœur. Au chapitre 7, l'attention se portera sur le motif, à la fois, apostolique et prophétique. Il s'agira alors de souligner le lien entre le prophétisme, compris à la manière de Paul, et le ministère des porte-parole du Christ Jésus, dans les paroles et les gestes de salut que le Seigneur continue toujours de poser. Le chapitre 8, à partir du vocabulaire ministériel par excellence – celui de la *diakonia* – situera ce ministère au cœur même du repas du Seigneur comme au service aussi d'une parole qui en dépasse les frontières. Commençons par faire le point.

CHAPITRE 6

LA CHARGE MINISTÉRIELLE
ET LE VOCABULAIRE SACERDOTAL

Le présent chapitre a deux objectifs. Il s'agit d'abord de rappeler rapidement les titres de fonction les plus courants dont usaient les groupes corporatifs ou religieux au sein du monde hellénistique, juif et idolâtre. On relèvera alors la particularité du langage ministériel chrétien : comment produire un vocabulaire qui différencie les fonctions et les titres de fonction des communautés chrétiennes par rapport à ces divers groupes ? Ensuite, parmi les titres ministériels ignorés des premiers croyants, nous relevons celui de « sacrificateur » – en grec, *hiéreus*, souvent traduit par *prêtre* –, en donnant alors à ce mot un sens directement sacerdotal dans la lignée du sacerdoce vétéro-testamentaire. Dans le cadre d'une argumentation exégétique au moins, cette piste sacerdotale, au sens strict, ne paraît guère praticable. Dans ces conditions, comment rendre compte d'une dimension pourtant essentielle du ministère chrétien, tant le motif de la médiation *in persona Christi* – disons, en lieu et place du Seigneur sans pour autant le remplacer – ne saurait être oublié ? Mais de quelle manière alors ?

LE LANGAGE MINISTÉRIEL CHRÉTIEN DANS LE CONTEXTE HELLÉNISTIQUE

Tous les titres ministériels chrétiens sont déjà connus dans le monde hellénistique, juif ou idolâtre, avec des nuances diverses selon le cas[1]. Les fonctions respectives des épiscopes, des serveurs et des presbytres chrétiens sont, à la fois, semblables et vite distinguées de celles allouées aux surveillants (épiscopes) ou aux intendants de certains groupes hellénistiques. Ou encore, elles sont analogues à celles des presbytres connus dans le Judaïsme et ailleurs, mais vite à distinguer aussi. Le critère de cette distinction porte éminemment sur le lien à opérer ou non avec le motif de la parole. Les apôtres, prophètes et docteurs chrétiens font corps avec cette parole, selon des modalités propres à chacun[2]. Plus tard, l'appellation des gestionnaires d'hier, tels les épiscopes et les serveurs du monde hellénistique, sera comme *christianisée* en raison de ce lien essentiel avec la parole nouvelle du salut.

Mais commençons par un point important : les croyants ont choisi des titres de fonction plutôt neutres ou profanes, sans connotation religieuse marquée. Comme si pour mieux se distinguer du monde ambiant, juif et idolâtre, ils privilégiaient d'emblée des appellations, disons, innocentes, sinon, en réaction contre les titres d'importance portés à l'époque. Les titres les plus illustres et officiels sont gommés[3], surtout ceux ayant quelque résonance religieuse, juive ou idolâtre. Le point est évident dans le cadre d'une comparaison avec les titres de fonction du judaïsme hellénistique.

AU SEIN DU JUDAÏSME HELLÉNISTIQUE

Considérons d'abord le cas des archontes et des presbytres (les anciens) ; puis, celui de l'archisynagogue et du serviteur de la synagogue, avant d'évoquer les titres et fonctions, connus à Qumrân, ainsi

---

1. Voir entre autres André Lemaire, *Les ministères aux origines de l'Église* (Lectio Divina 68), Le Cerf, Paris, 1971.
2. Voir ch. 2, p. 40ss.
3. Par exemple, les mots grecs : *timè*, au sens de diginité ou de charge honorigfique ; *telos*, pour désigner une haute charge et *archè,* une autorité, ne sont pas repris dans le langage ministériel chrétien.

que ceux dont parle Philon d'Alexandrie dans le contexte juif des Thérapeutes d'Égypte. Il ne sera plus question des archontes dans les communautés chrétiennes, et a fortiori des sacrificateurs, tels le Grand-prêtre, les prêtres des vingt-quatre classes sacerdotales et les lévites. Le titre presbytéral subsistera, mais chez certains seulement et avec d'importantes corrections. D'autres titres, empruntés au monde hellénistique, vont bientôt s'imposer et finalement se substituer à l'ancienne triade des « apôtres, prophètes et docteurs » dont parle Paul. Mais, là encore, c'est la manière même de se situer par rapport à la parole du salut qui provoquera ce déplacement majeur. Le vocabulaire diaconal et le motif prophétique, déjà mentionnés ça-et-là dans le présent chapitre, feront plus loin l'objet d'une investigation précise.

Les archontes et les presbytres juifs et chrétiens[4]

En Israël, nous l'avons dit[5], les communautés urbaines juives étaient dirigées par sept hommes, dits archontes ou juges, avec l'appui de deux serviteurs lévites[6]. Le point a son intérêt, car ce nombre est comparable aux sept judéo-hellénistes chrétiens dont il est question dans Ac 6, 1-6. Plus tard, parmi les sept dirigeants juifs d'une communauté ou d'une association urbaine, trois d'entre eux devaient s'occuper de l'administration de la synagogue[7]. Cette gestion, avec d'autres activités encore (les fonds d'entraide, le tribunal, la prison et l'inspection des marchés), demeurait au cœur de la responsabilité de ces dirigeants. Un ou plusieurs étaient chargés de l'office d'entraide, et donc de la collecte, autorisée d'ailleurs explicitement par Jules César[8].

---

4. Voir S. Appelbaum, « The organization of the Jewish Communities in the Diaspora », dans S. Safrai et M. Stern, éd., *The Jewish People in the First Century*. I, Assen, 1974, p. 464-507 ; J.T. Burtchaell, *From Synagogue to Church. Public services and offices in the earliest christian Communities*, Cambridge, New York, 1992. Sur les presbytres, voir surtout R.A. Campbell, *The Elders. Seniority within Earliest Christianity*, Edinburgh, 1994.

5. Sur Ac 6, p. 157.

6. Ainsi, d'après Flavius Josèphe, *Antiquités Juives* IV § 214.287.

7. Voir *Talmud de Jérusalem*, traité *Megilla* 3, 74a ; et *Talmud de Babylone*, *Megilla* 26a et *Sanhedrin* 17b.

8. Sur les décrets impériaux concernant ces « privilèges », voir Christiane Saulnier, *Histoire d'Israël* III, Le Cerf, Paris, 1985, p. 487-488 ; et « Lois romaines sur les Juifs selon Flavius Josèphe », *Revue Biblique*, 88 (1981), p. 161-198.

D'une manière plus précise, l'*archonte* désigne dans le monde hellénistique un dirigeant, juif ou non (*Judith* 6, 15s), à la tête d'une communauté urbaine. Ainsi, à Antioche, les archontes juifs qui étaient élus s'occupaient des trois synagogues de la ville ; ils étaient accompagnés d'un assistant ou d'un protecteur (en grec, *prostatès*) ; et de même, à Rome. Or, le mot archonte n'est jamais utilisé dans le Nouveau Testament pour désigner un dirigeant chrétien, mais seulement des magistrats juifs ou non[9] ? Et si, une fois, le Christ est nommé l'archonte des rois de la terre (Ap 1, 5), ce titre sera le plus souvent réservé à Satan[10]. Par ailleurs, Jésus ironise sur ceux qui « semblent régenter » (Mc 10, 42), car désormais l'esclave l'emporte sur *le premier*. Dans le langage populaire juif, *les premiers* désignaient des dirigeants (Mc 6, 21 ; Ac 17, 4).

Ces archontes peuvent être accompagnés d'un conseil d'anciens ou de notables. Les *Septante* mentionnent souvent ces presbytres, tels les soixante-dix anciens qui entourent Moïse (*Nombres* 11, 16-30). Il en est partout question en Israël, y compris au Sanhédrin (Mc 14, 43ss), et dans la Diaspora d'Alexandrie en particulier. Le titre semble, toutefois, inconnu ou presque à Rome et à Antioche d'après les anciennes inscriptions juives. En outre, leur rôle n'apparaît pas toujours clair : celui de conseillers peut-être, mais, généralement, sans aucun pouvoir direct au niveau de l'exécutif et sans lien immédiat avec la gestion d'une synagogue, du moins à l'époque ancienne. Ils font plutôt « tapisserie », comme on dit. Bref, le mot *presbytre* n'est pas un titre ministériel à proprement parler, même si les archontes sont choisis de préférence parmi ces anciens. En outre, leur influence est plutôt de type collégial, et non pas individuel : les Anciens (au pluriel) agissent ou réagissent en corps. Ces divers points sont importants dans le cadre du Nouveau Testament, car les mots *presbytre* et *épiscope* ne sauraient être d'emblée situés à un même niveau, sur le même registre : l'un désigne plutôt un état de fait, et l'autre, une fonction. Cet état invite assurément à une certaine considération à l'endroit des notables en fonction de leur âge ou plutôt en raison de l'ancienneté de leur appartenance à une groupe. Le jeune Timothée est déjà un ancien (1 Tm 4, 12.14), et un jeune n'est pas forcément un néophyte (1 Tm 3, 6).

---

9. Dans Ac 4, 5.8.26 ; 1 Co 2, 6.8 ; Rm 13, 3.
10. Dans Mt 9, 34 ; 12, 24 ; Jn 12, 31 ; 14, 30 ; 16, 11 ; Ep 2, 2.

Par rapport à ce large contexte juif, précisons quelque peu le titre et les fonctions d'un presbytre chrétien. Le titre presbytéral sera repris dans un milieu judéo-chrétien sans doute assez tardif, à Jérusalem, à Éphèse et jusqu'à Rome. Toutefois, dans ses lettres authentiques, Paul n'en parle pas, et l'on peut se demander jusqu'à quel point les premières traditions judéo-chrétiennes ont vite repris ce titre, plutôt connoté de manière péjorative : les grands prêtres, les anciens et les scribes n'étaient-ils pas les adversaires par excellence du Seigneur (Mc 14, 43.53) ? Inversement, il est vrai, le titre est fréquent et bien reçu dans le cadre du judéo-hellénisme égyptien dont l'influence est grande sur le judéo-hellénisme chrétien, par le biais des versions grecques de la Bible au moins. Bref, des presbytres chrétiens apparaissent dans les Actes, dans le contexte local de Jérusalem surtout (Ac 11, 30) et particulièrement dans le cadre de l'assemblée de Jérusalem, attachés alors au groupe quasi immobile des apôtres (Ac 15, 2.4.6.22.23 ; 16, 4). Par ailleurs, Jc 5, 14 mentionne « les presbytres de l'Église » et Pierre se désigne comme un « co-pres-bytre » parmi les presbytres (1 P 5, 1-4). Dans la ligne de Luc selon Ac 14, 23, la première lettre à Timothée (5, 17-25) et Tite leur donnent plus d'importance encore – mais non pas l'auteur de la seconde lettre à Timothée. Tite doit « établir dans ville » des presbytres (Tt 1, 5). Par ailleurs, l'auteur des lettres johanniques se désignera comme « l'ancien » par excellence, sans laisser place ici à d'autres presbytres (2 Jn 1, 1 ; 3 Jn 1, 1). Enfin, le mot *presbyterium* apparaît dans 1 Tm 4, 14, à l'instar du conseil juif des anciens dont parlent Lc 22, 66 et Ap 22, 5.

Dans les Actes, les presbytres chrétiens ne bougent guère de Jérusalem – sauf en Ac 14, 23 et 20, 17 – et leur rôle n'est pas des plus actifs, sinon celui de s'occuper de la collecte (Ac 11, 30) ou encore d'un litige (Ac 15, 2 ; 16, 4). Il est assez curieux de les rencontrer à Rome selon Clément de Rome[11] et sans doute aussi d'après 1 P 5, 1.5 – c'est-à-dire dans une ville où les anciens témoignages littéraires n'en mentionnent guère la présence dans le cadre synagogal. Les presbytres chrétiens prendront vite de l'importance, pourvus d'une fonction de gouvernement, liée à la parole nouvelle, mais cela seule-ment, au niveau des Pastorales (1 Tm 5, 17) et des Actes à propos des presbytres d'Éphèse (20, 17). Le titre devient alors ministériel, et il

---

11. *1 Clément* 44, 5 ; 54, 2 ; 57, 1, et à Corinthe, 46, 6.

tend d'autant plus à s'apprivoiser dans le langage chrétien qu'un certain flou semblerait les assimiler aux épiscopes[12]. Venus de milieux différents, les deux appellations se télescopent d'abord, quitte à souligner plus tard la différence entre ces presbytres, au pluriel, et l'épiscope, au singulier, pour signifier l'autorité de ce dernier, à la manière d'un archonte entouré de son conseil de sages.

L'archisynagogue et le serviteur de la synagogue

Considérons ensuite les charges immédiatement liées à la synagogue, même si dans le langage populaire on pouvait facilement confondre les archontes et les archisynagogues, comme en témoignent Lc 8, 41. 49 et Mt 9, 18.23, à propos de Jaïr. Là encore, les deux charges sont connues dans les anciennes inscriptions juives et les textes rabbiniques ; mais le titre survient aussi dans le cadre des associations païennes. De son côté, le Nouveau Testament mentionne plusieurs fois ces archisynagogues, tels Jaïros (Mc 5, 22.35-38), Crispus et Sosthène à Corinthe (Ac 18, 8.17), puis, – au pluriel, ce qui est inhabituel – les archisynagogues d'Antioche de Pisidie (Ac 13, 15). L'archisynagogue s'occupe de l'assemblée du sabbat ; il fait respecter l'ordre et désigne au besoin le lecteur et l'homéliaste (Lc 13, 14 ; Ac 13, 15). Après le IIe siècle de notre ère surtout, il présidera la prière. Le titre n'a pas été repris par les chrétiens, en dehors du milieu sectaire judéo-chrétien dont parle Épiphane de Salamine (*Panarion* 30, 18).

L'archisynagogue est aidé par un *serviteur*[13], à l'exemple des assistants au service des associations grecques ou encore à la manière des serviteurs du Sanhédrin (Mt 26, 58 ; Ac 5, 22). Ce serviteur veillait à remettre les rouleaux bibliques au lecteur et à les reprendre (Lc 4, 20) ou même, à exécuter la flagellation des coupables[14]. Là encore, le mot ne s'imposera pas dans le vocabulaire chrétien, malgré 1 Co 4, 1 ; Lc 1, 2 et Ac 13, 5, où l'accent est mis sur le motif du service en général. C'est dire combien le vocabulaire ministériel chrétien se démarque singulièrement des synagogues comme des autres associations de l'époque. N'y a-t-il cependant pas un certain lien entre les

---

12. Ainsi dans Ac 20, 28 ; Tt 1, 5 et 7 ; et chez Clément de Rome encore (44, 4 et 5).
13. En grec, *hyperètès*, et non pas *doulos*, l'esclave.
14. Voir Mt 5, 25 ; 10, 17 ; 23, 34 ; 2 Co 2, 24.

titres chrétiens et les appellations fonctionnelles, connues dans les groupes marginaux à la manière des sectaires esséniens de Qumrân ? Car ces derniers aussi refusaient un vocabulaire directement synagogal.

Chez les esséniens[15] et les thérapeutes d'Égypte[16]

Les sectaires juifs de la nouvelle alliance à Qumrân et d'autres communautés esséniennes aux abords des villes constituaient des groupes quelque peu marginaux, mais bien structurés en diverses unités de dix et plus, tout prêts s'engager dans le combat de la fin des temps. Le « Conseil de la Communauté » disposait de l'autorité, et le Maître de Justice, le guide authentique en matière de salut, demeurait la référence première, en dehors de la Torah et des Prophètes évidemment. Lui d'abord et la communauté de l'Alliance avec lui savent parfaitement interpréter la Loi dans sa lecture définitive, sans appel à d'autres traditions extérieures. Le titre de prophète n'est cependant pas octroyé à ce maître, puisqu'il s'agit de connaître par lui le fin mot de la Loi, mais sans rien ajouter à la parole de Dieu et aux messages des anciens prophètes. Il n'en demeure pas moins un maître qui, au terme de l'histoire, dévoile pleinement le sens des Écritures.

Dans le cadre d'une communauté étroitement hiérarchisée, le prêtre et surtout l'inspecteur ou l'instructeur occupent des rôles essentiels. Plus exactement, au sein de cette communauté éminemment sacerdotale – au sens où tous participent de quelque manière au sacerdoce du peuple élu (Ex 19, 5s) –, les prêtres (les sacrificateurs) jouent en fait un rôle relativement modeste, tout en gardant la préséance sur les autres membres du groupe. Ainsi prononceront-ils en premier la bénédiction au début du repas messianique et eschatologique[17] ; ils participeront aussi à la charge communautaire, mais

---

15. Signalons seulement C. Hempel, Community Structures in the Dead Sea Scrolls », dans P.W. Flint et J.-C. Vanderkam, éd., *The Dead Sea Scrolls after fifty Years*, Brill, Leiden, 1999, p. 79-86.

16. Voir Philon d'Alexandrie, *de Vita contemplativa* (F. Daumas et P. Miquel), dans *Les œuvres de Philon d'Alexandrie*, 29, Le Cerf, Paris, 1963. Philon se situe environ entre l'an 20 avant J.-C .et 40 et plus.

17. Voir *1Q Règle* VI, 4, 5 ; *1Q Règle annexe* II, 17-21.

sans trop préciser comment[18]. Les rôles majeurs, les plus fréquemment rappelés, sont en fait alloués au *mebaqqer*, c'est-à-dire à l'inspecteur et au *maskil*, l'instructeur. Le *mebaqqer* – le mot vient d'un radical verbal (*bqr*) signifiant selon le cas : chercher, examiner, surveiller ou visiter les malades – vise concrètement la régence financière, administrative et judiciaire des camps ou des communautés de l'alliance[19]. Le second mot *maskil*, l'instructeur – d'un radical (*skl*) signifiant comprendre et faire comprendre – revient plus souvent encore dans les textes esséniens, car son importance est considérable[20]. Son rôle, le plus souvent distinct du précédent, porte en effet sur la compréhension de la parole, et cela, dans un contexte souvent liturgique[21].

La distinction de ces deux rôles – celui du *mebaqqer* et celui du *maskil* – répercute à sa manière, dans un autre milieu et à l'aide d'un langage différent, une distinction analogue au sein même des synagogues : entre l'archonte d'un côté et, de l'autre, l'archisynagogue avec les docteurs de la Loi qui œuvraient dans un contexte synagogal. Le rapport à établir entre le régent d'une communauté et l'intelligence d'une parole souveraine demeure au cœur du débat, dans les assemblées juives déjà, puis, dans les communautés chrétiennes. Et c'est d'ailleurs l'importance accordée à la parole au cœur de la vie communautaire qui les différencie toutes des autres associations religieuses du monde hellénistique[22]. Celui qui dirige reste sous la coupe de la Torah. Au sein des communautés chrétiennes ensuite, tout le problème sera d'organiser ce rapport de nouvelle manière, puisque la Torah trouve désormais son fin mot dans le Christ devenu Parole.

---

18. Voir *Document de Damas* 14, 6-7 et *4Q De* VII, 1, 16.

19. Par exemple dans *1Q Règle* VI, 12ss. Le radical verbal *bqr* est utilisé aussi dans la littérature rabbinique pour désigner ce type de régence communautaire, alliée au souci des pauvres (*Mishna Pea* 6, 1 et *Talmud de Babylone,* traité *Demaï* 3, 23b : « celui qui donne son bien aux pauvres ».

20. Ainsi dans *1Q Règle* IX, 12s.21s.

21. Cf. *4Q* 298 et 510-511.

22. Dès le Ie s. avant JC au moins, les scribes d'affinité pharisienne en particulier sont à la base d'une nouvelle théologie de la parole de Dieu, s'exprimant entre autres dans le cadre du sabbat, avec la promotion des livres prophétiques par exemple. Le mot Torah lui-même devait comme changer de sens pour désigner cette révélation divine de la Parole. D'autres milieux, par exemple Philon d'Alexandrie, mirent aussi l'accent sur ce motif, au point de désigner le *logos* comme un agent divin ou presque. Plus tard, la tradition targoumique (rabbinique) mettra aussi en valeur la *memrah*, la parole divine.

Pour en revenir au *mebaqqer* essénien, est-ce à dire que l'*épiscope*, c'est-à-dire le surveillant ou l'inspecteur chrétien, en dérive en droite ligne ? La question recoupe en fait un problème plus large encore, celui des liens possibles et de la différence notoire entre le mouvement de Jésus et les groupes esséniens de l'époque. Car la distance est grande entre Jésus, et les siens, et ces communautés esséniennes élitistes en matière de pureté rituelle, entièrement fermées sur elles-mêmes. Toutefois, on ne saurait, non plus, complètement refuser l'hypothèse d'une certaine influence essénienne sur des communautés pauliniennes et johanniques d'époque tardive. Cela dit, la dérivation supposée n'est pas prouvée, et, d'ailleurs, l'important n'est pas de reconnaître ou non une étroite parenté entre ces deux *inspecteurs* au sein d'un contexte analogue. Il importe plutôt de jauger le lien existant ou non entre l'office d'une régence communautaire et le travail de la parole dans le cadre de ces deux milieux communautaires distincts.

Un autre groupe juif en livre un exemple analogue, mais avec d'autres mots encore. Il s'agit d'une communauté de type monastique[23], sise à 10 km environ à l'ouest d'Alexandrie. Ses membres, hommes et femmes, voulant vivre à la manière des prêtres, sont appelés *thérapeutes*, au sens de serviteurs de Dieu, par Philon d'Alexandrie qui les décrit avec ferveur[24]. Le jour du sabbat et toutes les sept semaines, ils se réunissent pour lire l'Écriture, prier, chanter, avant de prendre leur repas communautaire, très frugal d'ailleurs. Au sein de ce groupe, voué à la contemplation, on distingue en particulier des anciens, c'est-à-dire les membres de la communauté, hiérarchiquement disposés selon leur date d'entrée, et des jeunes aussi, chargés de la table en particulier. Des *éphémereutes* régissent l'ordre communautaire, et, avant le repas, le président[25] de la communauté explique attentivement les saintes Écritures[26]. Plus encore, lors de ces repas communs :

« ils ne sont pas servis par des esclaves, car ils jugent que posséder des serviteurs est contraire à la nature : celle-ci, en

---

23. On relèvera ici le premier emploi connu du mot *monastèrion* dans le contexte de cette communauté, les hommes d'un côté et les femmes de l'autre, vivant un peu à la manière d'un béguinage des Flandres.
24. Philon, *de Vita contemplativa* (voir note 16).
25. En grec, *proedros*.
26. Voir *de Vita Contemplativa* § 66-67 et 75-76.

effet, a fait naître tous les hommes libres....Ce sont des hommes libres qui servent ».

Et Philon précise ensuite :

> « On n'assigne pas non plus ces offices à n'importe quel homme libre, mais aux jeunes de la communauté, choisis avec grand soin d'après leur mérite.... Ces jeunes gens servent avec une joyeuse émulation, comme de vrais fils servent leur père et leur mère, estimant qu'ils ont là des parents communs qui leur sont plus proches que les parents par le sang »[27].

On relèvera l'importance accordée au motif du service de la table (*diakonein*), ce qui de soi surprend dans un contexte hellénistique. Par ailleurs, ces jeunes sont choisis, et tous, librement, adhèrent à leur parenté nouvelle au sein d'une même communauté de table. On est déjà proche des premiers serveurs de la table chrétienne.

À LA RECHERCHE D'UN VOCABULAIRE MINISTÉRIEL

Des désignations ministérielles apparaissent dans les communautés chrétiennes, reprenant des appellations déjà connues par ailleurs et cependant nouvelles aussi, à leur manière[28]. Le nouveau se greffe sur l'ancien et le transforme entièrement. Ramassons les principales données engrangées précédemment sur ces divers titres. Sans doute d'autres désignations ministérielles ont-elles un moment été plus ou moins reçues. Nous en avons déjà repéré quelques-unes dans la Première aux Thessaloniciens (les collaborateurs ; ceux qui prennent de la peine ; ceux qui sont à la tête ou président)[29] ; on pourrait ajouter les « ouvriers » de la mission[30]. Mais ces désignations trop larges, sans grand lien avec la parole, ne se sont finalement pas imposées.

Les apôtres, les prophètes et les docteurs

Nous avons déjà relevé la relative nouveauté sémantique du titre directement apostolique accordé à Paul et à d'autres encore[31]. Même

---

27. *Ibid.* § 70-72.
28. Voir Joseph Ysebaert, *Die Amsterminologie im Neuen Testament und in der alten Kirche. Eine lexicographische Untersuchung*, Breda, Eureia, 1994.
29. Voir ch. 2, p. 35ss.
30. Cf. Mt 9, 37-38 ; 10, 10 et Lc 10, 2.7 ; 2 Co 11, 13 et Ph 3, 2 ; 1 Tm 5, 18 ; 2 Tm 2, 15 ; *Didachè* 13, 2.
31. Voir ch. 2 sur le ministère apostolique de Paul, p. 61ss.

si l'expression trouvait quelque correspondant ancien, puisque que Moïse lui-même (*Exode* 3, 10) et les prophètes aussi furent envoyés par Dieu, l'importance alors accordée aux *envoyés* de Jésus n'en est pas moins nouvelle. Le mot *apôtre* prend une autre consonance ; il désigne désormais l'envoyé *de* Jésus, le Ressuscité. En outre, la parole de Jésus n'est pas seulement transmise à d'autres, par d'autres, elle demeure la sienne par le biais de ses envoyés. Le Seigneur continue de parler, et le titre apostolique résistera à l'épreuve du temps.

Plus loin, nous rappellerons combien l'appel à des prophètes chrétiens est étonnant dans le contexte de l'époque – en dehors des milieux marginaux au message d'apocalypse. À nouveau, l'accent est mis sur une parole qui dépasse le porte-parole qui la déploie. Pourtant le titre disparaîtra en partie, en s'agglutinant plus ou moins à la fonction apostolique.

Puis, toujours dans le cadre de ces ministères de la parole, le titre de docteur, quelque peu minimisé par l'Apôtre ou du moins relégué par lui en troisième position d'après 1 Co 12, 28, ne devait guère s'imposer par la suite. Et cela, malgré l'importance allouée à l'enseignement dans l'ancienne tradition judéo-chrétienne, représentée par Matthieu surtout. Ou encore, malgré la lourde insistance de la tradition paulinienne subséquente sur le motif de l'enseignement, au niveau des Pastorales surtout. Le poids de cette double tradition, quelque peu judaïsante, aurait dû apparemment privilégier le titre doctoral dans la désignation des nouveaux ministres. Et cependant le titre s'est largement dissous, et la fonction est plus ou moins récupérée par de nouveaux titulaires. Car le christianisme est plus qu'un enseignement à la recherche d'une connaissance nouvelle. *A fortiori*, le titre et la fonction des *scribes,* pourtant mis hautement en relief dans le monde gréco-romain, mais beaucoup moins déjà dans le judaïsme hellénistique du premier siècle[32], n'ont pas été repris dans le cadre communautaire chrétien, en dehors de Mt 13, 52 peut-être.

D'autres titres et fonctions ministériels devaient surgir alors, qui n'entendent pas se laisser réduire à la seule fonction doctorale d'une parole émise *sur* Dieu et son Christ. Car il s'agit, à la fois, de conduire des communautés et de poursuivre aussi l'énonciation d'une parole

---

32. Voir C. Schams, *Jewish Scribes in the Second Temple Period*, Sheffield, 1998.

apostolique et prophétique, issue du Seigneur. Le *serveur* chrétien n'est pas d'abord un exégète de la parole : il continue de la prononcer au nom même de son Seigneur. La « parole de révélation » demeure l'exigence première du ministère chrétien, en se déployant d'ailleurs de multiples manières. L'importance de cette parole première a dès le départ été soulignée, autant dans le milieu des prophètes galiléens ou de Syrie-Palestine – représenté par la *tradition Q* – qu'à Antioche aussi. Les uns en appelaient « aux prophètes et aux docteurs » (Ac 13, 1 et peut-être Mt 10, 41) et d'autres, « aux apôtres et aux prophètes » (Ep 2, 20 ; 3, 5 ; Ap 18, 20 et *Didachè* 11, 3). Et Paul de joindre plus tard ces deux syntagmes 1 Co 12, 28 : apôtres, prophètes et docteurs) pour mieux signifier encore la priorité de l'apôtre et du prophète aussi – à la condition que l'exercice de cette prophétie s'opère justement, c'est-à-dire en se laissant exposer au « discernement des esprits » des autres prophètes de la communauté.

Sans doute Antioche a-t-il été au départ de ce premier mixage des désignations ministérielles. Il ne faut pas oublier alors que cette grande ville, loin de présenter une communauté chrétienne unifiée, apparaît plutôt comme le creuset de multiples groupes aux tendances diverses, pétriniennes, pauliniennes, johanniques et autres[33].

Les *épiscopes*

Le vocabulaire « épiscopal » est largement connu dans le monde hellénistique[34], depuis Homère et autres, en donnant alors divers sens au mot grec *episkopos* : le surveillant, l'inspecteur, le gardien, l'intendant chargé des finances, et même le patron ou le magistrat. Parfois, les dieux sont affublés du titre, mais le plus souvent le mot s'attache à une fonction aux réalisations concrètes, par exemple, pour désigner le dirigeant d'une association quelconque. Ce titre n'a pas de connotation religieuse apparente, et généralement il n'est pas lié au mot *diakonos*, le serveur, comme en Ph 1, 1. La Bible grecque des *Septante* emploie près de quinze fois le mot pour désigner des fonctionnaires militaires et autres (*Isaïe* 60, 17 ; *1 Maccabées* 1, 51). Deux

---

33. L'incident d'Antioche (Ga 2, 11ss) le manifeste à l'évidence : les tables des communautés restaient distinctes les unes des autres.

34. Sur ce point, voir l'exposé détaillé et la bibliographie de H. Hauser, *l'Église.*, p. 153-159.

fois, il est appliqué à Dieu (*Sagesse* 1, 6 ; Job 20, 29). La littérature judéo-helléniste apocryphe ne l'emploie pratiquement jamais. Comme on l'a dit plus haut, une influence essénienne demeure aléatoire, sans être impossible cependant. Un élément du *Document de Damas* ne manque cependant pas d'intérêt à ce propos :

> « Voici la règle relative à l'inspecteur du camp. Il instruira les Nombreux (la communauté essénienne) des œuvres de Dieu... Il aura pitié d'eux comme un père de ses enfants, et il les portera en tout leur accablement comme un pasteur son troupeau. » (*DC* XIII, 7-9).

L'inspecteur en question a lui aussi une charge enseignante, doublée d'un office pastoral. La même connotation pastorale est présente, par exemple dans Ac 20, 28 et 1 P 5, 2. Enfin, le titre est mis en valeur dans les Pastorales surtout, alors que dans Ac 20, 28, le même mot, sans article, désigne plutôt une fonction, et non pas un titre à proprement parler. Plus encore, selon les Pastorales, un épiscope, au singulier, se détache déjà du groupe des presbytres, sinon du groupe des épiscopes dont parle Ph 1, 1. Enfin, le mot grec *épiscopè* repris dans Ac 1, 20 et 1 Tm 3, 1 désigne désormais une charge pastorale, et non plus la visite de Dieu qui porte le salut, comme dans les *Septante*[35].

Comme on voit, à partir d'une désignation fonctionnelle d'apparence profane, le titre épiscopal devait prendre une large ampleur dans le milieu chrétien, surtout au niveau des Pastorales, au point de ramasser bientôt la charge de la parole et du gouvernement pastoral, à la fois. Peut-être la lecture chrétienne des *Septante*[36], sinon une certaine influence essénienne, ont-elles joué leur rôle en la circonstance. Et si les presbytres dont parle 1 P 5, 25 sont appelés à surveiller le troupeau, Jésus n'est-il pas désigné en premier comme « le berger et l'épiscope » des croyants (1 P 2, 25) ?

---

35. Le mot *episkopè* est repris 45 fois dans les *Septante*, désignant surtout une visite de Dieu en vue du salut (Gn 50, 24) ou encore le jugement divin (Is 10, 3). *1 Clément*, 44, 1, 4 reprendra le mot avec le sens de charge épiscopale, apparemment attribuée aux presbytres.

36. Voir, en grec, *Nombres* 27, 16ss ; *Jérémie* 23, 2 ; *Ezéchiel* 34, 11 ; *Zacharie* 10, 3.

Les épiscopes et les serveurs (Ph 1, 1)

Comment lire et comprendre la mention conjointe des épiscopes et des serveurs au début de la lettre aux Philippiens ? C'est la plus ancienne mention des épiscopes, quelque vingt ou trente ans avant les Pastorales. L'Apôtre adresse sa lettre aux « épiscopes et serveurs » – sans article dans les deux cas (Ph 1, 1). Comment évaluer exactement ces deux titres qu'on ne saurait évidemment traduire par les mots d'aujourd'hui : les évêques et les diacres ? S'agit-il de deux fonctions différentes, avec un serveur en second, tel un assistant de l'épiscope – l'intendant –, ou son agent de liaison ? Ou n'est-ce pas plutôt un double titre attribué à une même personne à la manière hellénistique où ce genre d'appellation double serait connu[37] ? En ce cas, la parataxe grecque *kai* pourrait avoir un sens explicatif : « des épiscopes, *c'est-à-dire* (des) serveurs ». Nous préférons cette seconde lecture. Dans le contexte chrétien de Philippes, c'est le mot *épiscope* qui est en fait nouveau, suscitant une explication empruntée au langage du service relevant surtout d'une tradition judéo-helléniste proche de Paul. En ce cas, le mot *serveur* « christianise » en quelque sorte la charge de l'épiscope, ce dirigeant d'une association profane du monde hellénistique. Cette christianisation sémantique est d'autant plus remarquable que le mot *serveur* à l'époque appelle surtout le sens d'un service qui touche la parole, comme nous le dirons plus loin. Tel serait donc, dès les années 55-60, le premier contact connu en milieu chrétien d'un office de régence d'une communauté locale avec la charge d'une parole, liée aussi, en partie, à l'office de la table.

Au fait, il est ici question d'épiscopes ou d'intendants, au pluriel, ce qui peut paraître étonnant dans le seul cadre de la ville de Philippes. S'agirait-il d'un « corps épiscopal » analogue à celui d'un conseil de presbytres ? Mais ce type de régence implique une unité de direction. N'est-ce pas plutôt en raison de l'existence au sein de cette ville importante de plusieurs communautés de table, à la taille réduite comme nous le rappellerons plus loin ? Plus tard ces « évêques » seront distingués des « diacres », alors que le langage ministériel par excellence, celui du service et du serveur, perdait de son

---

37. Voir H. Hauser, *L'Église.*, p. 155, note 70, citant E. Loches « Episkopos in den Pastoralbriefen », dans FS. E. Schick, *Kirche und Bibel*, Paderborn, 1979, p. 225-231, ici p. 225-226.

prestige d'hier. Par ailleurs, les communautés de table d'une même ville accusèrent leur unité, et un seul épiscope devait la signifier. Les serveurs des diverses tables, liés eux aussi à la parole, se situèrent alors en second par rapport à cet épiscope. comme en témoignent déjà les Pastorales. C'est là, du moins, la lecture que nous proposons, avec la marge d'hypothèses que l'on devine[38].

Plus tard, entre 105 et 135, Ignace d'Antioche parlera d'un unique évêque local, puis, des presbytres et des diacres, selon la triade connue encore aujourd'hui[39]. L'histoire des ministères continue à l'époque patristique et de nos jours encore. Très tôt aussi, le langage ministériel récupère à son profit les expressions cultuelles ou sacerdotales de l'ancienne Alliance. Ainsi, l'auteur de la *Didachè* demandait déjà à chacun d'apporter « les prémices » des produits agricoles « aux prophètes, car ils sont vos grands prêtres » (*Did* 13, 3). Mais jusqu'à quel point est-il possible d'user ainsi de ce langage sacerdotal en parlant des ministères chrétiens ? Le Nouveau Testament définit-il le ministère presbytéral comme une participation au sacerdoce du Christ ?

LE LANGAGE SACERDOTAL
DANS LE NOUVEAU TESTAMENT

Nous nous situerons ici au seul niveau néo-testamentaire, sans nullement jauger la pertinence ou non de l'argumentation théologique sur l'importance du motif du « sacerdoce commun » et son rapport avec le sacerdoce dit ministériel. Comme le déclare le *Catéchisme de l'Église catholique* : « Le sacerdoce ministériel diffère essentiellement du sacerdoce commun des fidèles parce qu'il confère un pouvoir sacré pour le service des fidèles » (n° 1592). Le sacerdoce commun des fidèles – et tous sont des fidèles, y compris les ministres de l'Église – constitue alors la clef de voûte de l'édifice, au service duquel demeure le sacerdoce ministériel qui n'en garde pas moins sa spécificité propre

---

38. Voir d'autres lectures de Ph 1, 1 dans Jean Fraçois Collange, *L'Épître de saint Paul aux Philippiens*, Neuchâtel, 1973, p. 41 ; André Lemaire, *Les ministères aux origines de l'Église* (LD 68), Le Cerf, Paris, 1971, p. 96-103 ; Hermann Hauser, *L'Église.*, p. 155-156.

39. Cf. W.R. Schoedel, *Ignatius of Antioch*, Philadelphie, 1985, p. 60s ; selon cet auteur l'autorité d'alors n'en resterait pas moins collégiale à l'époque (p. 49s ; 112s.)

et son autorité entière *in persona Christi*. Ces deux « sacerdoces » ne se situeraient donc pas au même niveau, tout en se déployant l'un en fonction de l'autre. Leur différence est *essentielle*, et non pas seulement une question de degrés entre eux. Ces fortes positions du Magistère catholique étant rappelées, le travail exégétique n'en demeure pas moins, visant à situer historiquement les institutions ecclésiales des premiers temps et le langage alors déployé, assurément différent de celui d'aujourd'hui. L'exégète, en tant que tel, n'a rien à trancher théologiquement, ni même à justifier. Il décrit, sans plus, d'autres situations ecclésiales reflétées par le Nouveau Testament, manifestement distinctes du contexte actuel. Ce type de recherche historique peut néanmoins provoquer, le cas échéant, un certain déplacement du regard théologique dans la manière même de poser les questions d'aujourd'hui. Il peut amener aussi le pasteur et le théologien à davantage surveiller un vocabulaire trop immédiatement sacerdotal, alors qu'il existe manifestement une sorte de divorce entre le langage de la tradition et le témoignage de l'Écriture. Au fait, les Pères du Concile de Vatican II l'avaient compris, en privilégiant le vocabulaire presbytéral dans le décret final *Presbyterorum Ordinis*[40]. Toutefois, il ne s'agit pas là d'une simple affaire de vocabulaire. C'est toute la question de la médiation ministérielle qui est en fait en jeu, dépassant une compréhension uniquement fonctionnelle du ministère. Comment s'opère une telle médiation ? Nous aborderons le point d'une double manière dans les deux chapitres suivants. Pour l'instant, ouvrons le dossier du langage sacerdotal appliqué au ministère chrétien.

Suivant la méthode déjà mise à l'œuvre, évoquons le contexte de base du Judaïsme au premier siècle. Puis, seront ramassés quelques éléments néo-testamentaires usant du langage cultuel ou sacerdotal. Ce qui posera évidemment la question des limites de l'usage d'un tel langage dans la désignation des ministères chrétiens.

L'IDÉOLOGIE LÉVITIQUE ET SACERDOTALE DANS LE JUDAÏSME HELLÉNISTIQUE

Sans nullement arracher aux sacrificateurs du Temple – aux prêtres lévitiques (*hiéreus*) issus d'Aaron – leur charge proprement

---

40. Et non pas *De Sacerdotibus*, comme le prévoyait le schéma préalable de 1963.

sacrificielle, les esséniens et les scribes d'affinité pharisienne proches des synagogues, insistèrent dès le second siècle avant notre ère sur le motif du « sacerdoce commun », comme nous l'appelons aujourd'hui. Cette idéologie lévitique ou sacerdotale devait pénétrer les élites religieuses de l'époque hellénistique, en Israël et dans la Diaspora aussi. Tout devait partir alors d'une relecture de la charte par excellence de l'Alliance, et donc de la parole même de Dieu dont l'actualité demeure vive : « Vous serez pour moi un royaume de prêtres et une nation sainte » (*Exode* 19, 6)[41]. Le message sera repris dans *Isaïe* 61, 6 et dans *2 Maccabées* 2, 17 aussi. Dès lors, chacun se doit de vivre « comme un prêtre », y compris en observant au mieux toutes les règles d'une pureté rituelle, d'abord exigées des sacrificateurs selon la Loi. Tel est le fondement de ces nombreuses pratiques de pureté rituelle de plus en plus en vogue dans le judaïsme de l'époque hellénistique, contre lesquelles Jésus devait d'ailleurs s'insurger (Mc 7, 1-23 ; Mt 15, 1-20 ; 23, 26). Un tel idéal de sainteté, et donc de séparation, s'exprime bien dans l'ancien *Midrash Sifra* sur Lévitique 11, 45 : « Comme Je suis saint (dit Dieu) vous serez saints, comme Je suis séparé vous serez séparés »[42]. À l'époque, le mot *sainteté* connote d'abord l'idée d'une séparation du pur de l'impur. Les *justes* ne sauraient donc se mêler à ceux qui ne respectent pas ces règles, et *a fortiori* se mélanger aux gens des Nations, aux *mêlés*. Le même idéal lévitique est au cœur de la vie essénienne chez les « fils de Saddoq »[43]. De même chez les Thérapeutes d'Égypte dont parle Philon dans sa *Vie Contemplative*, on retrouve ce souci d'une nourriture pure, sans vin, car ils veulent vivre « comme des prêtres » (§ 74). Ces pratiques de pureté rituelle eurent d'ailleurs d'immédiates conséquences sur la société juive, en la compartimentant davantage en groupes et groupuscules divers, selon le degré de pureté de chacun. Même vécue le plus religieusement, la sainteté rituelle sépare, à l'instar du *sacerdoce* – un mot forgé à partir du latin *sacer* pour désigner le domaine sacré, séparé du profane. Et là encore Jésus

---

41. La version grecque des Septante porte : « vous serez pour moi un royaume (un palais royal ?) et un sacerdoce (un corps sacerdotal) ». Israël a donc un rôle sacerdotal. La tradition palestinienne, lisant « un royaume *et* des prêtres », cherchera plutôt à distinguer la royauté du sacerdoce (*Targum Palestinien* sur Exode 19, 6 ; et déjà *Jubilés* 16, 18 ; 33, 20).

42. Le mot *séparé* a donné le sobriquet *pharisien*, le séparé (même radical, *prsh*).

43. Le prêtre du temps de Salomon (cf. 1 R 1, 8 ; Ez 40, 46) dont se réclamaient aussi les sadducéens, mais suivant deux branches différentes.

devait fortement réagir, au point d'admettre parmi les siens le publicain Lévi, désigné comme un *pécheur*, c'est-à-dire relevant d'une classe socio-religieuse considérée comme impure (Mc 2, 13-17).

Une telle idéologie est manifeste chez Philon d'Alexandrie. Prenons seulement un exemple, tiré de ses *Questions sur l'Exode* :

« ... Or, dans d'autres circonstances, les prêtres (choisis) parmi le peuple, et affectés à l'abattage et au soin des (animaux), accomplissent les sacrifices. Mais à la Pâque dont il est question ici, tout le peuple est honoré ensemble de la prêtrise, car chacun présente soi-même son sacrifice. Pourquoi ? En premier lieu, parce que c'était le commencement de ce genre de sacrifice, et les lévites n'avaient pas encore été choisis pour la prêtrise, car ni temple ni autel n'avaient encore été établis. En second lieu, parce que le Sauveur et Libérateur (Moïse) qui seul conduit tous les hommes à la liberté, les considérait (tous) également dignes de partager la prêtrise ainsi que la liberté, car tous ceux qui étaient de la même nation avaient démontré une égale piété... En troisième lieu, parce qu'un temple n'avait pas encore été bâti, il montra que la présence de plusieurs hommes de bien dans une maison constitue un temple et un autel, afin que, lors des premiers sacrifices de la nation, nul ne possède rien de plus que l'autre. En quatrième lieu, il pensa qu'il était juste et convenable, avant de choisir des prêtres particuliers, d'octroyer la prêtrise à toute la nation, afin que la partie fût exaltée par le tout, et non le tout par une partie exaltée au-dessus du peuple tout entier. Et il leur permettait, comme s'il s'agissait de la première chose qui devait être faite, de préparer et d'égorger de leurs propres mains le sacrifice appelé « Pascha », le commencement des bonnes choses. Et il décida qu'il n'y aurait rien de plus beau que l'accomplissement harmonieux du culte divin par tous. Et aussi afin que la nation fût un exemple convaincant pour les gardiens du temple, les prêtres, et pour ceux qui remplissent les fonctions du Grand Prêtre en accomplissant les rites sacrés »[44].

---

44. Philon d'Alexandrie, *Questiones in Exodum*, § 10 sur Ex 12, 6, trad. A. Terian (*Les Oeuvres de Philon d'Alexandrie*, 34c), Le Cerf, Paris, 1992, p. 81. D'autres textes de Philon sont déjà plus connus, ainsi dans *Mos* II, 224 ; *Decal* 159 ; *Spec* II, 145-146.148, où chaque famille joue un rôle sacerdotal lors de la Pâque ; et *Sobr* 66 ; *Abr* 56 ; 98 ; *Mos* I, 149 ; *Spec* 163-164.167, considérant le peuple comme une nation de prêtres.

Ainsi, même à Alexandrie, malgré l'éloignement des prêtres du Temple de Jérusalem et la réputation parfois douteuse dont ces derniers jouissaient en Israël y compris, l'idéal sacerdotal n'en demeurait pas moins très vif. L'accès à Dieu passe par le Temple, et tous se devaient d'exercer à leur niveau propre ce sacerdoce essentiel. En sera-t-il de même chez les chrétiens ? Le sacerdoce commun demeure-t-il la clé de voûte d'un sacerdoce fonctionnel ou ces motifs sont-ils, au départ, distincts ?

L'USAGE NÉOTESTAMENTAIRE DU LANGAGE CULTUEL ET SON APPLICATION AU MINISTÈRE CHRÉTIEN[45]

Dans ce contexte de pensée comment les premiers croyants vont-ils réagir et désigner leurs propres dirigeants ? Sinon, en signifiant d'abord leur différence, et le refus quasi entier d'une telle idéologie lévitique. En termes d'aujourd'hui, nous dirions que la foi chrétienne réintègre le croyant dans le domaine profane, pour mieux le christianiser assurément. Encore ne faut-il pas trop vite évincer une série d'éléments où l'ancien langage cultuel reprend vie de nouvelles manières. Car, une fois les ruptures marquées entre les deux alliances, ce langage pouvait en partie être repris pour signifier l'unité et la continuité d'une même alliance au regard de Dieu. Mais cela, sans toutefois en arriver à une application immédiate du langage sacerdotal au cas précis des ministères chrétiens, y compris dans l'épître aux Hébreux qui en use hautement pour désigner Jésus. L'auteur de cette lettre, nous l'avons vu au chapitre 4, accuse fortement la distance essentielle entre le sacerdoce d'hier et celui de Melchisédech, d'origine céleste. Dans le cadre d'un autre sacerdoce que celui d'Aaron, il n'est d'autres prêtres que Jésus, accomplissant une fois pour toutes le sacrifice définitif. On comprend mieux alors le silence de cet auteur touchant l'application d'un langage sacerdotal aux guides de la communauté.

---

45. Sur le motif sacerdotal, parmi le nombreuses études, signalons Jean Colson, *Ministre de Jésus Christ ou le sacerdoce de l'Évangile*, Beauchesne, Paris, 1966 ; André de Halleux, « Ministères et sacerdoce », *Revue théologique de Louvain* 18 (1987), 287-316 et 425-453. Joseph Auneau et Pierre-Marie Beaude, « Sacerdoce », *Supplément au Dictionnaire de la Bible* X, col. 1170-1342 ; J. Auneau, *Le sacerdoce dans la Bible* (Cahiers Évangile 70), Le Cerf, Paris, 1990.

Le danger, en effet, demeurait réel d'une fausse réintégration du nouveau ministère dans un cadre sacerdotal ancien[46]. Car le Christ ramasse en lui le rôle sacerdotal en son entier, et son sacerdoce s'inscrit dans une lignée radicalement différente de celle d'hier. Par ailleurs, le motif sacerdotal appelle de soi l'idée d'une séparation et d'une union aussi : l'accès à Dieu s'accompagne d'une séparation. Le sacrificateur ou le « sacerdote » exerce une double fonction, séparatrice et unificatrice : il signifie la séparation d'avec le monde profane et il unit aussi à Dieu ; il est le pontife, le *pontifex*, celui qui jette un pont entre Dieu et les hommes.

Or, du point de vue chrétien, cette fois, une telle séparation ethnique s'épuise désormais dans la personne même du Christ, car lui seul tisse un lien authentique avec Dieu. Dès lors, les croyants vont s'ingénier à trouver des titres ministériels qui refusent la séparation d'hier entre le profane et le sacré, et ils mettent en exergue le lien relationnel nouveau avec Dieu en son Christ. Ils sont les envoyés ou les apôtres de Jésus, les prophètes ou les porte-parole du Seigneur, les épiscopes ou les guides communautaires, les serveurs de la table et de la parole. C'est là un vocabulaire d'action, de relation à l'autre et de communication, à l'envers du langage ethnico-religieux qui séparait la race d'Aaron des autres tribus non lévitiques. Mais s'il en est ainsi, comment les chrétiens vont-ils rendre compte du rôle médiateur jusque-là assumé par le sacerdoce d'hier ? Sinon, par le Christ. De quelle manière alors ? Est-ce par une participation au sacerdoce du Christ ou bien par un lien tissé par le Seigneur et avec lui, dans le cadre d'un service de la parole, au sens le plus englobant de ce mot – comprenant les paroles et les gestes de salut ?

Ramassons rapidement les quelques éléments néo-testamentaires sur le sujet, d'ailleurs largement connus. Retenons surtout les deux motifs suivants : celui du sacerdoce dit commun et l'application du langage cultuel à la vie chrétienne entière, dans son action évangélisatrice surtout. De prime abord, le ministère chrétien n'apparaît pas concerné, du moins directement.

---

46. Même après l'an 70, l'auteur de la *Lettre de Barnabé*, vers 130, attaque encore violemment le Temple et les sacrifices anciens.

Le sacerdoce commun

L'Église est tout entière sacerdotale. Le motif est connu d'après quelques éléments de facture judéo-chrétienne, sans pour autant devenir la pièce maîtresse d'une réflexion ecclésiologique dans le Nouveau Testament. Certes, la charte de l'alliance selon *Exode* 19, 6 est bien rappelée, non pas dans une citation explicite et des commentaires qui en exploiteraient fortement le contenu, mais seulement par le biais d'allusions scripturaires, plus ou moins occasionnelles. Ces allusions se trouvent dans l'Apocalypse et la Première de Pierre. Faut-il rappeler combien l'Apocalypse reflète une communauté judéo-chrétienne largement ouverte au monde, mais à la condition que les nouveaux venus des Nations, les pagano-chrétiens, se mettent désormais à *judaïser* – en refusant les idolothytes par exemple. Dès lors, cette communauté encore immergée dans le Judaïsme (tout en s'attaquant aux Juifs qui ne reçoivent pas le messie) peut s'appliquer à elle-même la charte de l'alliance : « Tu as fais d'eux, pour notre Dieu, un royaume et des prêtres, et ils régneront sur la terre » (Ap 5, 10). La différence est néanmoins considérable, puisque désormais c'est Jésus, l'agneau, qui est au principe de cette communauté sacerdotale définitive. Le motif est présent dans Ap 1, 6 : Jésus « a fait de nous un royaume, des prêtres pour son Dieu et Père » ; puis, dans Ap 20, 6 à propos des élus : « ils seront prêtres de Dieu et du Christ, et ils régneront avec lui pendant mille ans ». L'insistance sur ce motif est donc réelle. On en retrouve l'écho dans la Première de Pierre seulement : « Et vous, comme des pierres vivantes, laissez-vous bâtir en maison spirituelle, pour un sacerdoce saint[47] en vue d'offrir des sacrifices spirituels, agréés de Dieu par Jésus Christ » (1 P 2, 5) ; puis : « Mais vous, vous êtes une race élue, un sacerdoce royal, une nation sainte, un peuple qu'il s'est acquis... » (v. 9). Les chrétiens constituent le Temple habité par l'Esprit, et leur activité entière est désormais sacerdotale. En bref, le motif du sacerdoce dit commun, hérité du pharisaïsme en particulier, est bien présent dans le cadre des Églises surtout judéo-chrétiennes (non pauliniennes) et par le jeu des citations implicites, sans prendre cependant une importance cardinale.

---

47. En grec, *hierateuma*, une communauté sacerdotale.

Un nouveau Temple

L'image du temple appliquée à la communauté chrétienne est assurément ancienne. Déjà Paul en use et, de leur côté, les qumrâniens l'appliquaient aussi à leur propre congrégation[48]. Quant à Jean, on le sait, l'application porte en direct sur le corps même du Seigneur (Jn 2, 19.21 ; cf. Ap 21, 22). Paul déplace encore l'image, en désignant le corps ou la personne des croyants : « Votre corps est un temple de l'Esprit saint » (1 Co 6, 19). Relevons surtout l'affirmation de l'Apôtre, visant la communauté dans son ensemble : « Ne savez-vous pas que vous êtes le temple de Dieu et que l'Esprit de Dieu habite en vous ? » (1 Co 3, 16-17 ; cf. 2 Co 6, 16). Plus tard, l'auteur d'Éphésiens assimilera aussi l'Église à « un temple saint » (Ep 2, 21).

D'autres éléments empruntés au langage cultuel pourraient encore être rappelés, à partir de l'épître aux Hébreux surtout, touchant en particulier : la Tente du désert (et non pas un temple fait de mains d'homme ; He 9, 1ss), le voile du Temple (6, 19), le culte véritable (12, 28), le motif éminemment lévitique de la perfection ou de la sanctification (2, 11 ; 13, 12), puis celui de « l'offrande des lèvres » (13, 15) comme à Qumrân d'ailleurs ; etc... Lors de sa relecture *lévitique* de l'Écriture, l'auteur judéo-chrétien pouvait d'autant mieux puiser son bien dans le trésor du Temple, des sacrifices et du sacerdoce ancien, que la césure était chez lui décisive entre l'institution d'hier et le salut désormais offert par Jésus, le grand prêtre (He 5, 1-9 ; 7, 1-28). Le passage de l'un à l'autre est définitif, irréversible.

Précisons seulement l'image de la construction du temple nouveau à partir d'éléments découverts à Qumrân dans le contexte d'une communauté éminemment sacerdotale. Avec les mots d'*Isaïe* 28, 14-18, la communauté essénienne est désignée comme la « maison de sainteté », c'est-à-dire le temple ; elle est « la pierre d'angle précieuse » dont les « fondations ne trembleront pas » (*1Q Règle* 8, 5-8). L'auteur des *Hymnes* dit à Dieu : « C'est toi qui mettras la fondation sur le rocher... en vue de (construire) une bâtisse robuste, telle qu'elle ne soit pas ébranlée.. » (*1Q Hymnes* 6, 25-27) ; ou encore : « Tu as fondé sur le rocher ma bâtisse... et tous les murs sont devenus un

---

48. Cf. B. Gärtner, *The Temple and the Community in Qumran and the New Testament*, Cambridge, 1965.

rempart éprouvé que rien ne saurait ébranler » (7, 8-9). Tel est le temple communautaire du maître essénien.

Or, le même jeu d'images se rencontre chez Paul dans la Première aux Corinthiens :

> « Selon la grâce de Dieu, qui m'a été donnée, tel un sage architecte, j'ai posé le fondement ; un autre édifie dessus. Mais que chacun prenne garde comment il édifie dessus. De fondement en effet, nul n'en peut poser d'autres que celui qui s'y trouve, c'est-à-dire Jésus Christ »(1 Co 3, 10-11).

Désormais, c'est Jésus le lieu d'une nouvelle fondation média-trice, ce qui n'empêche pas l'auteur de situer son travail apostolique et celui des autres dirigeants chrétiens, telle une continuelle cons-truction sur la base de ce fondement premier. Faut-il ajouter combien cette assertion paulinienne trouve son analogue dans un tout autre contexte, judéo-chrétien et pétrinien. Cette fois, c'est Pierre (*képha*, le roc) qui constitue le fondement d'une maison toujours construite par le Christ : « Tu es Pierre et sur cette pierre je bâtirai mon Église ; et les portes de l'Hadès (les forces du mal) ne prévaudront pas contre elle » (Mt 16, 18). Il en est quasi de même à Qumrân, où Dieu demande au Maître de Justice de « bâtir pour Lui » une maison inébranlable *(4Q pesher Psaumes* 37, 8, 16)[49].

---

49. Dans le cadre d'une recherche socio-historique, Christian Grappe (*D'un Temple à l'autre. Pierre et l'Église primitive de Jérusalem*, PUF, Paris, 1992), parle de l'émergence de l'Église de Jérusalem et du rôle de Pierre au sein de la communauté. L'Église primitive, ramassant en fait bien des diversités, se présenterait à la manière d'une fraternité largement marquée par le modèle essénien, vivant dans l'attente de la parousie du Fils de l'Homme. Puis, elle se serait vite considérée comme la réalisation plénière du Nouveau Temple, à la manière de la Congrégation sise à Qumrân. Les croyants de Jérusalem auraient même attribué à Pierre les prérogatives d'un Grand Prêtre à la tête des disciples ! Ce type de succession sacerdotale serait donc différent de la lignée dynastique ou royale représentée par Jacques, le frère de Jésus. Cette thèse bien argumentée repose essentiellement sur les éléments qumrâniens évoqués plus haut, maintenant appliqués à Pierre, d'après Mt 16, 17-18.

L'usage chrétien du langage cultuel[50]

Là encore, le dossier est bien connu, et il est restreint. Le langage cultuel est parfois appliqué à la vie chrétienne en son ensemble, et plus particulièrement encore à la parole d'évangélisation. Ce dernier point est important, car, par ce biais au moins, la tradition chrétienne, désormais sans l'équivoque du langage sacerdotal d'hier, saura rapidement appliquer ce type de langage aux ministres du nouvel évangile.

La vie chrétienne est sacerdotale. Paul n'hésite pas à reprendre parfois quelques expressions cultuelles pour les appliquer à la vie chrétienne, maintenant animée par l'Esprit :

« Je vous exhorte... à présenter vos corps en sacrifice vivant, saint, agréable à Dieu ; c'est le culte raisonnable, le vôtre » (Rm 12, 1).

Ce culte *raisonnable* s'enracine dans la parole[51], et non plus dans les sacrifices sanglants d'hier. L'Apôtre déclare ensuite :

« Je vous ai écrit... pour raviver vos souvenirs... d'être le desservant (littéralement, *le liturge*) du Christ Jésus auprès des païens, en me consacrant à l'évangile de Dieu pour que l'offrande des païens soit bien agréée, sanctifiée par l'Esprit Saint » (Rm 15, 16)[52].

Comme à plaisir, Paul multiplie ici des expressions cultuelles, désormais transformées de l'intérieur et en lien direct avec la parole nouvelle. Il n'hésite pas, non plus, à appliquer ces métaphores cultuelles à sa propre activité d'évangélisation :

« Dieu m'en est témoin, lui à qui je rends un culte en l'esprit (en annonçant) l'évangile de son Fils » (Rm 1, 9).

Faisant allusion à sa propre mort, il se présente lui-même comme la libation d'un parfum ou du vin, versée sur une offrande sacrificielle, telle sa vie répandue jusqu'à son terme :

« Je sers de libation sur le sacrifice et le service de votre foi » (Ph 2, 17).

---

50. Voir entre autres, C. Perrot, « Le culte de l'Église primitive », *Concilium* 182 (1983), p. 11-20 ; E. Cothenet, « Liturgie et évangélisation dans le NT », *Exégèse et liturgie II* (LD 175), Le Cerf, Paris, 1999, p. 19-34.

51. « Raisonnable », littéralement *logique*, de la même racine que *logos*, la parole : le culte chrétien est entièrement pénétré de cette parole.

52. Voir aussi 1 P 2, 5, cité plus haut. Sur le vocabulaire liturgique, voir ch. 4 sur He, p. 120.

La phrase est un peu complexe, jouant sur une double assimilation : celle de la vie de Paul identifiée à la libation d'un sacrifice et celle du service[53] touchant la foi des Philippiens, tel un service identifié aussi à un sacrifice. L'Apôtre n'hésite donc pas à user du vocabulaire cultuel pour désigner, non seulement toute l'activité chrétienne offerte cultuellement à Dieu, mais aussi, plus précisément, son activité directement ministérielle. Paul donne sacerdotalement sa vie pour que les Philippiens offrent sacerdotalement leur vie. L'un porte la parole et l'autre l'accueille dans la foi, avant de porter à son tour la « parole de vie » (Ph 2, 16).

Comme on voit, le langage cultuel, plus ou moins appliqué au ministère chrétien, est donc à peine utilisé, à la différence de quelques auteurs du deuxième siècle et après. Déjà, l'auteur de la *Didachè* désigne les prophètes chrétiens de son temps comme « des grands prêtres » (*Did.* 13, 3). Puis, la *Lettre de Clément* relève le lien entre le culte nouveau et l'ancien, devenu alors son modèle (*1 Clém.* 40-44)[54]. Par ailleurs, le motif du sacerdoce communautaire est repris par Justin (*Dialogue avec Tryphon* 116, 7) et Irénée (*Contre les Hérésies* IV, 8, 3). Mais, au niveau même du Nouveau Testament, le langage théologique d'une participation du ministre chrétien au sacerdoce du Christ n'apparaît pas, du moins en direct. Est-ce à dire que la fonction médiatrice d'une relation avec Dieu, jusque-là assumée par le sacerdoce ancien, n'aurait désormais plus sa raison au niveau du ministère chrétien ? Christ épuiserait totalement cette médiation. Ce qui est juste assurément, mais n'empêcherait pas pour autant, au sein du Corps du Christ et sous l'influx de l'Esprit, d'en appeler à un ministère spécifique, exercé *in persona Christi* par le biais du ministère de la parole et de la prophétie au sens radical de ce dernier mot. Tel est le dessein du chapitre suivant.

---

53. Littéralement, *de la liturgie*.

54. Le mot *laïc*, désignant un fidèle non prêtre, apparaît pour la première fois dans *1 Clément* 40, 5. Dans les anciennes traductions grecques du IIe s. ap. JC, différentes des *Septante*, l'adjectif désignait des choses, pains ou lieux, considérées comme non sacrées. Cf. I. de la Potterie, *La vie selon l'Esprit, condition du chrétien*, Le Cerf, Paris, 1965, p. 13-29. Selon A. Faivre, *Les laïcs aux origines de l'Église*, 1984, jusqu'au milieu du IIIe s. tous les chrétiens étaient considérés comme *kleroi*, un peuple mis à part ; plus tard, les laïcs ont été séparés des « clercs ».

CHAPITRE 7

LA PAROLE DES PROPHÈTES CHRÉTIENS

Au cœur du passage allant des prophètes d'hier aux ministres d'aujourd'hui, on lit ces mots dans la *Didachè*, juste après la mention du Jour du Seigneur et de la fraction du pain :

> « En conséquence désignez (de la main) des épiscopes et des serveurs dignes du Seigneur, des hommes doux, désintéressés, sincères et éprouvés ; car ils remplissent eux aussi auprès de vous l'office (littéralement, *la liturgie*) des prophètes et des docteurs » (*Did.* 15, 1).

Il y aurait donc une réelle continuité dans la succession, comme si les dirigeants nouveaux devaient assurer l'essentiel des charges et des charismes précédents qui concernent directement le travail de la parole, et cela dans un contexte immédiatement eucharistique. Ce qui veut dire qu'une meilleure compréhension du charisme prophétique permet aussi d'éclairer, à son niveau propre et en partie seulement, la charge ministérielle d'aujourd'hui. Or, le point pose des difficultés malgré le grand nombre de travaux récents sur le sujet, dont les conclusions sont assez divergentes[1]. Un certain consensus ne s'en dégage pas moins pour souligner le lien étroit entre le charisme prophétique et le travail de la parole, sans trop se perdre désormais dans les désignations charismatiques ou extatiques, dites

---

1. Voir le choix bibliographique sur le prophétisme, p. . En français, mentionnons surtout E. Cothenet, « Prophétie dans le NT », *Supplément Dictionnaire de la Bible* VIII (1971), col. 1299-1301 ; ibid., « Prophétisme et ministère d'après le NT », *La Maison-Dieu* 107 (1971), 29-50 ; ibid., « Mémoire et Esprit dans le IVe Évangile », *Exégèse et Liturgie II*, (Lectio Divina 175), Paris, Le Cerf, 1999, p. 193-204 ; Jean Zumstein, « Le prophète chrétien dans la Syro-Palestine du Ier siècle », *Foi et Vie*, 83 (1983), p. 83-94.

prophétiques à la manière de Max Weber par exemple. Or, c'est là le point important, appelant directement l'idée d'une médiation essentielle dans la communication prophétique des paroles et des gestes du salut. Les *épiscopes* et les *serveurs* de la parole et des tables découvrent chez les prophètes et les docteurs chrétiens la racine de leur identité propre. Cela, sans qu'il faille mettre en équivalence les prophètes et les épiscopes, d'une part, les serveurs et les docteurs, de l'autre. Le rapport est global. Ce consensus accepté, les modalités exactes du travail de la parole sur le registre prophétique n'en demeurent pas moins assez obscures. Les auteurs du Nouveau Testament ne donnent pas de définition ou de description soutenue du prophétisme chrétien, mais font seulement des allusions à ce sujet. Ils se contentent d'en vivre, sinon de rappeler l'existence de ce prophétisme, parfois comme une pratique déjà ancienne.

Nous avons dit plus haut l'importance du lien particulier entre les charges apostoliques, prophétiques et doctorales, d'un côté, et, de l'autre, le service de la parole[2]. Reprenons seulement les paroles célèbres de Paul sur celui qui est ainsi envoyé, et donc l'apôtre en général :

> Comment donc (*les païens*) invoqueraient-ils celui en qui ils n'ont pas cru ? Et comment croiraient-ils en celui qu'ils n'ont pas entendu ? Et comment entendraient-ils, sans que personne proclame ? Et comment proclamerait-on si l'on n'a pas été envoyé ? Ainsi qu'il est écrit : *Qu'ils sont beaux les pieds de ceux qui annoncent de bonnes nouvelles* ! (Rm 10, 14-15 ; cf. Is. 52, 7).

La charge doctorale est, elle aussi, directement attachée à la parole, exactement à une parole prononcée par l'entremise de l'Esprit – *par*[3] l'Esprit ou *selon*[4] l'Esprit (1 Co 12, 8) – telle une parole de connaissance ou de sagesse portant *sur* Dieu ou sur son Christ. Et cela, avec le soutien de l'Esprit, sans qu'il s'agisse alors d'une parole de révélation, émise par l'entremise d'un prophète, *in Spiritu*[5] (1 Co 12, 3), comme dans le cas du prophète chrétien et de l'apôtre aussi. Ce n'est pas une parole d'interprétation ou de réflexion à la manière de celle du docteur chrétien, mais une parole d'affirmation, puisque c'est l'Esprit qui parle par l'entremise de son porte-parole.

---

2. Voir ch. 2, p. 49ss.
3. En grec, *dia*.
4. En grec, *kata*.
5. En grec, *en pneumati*.

Ce dernier point surtout distingue la parole prophétique de la proclamation d'un apôtre. Car l'apôtre est un envoyé du Seigneur, suivant la chaîne des témoins du Ressuscité qui déclarent sa présence et proclament sa parole de salut[6]. D'un côté, le rapport s'instaure au niveau de la personne même d'un Ressuscité toujours présent, et, de l'autre, il touche à l'Esprit dans la communication active d'un Seigneur toujours parlant. D'un côté, les envoyés sont d'abord des témoins du Ressuscité, et, de l'autre, avec les apôtres aussi, ils sont, dans l'Esprit, les transmetteurs de sa parole d'aujourd'hui. Certes, ces deux désignations, apostolique et prophétique, se recoupent en partie, d'autant plus qu'au départ elles surgissent probablement de deux milieux judéo-chrétiens distincts, qui se sont ensuite mutuellement pénétrés : les prophètes du milieu galiléen[7], et les envoyés de Jérusalem à la manière d'un Jacques d'abord (1 Co 15, 7). L'auteur des Actes situe les apôtres à Jérusalem.

Ces deux appellations fonctionnelles répondent, semble-t-il, aux besoins en partie analogues de communautés judéo-chrétiennes de Jérusalem ou de Galilée, avant de se côtoyer et de s'amalgamer ou presque, à la mesure des rapports mutuels entre ces communautés.

Encore distincts à l'époque de Paul (1 Co 12, 28), ces deux types de parole vont tendre à se confondre, tels les apôtres et les prophètes désignés ensemble comme le lieu d'une parole fondatrice (Ep 2, 20). Puis, bientôt aussi, la tradition ne saura trop que faire de ces prophètes encombrants, et même de ces apôtres dont parle la *Didachè*. Les deux sont alors quasi emmêlés : certains apôtres peuvent devenir de faux prophètes (*Did.* 11, 3-6).

Est-il possible de préciser davantage le travail propre à ces prophètes chrétiens en fonction du contexte hellénistique, juif et idolâtre, où ils baignent ? Nous repérons seulement des traces, difficiles à unifier, et déjà chez les évangélistes, ces prophètes relèvent en partie du passé[8]. Mais commençons par lever une hypothèque touchant la compréhension de ce mot dans le langage d'aujourd'hui.

---

6. Sur le motif de l'autorité apostolique, voir en particulier : J.H. Schütz *Paul and the Anatomy ot the Apostolic Authority*, Londres, 1975 ; B. Holmberg, *Paul and Power*, Lund, 1978.

7. La *tradition Q* (de Mt et Lc seulement) porte l'écho des *logia* de Jésus de type prophétique, probablment dans le milieu galiléen.

8. Voir la mention des prophètes chez Matthieu, p. 94s.

DES PROPHÈTES CHARISMATIQUES ?

Il est toujours délicat d'appliquer aux réalités concrètes du Nouveau Testament des schémas socio-religieux de plus large amplitude. Car on ne saurait dénier la pertinence de ce type de suggestions et, en même temps, par-delà la justesse des remarques sociologiques, on risque toujours de passer à côté du fond du problème dans sa spécificité néotestamentaire. Rappelons à gros traits quelques éléments du schéma de Max Weber, du moins tel qu'il a été largement popularisé par la suite[9]. On en appelle facilement au schéma évolutif suivant : après les temps heureux de la spontanéité charismatique viendraient ceux d'une l'institutionnalisation, voire d'une *routinisation* des pratiques premières[10]. Le prophète charismatique du début laisserait la place à des ministères institués, vite hiérarchisés à deux ou à trois degrés, avec les évêques, les prêtres et les diacres. Une telle présentation avive alors les tensions entre les tenants d'un retour à une prophétie libertaire dont Paul donnerait l'exemple, et les réactions d'une institution figée, à la manière des Pastorales déjà.

On ne saurait cependant nier la possibilité, sinon l'existence, d'une certaine cristallisation ou fixité de ce genre dans le cadre des communautés postérieures à l'an 70 surtout. Sans doute était-elle même nécessaire pour leur survie au sein d'un monde troublé et plus encore, pour répondre à cette recherche d'unité qui les traversait toutes, peu ou prou. Après les tensions communautaires d'hier, il devenait urgent d'unifier le langage et les structures ministérielles. Les mouvements sectaires judéo-chrétiens et gnostiques qui n'entrèrent pas dans ce jeu d'une unification progressive des ministères furent vite disqualifiés. Cela dit, on ne risque guère de se tromper en disant qu'à l'origine de l'institutionnalisation d'un mouvement quelconque apparaît généralement un homme doté d'un charisme personnel, de type prophétique, inspiré ou extatique, qui asseoit sa propre légitimité à côté ou à l'encontre de l'institution d'hier. De ce charisme fondateur surgiront ensuite des successeurs qui chercheront à pré-

---

9. Par exemple, Max Weber, *Le Judaïsme antique* (trad. fr.), Paris, Plon, 1970 (Tübingen 1920), oppose facilement les prophètes d'Israël aux prêtres d'après l'Exil dans leur œuvre de restauration confessionnelle. Faut-il ajouter que plusieurs auteurs appliquent ce schéma à la première institution ecclésiale, tels E. Käsemann et E. Schweizer, puis, H. Kung (*Structures de l'Église*, trad. fr., Paris, Desclée, 1963) ?

10. Voir p. 74.

server le charisme d'origine, en l'investissant dans des charismes de fonction qui déclarent leur authenticité en raison d'un lien d'origine avec le fondateur. Puis, d'autres trublions, déclarés prophètes à leur tour, viendront à nouveau jeter le trouble.

Même si cet argument devait garder quelque validité, on ne saurait l'appliquer, sans plus, au développement des structures communautaires, présentées alors comme en continuelle dégradation de sens. L'enthousiasme charismatique des premiers croyants, dit-on, laisserait peu à peu la place à des institutions aux contours rigides. Depuis une décennie cependant une telle présentation tendrait plutôt à s'estomper. D'abord, l'opposition mise entre le charisme et l'institution paraît singulièrement anachronique, chez Paul y compris[11]. Puis, se pose une double question au moins, concernant le vocabulaire alors utilisé et, plus encore, le fond même de la conviction chrétienne en la Résurrection. Les mots *prophètes* et *charismes*, lus chez Paul par exemple, n'ont pas le sens qui leur est ici alloué[12]. Les premiers dirigeants chrétiens ne sont ni des *leaders*, ni des *gourous* ou autres individus déclarés charismatiques. De plus, ils travaillent en groupe d'abord, et non pas tellement de manière individuelle. Puis, en dehors de Paul et de Pierre sans doute, leur tendance serait plutôt de s'effacer dans l'anonymat ou sous le couvert de la pseudépigraphie. Leur office ne saurait faire écran. Car ces dirigeants n'entendent nullement se substituer à un maître défunt, tant il leur importe, au contraire, de dire la présence du Seigneur parmi eux et de produire toujours ses paroles. L'apôtre et le prophète chrétien ne succèdent pas à un mort, alors que leur premier ministère consiste justement à le confesser parmi eux. Pour eux, la parole du Ressuscité demeure vive. C'est ce que ces deux titres, sans doute jaillis de milieux chrétiens différents, entendent d'abord signifier : ils sont et ils ne sont que les envoyés d'un Jésus toujours là ou que les porte-parole du vif Esprit du Ressuscité. Qu'est-ce à dire, en fonction du milieu hellénistique d'où ces titres surgirent ? Ramassons succinctement quelques données.

---

11. Cf. C. Perrot, « Charisme et institution chez saint Paul », *Recherches de Science Religieuse* 71 (1983), 81-92.
12. Voir p. 46ss.

LES PROPHÈTES DANS LE MONDE
HELLÉNISTIQUE

Comment comprendre la fonction prophétique dans le contexte hellénistique, juif et idolâtre ? Telle est la première démarche à effectuer, même si le prophète chrétien paraît d'emblée différent des prophètes de Delphes ou de Didyme. Tous entendent cependant véhiculer une parole dite *révélée*, venue du monde divin[13]. Les dieux connaissent le destin et dévoilent les secrets, surtout dans le cadre des sanctuaires délivrant des oracles par lesquels ils signifient leur volonté. Le prophétisme grec entre dans le jeu de cette révélation plus ou moins diffuse qui, évidemment, prendra d'autres formes dans le cadre d'une religion monothéiste où l'action du salut de Dieu constituera la continuelle référence. D'un côté, le prophète grec dévoile une connaissance relevant de l'au-delà du temps, et de l'autre, le prophète d'Israël est le porte-parole de Dieu, doublé d'un homme d'action, inscrit dans une histoire conduite par Dieu même. Les prophètes chrétiens seront aussi l'un et l'autre, en dévoilant *les mystères* – le dessein de salut de Dieu en son Christ (1 Co 13, 2) – et en participant à la construction communautaire, entre autres par leur parole dite de *paraclèse* ou d'exhortation. Regroupons brièvement des données, assez complexes il est vrai, sur les prophètes du monde hellénistique, chez les Juifs y compris, avec le seul souci de mieux faire percevoir la particularité des prophètes chrétiens en la circonstance.

LES PROPHÈTES ET LES ORACLES DU MONDE HELLÉNISTIQUE[14]

Une remarque d'abord. La littérature grecque de l'époque classique et hellénistique use relativement peu du mot prophète[15], alors que le mot *mantis* désignant un devin, est très fréquent, lié aux

---

13. Sur le motif de la révélation dans le monde grec, voir P. Hadot, « Théologie, exégèse, révélation, écriture, dans la philosophie grecque », dans M. Tardieu (éd.), *Les règles de l'interprétation*, Paris, Le Cerf, 1987, 13-34.

14. Parmi les ouvrages récents sur la question, voir en particulier D.E. Aune, *Prophecy in Early Christianity and the Ancient Mediterranean World*, Grand Rapids, 1983 ; C. Forbes, *Prophecy and Inspired Speech in Early Christianity and its Hellenistic Environment,* Peabody (Mas), Hendrickson Pub., 1997.

15. Une quarantaine de mentions seulement dans les ouvrages connus entre le Ve siècle et le IIIe siècle avant notre ère.

pratiques divinatoires du temps, sous une forme extatique parfois. Par ailleurs, le sens du mot grec *prophètès* varie sensiblement selon le contexte de chaque écrit et leur époque, en particulier aux premiers siècles de notre ère. Diverses formes de prophétisme sont connues, et en premier le prophétisme cultuel, lié à un sanctuaire, de type oraculaire. D'autres formes sont d'importance seconde ; ainsi, un prophétisme de type philosophique – où Socrate devient le prophète des philosophes – ou encore un prophétisme de type quasi exorciste, visant la purification de l'homme. Lié à un sanctuaire, le prophète est d'abord un relayeur de la parole, un porte-parole de la divinité. Il ne s'identifie généralement pas à un inspiré ou à un extatique, ou même à l'exégète et à l'interprète d'une parole obscure, émise par la Pythie par exemple. Il n'a rien d'un prédicateur itinérant à la manière de certains sophistes stoïciens. Revêtu de sa charge officielle, à Didyme et ailleurs, il est plutôt celui qui reçoit les questions à transmettre à l'Oracle et qui porte ensuite les réponses en public. Souvent, il n'a guère de rôle dans l'émission même de cette réponse divine, et son discours se veut moralement neutre. Il est ainsi l'intermédiaire entre la Pythie et ses consultants, entre un poète inspiré et les auditeurs de ce dernier. Il ne s'aventure guère, enfin, dans la prédiction de l'avenir. Cela dit, en quelques écrits au moins, il peut être considéré aussi comme étant lui-même rempli d'un *enthousiasme* divin, possédé par le dieu au point de devenir alors sa « bouche » (*Hérodote* VIII, 135). Par ailleurs, au premier siècle de notre ère la vogue des oracles dispensés par les temples semble plutôt régresser. C'est dire le flou relatif de cette fonction prophétique selon les temps et les moments, avec, toutefois, une marque essentielle : celle d'assurer le relais d'une parole qui survient du monde divin. Or, cette fonction va prendre une importance considérable en Israël. Relevons quelques caractéristiques de cet autre prophétisme, du moins tel qu'il était perçu à l'époque hellénistique dans le cadre du Judaïsme ancien. Car le prophète chrétien s'inscrit en partie dans ce sillage.

LES PROPHÈTES DANS LE JUDAÏSME DES PREMIERS SIÈCLES

Les traducteurs grecs des *Septante* usent continûment du mot *prophètès* pour rendre l'hébreu *nabi*, le prophète. Le mot *mantis*, évoquant quelques procédés divinatoires, est désormais refusé. Il en est de même dans le Nouveau Testament, malgré les gesticulations d'une jeune servante (cf. Ac 16, 16ss). Depuis le deuxième siècle avant notre ère surtout, l'importance allouée aux Prophètes d'Israël, et à leur lecture en particulier, devint considérable. Dans le cadre d'une théologie de la parole, largement orchestrée par les esséniens et les pharisiens, le rôle de ces prophètes est mis en relief. Ne sont-ils pas les porte-parole par excellence de Dieu pour manifester sa volonté, et, cette fois, en s'engageant eux-mêmes personnellement ? Ne parlent-ils pas directement au nom de Dieu en des oracles ponctués par les mots : « Ainsi parle le Seigneur » ?[16] La lecture des livres prophétiques servaient aussi à étayer la Torah, la révélation divine, pour mieux en percevoir le sens, à la manière des synagogues sous l'influence pharisienne (Ac 13, 15). Les sectaires de l'Alliance à Qumrân leur accordaient plus d'importance encore, en commentant directement le texte des Prophètes en fonction de l'événement présent ; ainsi, dans *1Q pesher d'Habacuc*[17]. À Qumrân cependant, le Maître de justice n'est jamais appelé prophète. Il se désigne lui-même comme un sage à qui Dieu a fait connaître tous les mystères de ses serviteurs les prophètes (*1Q Hymnes* 12, 11-12 ; *1Q pesher d'Habacuc* 7, 4). Il n'en sera pas ainsi dans d'autres milieux juifs, d'allure plus populaire.

Dans ce large contexte la prophétie devait donc prendre de nouveaux contours, parfois en mutuelle contrariété. Énumérons seulement quelques traits distinctifs. Non seulement les prophètes d'Israël étaient hautement honorés au point de leur construire de tout nouveaux sépulcres (Mt 23, 29s), mais on aimait aussi en rapporter l'histoire et le martyre à la manière de la *Vie des Prophètes*. Car ce sont des hommes d'action. Dans les *Antiquités Bibliques* du pseudo-Philon (fin du Ier siècle de notre ère), on désigne Moïse comme « le premier des prophètes »[18] et on loue par ailleurs les prophètes qui annoncent l'avenir et exhortent le peuple dans la voie de l'Alliance. Désormais, les prophètes auront le regard tendu vers l'avenir, révélant le dessein final de Dieu. C'est dire leur importance aux côtés des

---

16. Philon d'Alexandrie écrit : « les prophètes sont les interprètes de Dieu, qui se sert à sa discrétion de leur voix pour faire savoir ses volontés », *de Specialibus Legibus* 1 § 65 et IV § 48-52.

17. Voir A. Dupont-Sommer, M. Philonenko, *La Bible. Les écrits intertestamentaires*, Paris, Gallimard, 1987, p. 341ss.

18. *Livre des Antiquités bibliques* 35, 6 ; 53, 8 ; voir D.J. Harrington, J. Cazeaux, C. Perrot et P-M. Bogaert, *Pseudo-Philon, Les Antiquités bibliques*, I-II (SC 229-230), Paris, Le Cerf, 1976.

sages et des presbytres. Dans le même écrit, Dieu annonce à Abraham : « Je comparerai à la tourterelle les prophètes qui naîtront de toi ; je comparerai aux béliers les sages qui naîtront de toi et éclaireront tes fils »[19]. Les prophètes sont ici distingués des sages ou des anciens, à la manière de Mt 23, 24, par exemple. Mais on devine déjà une forte tendance à les assimiler les uns aux autres, de telle sorte que les sages, et donc les rabbis, puissent se désigner comme les authentiques successeurs des prophètes d'hier. La tradition juive du premier siècle n'oublie pas le rôle alloué aux prophètes comme les transmetteurs de la révélation première : « Dieu a disposé pour vous sa Loi et vous l'a confiée par les prophètes », lit-on dans les *Antiquités Bibliques* (30, 5)[20].

En outre, l'accent est fortement mis sur le lien désormais tissé entre le prophète et l'Esprit divin, « l'Esprit de prophétie ». Car il n'y a pas de prophétie authentique sans la mouvance de l'Esprit. Les deux sont liés. Ainsi, dans *les Antiquités Bibliques* encore, il est dit que : « Balaam doté de l'Esprit saint prophétisa malgré lui » (18, 11) ou encore que : « l'Esprit demeura sur Saül et il prophétisa » (62, 2). Le point sera largement repris dans le Nouveau Testament, comme il est écrit : « ce n'est pas la volonté humaine qui a jamais produit une prophétie, mais c'est portés par l'Esprit que les hommes ont parlé de la part de Dieu » (2 P 1, 21). Les mystères divins sont révélés « par l'Esprit » (Ep 3, 5). Toutefois, les auteurs néotestamentaires se gardent bien d'en appeler à une perte de conscience du prophète en la circonstance, à la différence de ce dirigeant investi de l'Esprit qui « se réveilla et ne savait pas lui-même ce qu'il avait dit », selon les *Antiquités Bibliques* (28, 10). Chez Paul, nous l'avons vu, les prophètes chrétiens seraient plutôt ceux qui débrouillent la langue inaudible des glossolales (1 Co 14, 27ss).

Un autre trait encore. La prophétie est désormais tournée vers l'avenir, au point de bientôt lier l'activité des prophètes à une parole d'apocalypse, touchant les derniers temps. Dans leur annonce du Règne de Dieu, Jean dit le baptiste et Jésus lui-même en sont des exemples, d'autant plus que le milieu baptiste qui les porte est lié à la figure d'Élie, le prophète toujours attendu (*Malachie* 3, 23 et Mc 1, 6s). Le mot *prophète* en arrive alors à prendre parfois une résonance

---

19. *Livre des Antiquités Bibliques* 23, 7.
20. Cf. *Mishna, Pirquêy Abbot* 1, 1 ; voir p. 175s.

messianique, au point que les prophètes ou les faux prophètes font cause commune ou presque avec les messies ou les faux messies de l'époque (Mc 13, 22). Plus précisément encore, deux positions contraires sont tenues à l'époque à propos de la prophétie. Les uns déclarent la prophétie close depuis Malachie, le dernier des prophètes, et d'autres, au contraire, en appellent à une résurgence du prophétisme. Les chrétiens vont d'abord s'inscrire dans ce nouveau mouvement, quitte à bientôt déclarer l'achèvement de la prophétie en Jésus lui-même. Les prophètes judéo-chrétiens passeront alors le relais à d'autres, sans pour autant voir s'éteindre l'essentiel de leur fonction prophétique ramassée dans une parole qui les dépasse. Développons quelque peu ces points.

Selon Flavius Josèphe[21] et, plus tard, la tradition rabbinique[22], la prophétie s'achève avec Malachie. Or, et assez étrangement de prime abord, on constate la présence d'une série de gens désignés comme des prophètes, depuis l'époque du Baptiste jusqu'à la ruine du Temple surtout. Les cieux sont à nouveau ouverts (Mc 1, 10), et l'Esprit parle encore. Il est inutile de rappeler ici l'exemple de Theudas qui veut renouveler au Jourdain le miracle de la Mer Rouge ou encore celui de ce prophète égyptien qui cherche à s'emparer de Jérusalem, sans oublier Jonathan le sicaire, un partisan anti-romain[23]. En bref, ces prophètes qui se réclamaient hautement de Moïse ou de Josué soutenaient idéologiquement les sicaires prônant une lutte armée contre les romains[24]. Dans un tel contexte de violence on comprend que le titre prophétique, d'abord alloué à Jésus, puis, à des prophètes chrétiens, devait vite disparaître au profit d'appellations neutres et moins engagées au plan politico-religieux. Mais en leur début au moins, quelques communautés chrétiennes n'hésitèrent pas à reprendre cette désignation qui signifiait d'emblée l'ouverture d'une révélation active de Dieu en son Christ.

---

21. Josèphe, *Contre Apion* 8, 37-42.

22. Selon la *Tosefta* traité *Sota* 13, 2, déclarant la « fermeture des cieux » depuis les derniers prophètes de l'Écriture.

23. Du latin *sica*, l'homme à la dague. Voir Flavius Josèphe, *Antiquités Juives* 20 § 97 et 169 ; *Guerre des Juifs* 7 § 437 ; et Luc dans Ac 5, 36 ; 21, 38.

24. Cf. C. Perrot, « Les prophètes de la violence et la nouveauté des temps », UER de Théologie, *L'Ancien et le Nouveau* (Cogitatio fidei 111), Paris, Le Cerf, 1982, p. 93-109.

LES PROPHÈTES DANS LE NOUVEAU TESTAMENT[25]

Relevons l'importance du fait prophétique dans les premières communautés, quitte à multiplier ensuite les questions à ce propos, car il est difficile de mesurer ce charisme particulier. Aucun texte néotestamentaire ne permet de le définir avec précision, il échappe toujours, tel le souffle de l'Esprit. Ce qui ne saurait cependant en effacer l'existence, avec la conséquence d'éradiquer la dimension éminemment spirituelle et prophétique du ministère d'hier et d'aujourd'hui.

DES PROPHÈTES DANS L'ÉGLISE

L'existence de prophètes chrétiens, mentionnés vingt-et-une fois dans le Nouveau Testament, est un fait connu et toujours surprenant. L'Église entière n'est-elle pas entièrement prophétique, qu'il faille distinguer en son sein des personnes dotées de ce charisme singulier ? D'où viennent donc ces prophètes ? Dans quelles communautés les rencontre-t-on et jusqu'à quelle époque ? Et surtout, en quoi consiste exactement ce premier prophétisme chrétien ? Son but et sa raison ? Les questions se multiplient, sans réponses entièrement décisives. Dans les chapitres précédents, nous avons déjà constaté combien il est difficile de cerner le rôle polymorphe de ces prophètes de l'Alliance nouvelle. Les lettres de Paul et les *Actes* de Luc en donnent une image sensiblement différente et, au sein de ces écrits, la présentation reste parfois indécise et mouvante. Matthieu, de son côté, en rappelle le souvenir apparemment ancien, sans plus s'étendre à leur sujet. Reprenons seulement quelques éléments.

Selon les *Nombres* 11, 29, Moïse s'écrie : « Puisse tout le peuple de Dieu être prophète ! » Telle est la communauté de Pentecôte selon Luc, en signe de l'Église entière : ce peuple prophétique accomplit la parole de *Joël* 3, 1-3, reprise par Pierre : « Je répandrai de mon Esprit sur toute chair. Vos fils et vos filles prophétiseront » (Ac 2, 17-18). Les derniers temps sont là, et tous sont prophètes dans ce groupe archétypal qui « parle d'autres langues, comme l'Esprit leur donnait de

---

25. Cf. C. Perrot, « Prophètes et prophétisme dans le NT », *Lumière et Vie*, 115 (1973), 25-39.

rendre des oracles (prophétiques) » (Ac 2, 4)[26]. De même, lors de la nouvelle Pentecôte sur les disciples d'Éphèse, ces derniers « se mirent aussi à parler en langues et à prophétiser » (Ac 19, 6). Comme on voit, le thème est lucanien, et il peut être tardif. Mais, dans sa lettre la plus ancienne, l'Apôtre exhortait déjà les Thessaloniciens à ne pas « mépriser les dons de prophétie » (1 Th 5, 20). Dans 1 Co 14, 1.39, il demande même aux Corinthiens « d'aspirer au don de prophétie », et, précise-t-il, « Vous pouvez tous prophétiser » (1 Co 14, 31). Tous les chrétiens peuvent donc posséder ce *charisme spirituel* (1 Co 14, 1) : ce *charisme*, c'est-à-dire cette « dispensation personnelle à portée communautaire », comme l'écrit Max-Alain Chevallier ; et ce charisme *spirituel* (littéralement, *pneumatique*), c'est-à-dire ce don de l'Esprit qui, peu ou prou, engage la parole du salut[27]. Les croyants ne se donnent pas des prophètes, c'est Dieu qui les leur donne et son Esprit les fait parler.

Paul connaît des gens qui prophétisent à Thessalonique, à Rome, Corinthe et Éphèse ; des hommes et des femmes aussi (1 Co 11, 6). L'Apôtre lui-même prophétise (1 Co 14, 6) et il exhorte les siens à la manière d'un prophète, sans toutefois s'attribuer directement le titre prophétique. Mais, par-delà la conviction que tous les croyants sont prophètes, le point curieux vient du fait que certains se distinguent pourtant des autres fidèles, au point de constituer une classe de prophètes, ainsi dans 1 Co 14, 29 : « Quant aux prophètes, que deux ou trois prennent la parole » ; ou encore, au verset 32 : « les esprits des prophètes sont soumis aux prophètes » dans une sorte d'auto-critique au sein de ce groupe. Sans doute pourrait-on croire qu'entre ces prophètes et les autres croyants, eux-mêmes désignés comme des prophètes, la différence s'avère minime : les uns exerceraient seulement leur rôle d'une manière plus régulière que les autres, ou d'une façon plus éclatante. Mais on se heurte alors aux assertions de Paul touchant, disons, l'*institutionnalisation* de ce rôle. Le point est clair dans 1 Co 12, 28 : « Ceux que Dieu a établis dans l'Église sont : premièrement des apôtres, deuxièmement des prophètes, troisièmement des docteurs » (comparer Rm 12, 6 et Ep 4, 11). Paul ne parle

---

26. On lit aussi dans le *Midrash Nombres Rabbah* 15, 5 qu'en en ce monde des hommes ont prophétisé, mais que tous les Israélites prophétiseront dans le monde à venir.

27. Max Alain Chevallier, *Parole de Dieu, paroles d'hommes. Le rôle de l'Esprit dans les ministères de la parole selon l'apôtre Paul*, Delachaux et Niestlé, 1966, p. 139ss.

pas seulement de rôles occasionnels à jouer sous l'influx de l'Esprit, à l'instar d'autres charismes comme la glossolalie, mais il désigne, suivant une hiérarchie apparente, des personnes ou plutôt un groupe de personnes ayant une fonction à remplir. Toutefois chez lui, aucun nom propre n'est accolé au titre prophétique, permettant une identification personnelle – à la différence de Luc. Le titre ne semble pas attaché à un individu comme tel, mais à l'ordre où se situe celui qui prophétise, en donnant la mesure de son charisme propre, « à tour de rôle » (1 Co 14, 31). En d'autres termes, le titre prophétique est davantage un titre corporatif, un peu à la manière des frères prophètes, serrés autour d'Élisée (1 R 20, 35 ; 2 R 2-9). Ces prophètes, établis par l'Esprit, doivent néanmoins être reconnus par l'Église, et ils demeurent l'objet d'une vérification ecclésiale du contenu de leurs paroles de par un *discernement des esprits* qui s'exerce à leur endroit : c'est aux autres prophètes et à la communauté entière de discerner le vrai du faux prophète (1 Co 14, 29 ; cf. 1 Th 5, 20).

La situation n'est pas tellement différente chez Luc où des groupes de prophètes sont mentionnés, ainsi dans Ac 11, 27 : « des prophètes descendirent de Jérusalem à Antioche » et dans Ac 13, 1 : « il y avait à Antioche, des prophètes et des docteurs », sans parler du groupe des quatre filles vierges de Philippe « qui prophétisaient » (21, 9). Là encore, en dehors du cas d'Agabus « un prophète de Judée » (21, 10), le mot prophète n'est guère appliqué à un individu isolé, il désigne d'abord une fonction et l'appartenance à un groupe donné, ainsi, pour les dirigeants Jude et Silas « qui étaient eux-mêmes prophètes » (15, 32) ; Agabus lui-même est lié à un groupe dans Ac 11, 27-28. Faut-il ajouter combien ce travail de groupe distingue d'emblée ces prophètes des autres prophètes de type messianique à la manière du Baptiste et de Jésus lui-même, sans parler des autres faux prophètes et messies de l'époque. Au fait, les titres d'épiscopes et de presbytres sont nés, eux aussi, au pluriel, et ce caractère collégial marque l'origine du ministère chrétien.

On le constate, la situation est assez bigarrée, et s'il faut dès maintenant lancer une hypothèse, on peut se demander si les textes de Paul, de Luc et d'autres, ne portent pas déjà l'écho d'une situation mêlée, presque tardive, où la fonction prophétique, reconnue d'abord dans une communauté judéo-chrétienne (en Galilée sans doute, sinon à Antioche), en vient maintenant à s'étendre à d'autres Églises. La charge prophétique va alors s'agglutiner à d'autres rôles pour une part similaires et acceptés ailleurs, telle la charge des apôtres, des docteurs ou des presbytres. Dès lors, avant Paul y compris, on touche la difficulté de restituer exactement la portée de ce rôle saisi « à l'état natif ».

L'EXERCICE DE LA PROPHÉTIE

Il est plus simple de dire en quoi la prophétie chrétienne ne consiste pas qu'à déclarer la nature et les modalités de son premier exercice. Avec Christopher Forbes en particulier[28], on pourrait longuement disserter sur ce qu'elle n'est pas – ou ce qu'elle n'est pas entièrement. Le prophète chrétien n'est pas un apôtre proclamant la parole aux Nations ; il n'est pas un docteur, un simple interprète de cette parole ou l'exégète de l'Écriture ; il n'est même pas un extatique ou un inspiré de type itinérant et il n'est pas seulement celui qui exhorte les siens, tel l'homéliaste d'une synagogue. Précisons quelque peu.

Par rapport à d'autres charismes et fonctions

Le prophète chrétien n'est pas un apôtre, un envoyé de Dieu ou de son Christ, et *a fortiori* il n'est pas le délégué d'une Église. Son charisme est différent. Dans le cas d'un apôtre à la manière de Paul par exemple, il s'agit d'abord de témoigner de l'événement de la Résurrection : la proclamation, le *kérygme* des gestes du salut, est alors fondamentale. L'apôtre fonde une Église. Sa parole est performative (elle fait le salut qu'elle déclare) et fondatrice, et elle se lance toujours plus loin, *ad extra*. Ce rôle est missionnaire et s'adresse à tous les hommes. Le prophète, de son côté, transmet une parole qui ne lui appartient pas et il parle *ad intra*, à une communauté déjà croyante. Il parle pour les croyants, même si d'aventure quelques non-croyants sont atteints dans le cadre d'une assemblée chrétienne (1 Co 14, 22.24). En bref, l'apôtre construit le corps du Christ, et le prophète laisse parler son Seigneur. Son type de parole diffère alors du précédent. Dans sa proclamation des gestes du salut, l'apôtre en appelle directement à l'événement (accompli) de la Résurrection, alors que la parole du prophète, transmettant la parole toujours

---

28. Voir note 14 précédente.

actuelle du Ressuscité, se situe plutôt sur le registre du présent ou d'un futur encore à accomplir[29]. Agabus en est un bel exemple lorsqu'il annonce la famine sous le règne de Claude (Ac 11, 28 ; cf. 21, 10). Cela dit, les apôtres et les prophètes, souvent liés ensemble, peuvent être parfois assimilés les uns aux autres – un peu à la manière de l'auteur de la *Didaché* qui désigne comme de faux prophètes les apôtres qui demeurent plus de trois jours en un même lieu et réclament de l'argent (*Did.* 11, 5-6) !

L'ouvrage du *docteur* chrétien est différent aussi de celui du prophète. Ce dernier n'est pas directement un enseignant, même s'il rapporte les paroles du Seigneur d'hier et d'aujourd'hui. Le docteur opère en effet un travail de réflexion *sur* l'Écriture ou sur les paroles de Jésus émises hier ; son enseignement se veut didactique à partir du dépôt de la tradition. Le prophète, de son côté, déclare les paroles de Dieu et de son Christ dans l'actualité d'une Écriture toujours vivante ou d'une volonté aujourd'hui émise par un Seigneur dont il n'est que le porte-parole. Mais comme dans le cas précédent sans doute, des interférences sont possibles et les rôles peuvent facilement se chevaucher l'un l'autre. Cela, d'autant plus qu'à l'époque on aimait souligner combien les prophètes d'hier, ceux d'Israël, savaient « scruter les Écritures » (*Daniel* 9, 2) pour mieux dire la parole divine d'aujourd'hui. Car Dieu continue de parler aux siens. En d'autres termes, les prophètes et les enseignants chrétiens peuvent en appeler à l'Écriture ou à la tradition des paroles de Jésus, chacun à leur manière, mais c'est la façon de se situer par rapport à elles qui change alors. L'un parle *sur* l'Écriture, et l'autre épelle les paroles mêmes de Dieu. Sa parole demeure une parole de révélation, prononcée éminemment par le Seigneur. Le prophète n'expose pas ou ne décrypte pas les Écritures anciennes, il dit aujourd'hui la parole de Dieu et de son Christ. Mais, là encore, des interférences sont possibles, à tel point que « les prophètes et les docteurs », souvent liés ensemble, semblent parfois quasi confondus.

Par ailleurs, le prophète chrétien n'est pas un extatique à la manière des glossolales (peut-être). Nous ne reviendrons pas sur ce

---

29. Les langues sémitiques ne connaissent pas le système verbal grec du « passé, présent et futur » ; elles répartissent le temps sur le registre de l'*accompli* (ce qui était hier ou ce qui est maintenant achevé) et de l'*inaccompli* (ce qui sera ou ce qui maintenant en train de se faire).

point[30]. Chez l'Apôtre, les liens et la distinction entre la prière glossolale et la révélation prophétique apparaissent manifestes. Ainsi, les deux charismes sont liés de quelque manière lorsque Paul parle de « tout homme qui prie et prophétise » (1 Co 11, 4 ; cf. Ac 19, 6). Mais, en raison de l'exigence d'une prière en langue désormais audible par la communauté entière, le prophète, du moins celui d'une communauté paulinienne, est amené à absorber en quelque sorte la prière glossolale. Il l'interprète en langage clair. Au fait, ce type d'absorption, disons à la manière d'un jeu de « poupées russes » qui s'emboîtent l'une dans l'autre, n'est-il pas au cœur de ce travail d'unification des ministères chrétiens à partir des pratiques et des titres différents selon les communautés ?

Enfin, le prophète chrétien n'est apparemment pas un inspiré de type itinérant, sillonnant la Palestine à la manière du Maître. Ou plutôt, l'itinérance ne semble guère qualifier le prophète comme tel, même s'il est amené à se déplacer occasionnellement pour souligner l'unité d'une même parole entre les communautés. Il semble néanmoins difficile de distinguer des prophètes dits résidentiels d'autres qui voyageraient. Chez Paul, les prophètes ne bougent pas ; ils demeurent apparemment attachés à leur communauté[31]. Chez Luc ils voyagent parfois (Ac 11, 27), mais ces déplacements caractérisent-ils la fonction prophétique comme telle ou illustrent-ils seulement les relations tissées entre les communautés ? Ils ne sont pas des *envoyés* à la manière des apôtres. Sans doute Barnabé et Paul, appelés prophètes et docteurs voyagent-ils, mais n'est-ce pas d'abord en raison de leur rôle missionnaire (ainsi dans Ac 13, 1 ; 14, 4.14) ? Plus tard, on verra des prophètes ambulants, quasi obligés de changer de domicile pour ne pas être catalogués parmi les faux prophètes (*Didachè* 11, 4.5 ; 13, 1). Le seul cas un peu énigmatique est celui d'Agabus trouvé successivement à Jérusalem, Antioche et finalement Césarée (Ac 11 27 et 21, 10).

Mais est-il possible de mesurer exactement la nature et les modalités de ce charisme prophétique ? Sur ce point la discussion reste vive parmi les exégètes : les uns semblent minimiser l'importance de ce charisme pour quasi le réduire à la seule annonce d'un événement fortuit qui devrait bientôt survenir : par exemple, la

---

30. Voir ch. 2, p. 49ss.
31. Cf. Rm 12, 6 ; 1 Co 12, 10.28 ; 14, ls ; Ep 4, 11.

prédiction du mariage de sa fille ![32] Agabus devient alors l'exemple par excellence – en fait, l'unique ou presque, avec les quatre filles de Philippe peut-être (Ac 21, 9-10). Pour d'autres, en nombre croissant aujourd'hui, ce charisme intéresse directement le travail de la parole, y compris celui d'une transmission *in Spiritu* des paroles de Dieu et de son Christ[33]. Le *produit* des paroles apostoliques et prophétiques se trouve déjà entre nos mains, dans cette tradition des paroles qui deviendront l'Écriture nouvelle. Avec raison, l'auteur d'Éphésiens peut s'écrier : « La construction que vous êtes a pour fondations les apôtres et les prophètes » (Ep 2, 20). Ces prophètes seraient-ils donc partout acceptés dans les communautés ? Commençons par mieux les situer.

De la Galilée à Antioche

La question portant sur le temps et le lieu de l'action prophétique est relativement claire. On rencontre ces prophètes en Galilée d'abord, en Judée aussi, puis, à Antioche avant l'an 70 de notre ère. Leur mention devient plus rare ensuite, avant de disparaître progressivement – Matthieu et la *Didachè* en parlent comme des organes-témoins. Mais on les voit resurgir en force dans le Montanisme du IIe siècle de notre ère. Au fait, le prophétisme féminin qui s'épanche à loisir dans ce mouvement déviant n'en récupère pas moins le souvenir d'une certaine tradition féministe dans la ligne de la prophétesse Anne (Lc 2, 36), des femmes qui prient et prophétisent à Corinthe (1 Co 11, 5), des filles qui prophétisent (Ac 2, 17-18) et des quatre vierges de Philippe (Ac 21, 9). Il est difficile de préciser davantage l'implantation première de ces prophètes de Galilée, reconnus à partir des éléments ramassés dans l'ancienne *Tradition Q*[34] au sein d'une communauté de type eschatologique. Ils constituaient apparemment les uniques dirigeants de ce groupe, sans la présence des apôtres et des presbytres de Jérusalem ou d'ailleurs. Probablement, leur rôle était-il assez polymorphe, afin de rendre compte de tous les besoins de ces communautés judéo-chrétiennes. Par ailleurs, Luc rappelle

---

32. Par exemple, G.A. Grundem (1988) et C. Forbes (1997), cités dans la bibliographie.

33. Voir surtout E. Cothenet (1977) ; E.E. Ellis (1978) ; D.E. Aune (1983) : M.E. Boring (1991) ; T.W. Gillespie (1994), cités dans la bibliographie.

34. La *Tradition Q* (reconstituée en partie à l'aide des éléments communs à Mt et à Lc, indépendants de Mc) rapporte une série de *logia* de Jésus, de frappe, à la fois, eschatologique et sapientielle.

que des prophètes d'Antioche descendent de Judée (Ac 11, 27 et 21, 10) : et finalement, dès les 50 au moins, on rencontre un groupe de prophètes, dont Barnabé et Paul, puis, Jude et Silas (Ac 13, 1 ;15, 32). Le titre de prophète n'a donc guère résisté au temps. y compris dans ces communautés judéo-chrétiennes, centrées sur la figure de Jacques de Jérusalem surtout, puis, devenues sectaires. Elles honoraient hautement Jésus, le Prophète, mais sans guère user du titre prophétique pour désigner Jacques, Pierre et d'autres presbytres *(Homélies pseudo-Clémentines* 18, 7.6). Le traité pseudo-Clémentin de *Virginitate* (I, 11, 4, 10) mentionne cependant encore des prophètes et des docteurs. Abordons des points plus délicats.

L'autorité de la parole

Comment se présente la prophétie chrétienne ? Adressée aux membres d'une communauté, la prophétie est la communication d'une révélation déclarée comme venant de Dieu ou de son Christ, par l'entremise de l'Esprit. Elle touche donc éminemment le travail de la parole sous l'une de ses formes essentielles, celle d'une révélation de Dieu et de son Christ[35]. D'emblée, le prophète souligne l'autorité de cette parole, puisqu'elle vient de Dieu par son Esprit. Les données sont nombreuses sur ce point. À l'instar des prophètes d'Israël dont il porte le titre, le prophète chrétien est le héraut d'une parole nouvelle, ou plutôt il en est le porte-parole, *la bouche* (Ac 3, 21). Ainsi, le prophète de l'Apocalypse écrit « les paroles mêmes de Dieu » (Ap 19, 9 ; cf. 22, 6). Le prophète Agabus déclare : « Voici ce que dit l'Esprit Saint » (Ac 21, 11), comme les prophètes d'antan disaient : « Ainsi parle le Seigneur ». Mais cette parole porte désormais un nom, celui de Jésus-Christ lui-même, la parole vivante de Dieu. Sur ce point, le prophète nouveau est radicalement différent de l'ancien. Il fixe essentiellement son attention sur Jésus : « le témoignage de Jésus, c'est l'Esprit de la prophétie » (Ap 19, 10). Bref, Dieu est à l'origine de cette parole prophétique, et c'est l'Esprit qui donne maintenant à parler, comme c'est le Christ toujours vivant « qui a donné certains comme apôtres et d'autres comme prophètes » (Ep 4, 11).

Encore faut-il être sûr de l'authenticité de ces paroles prononcées dans l'Esprit. Le problème est ancien, déjà à l'époque du *Deutéronome*

---

35. Voir ch 2, p. 50ss.

afin de distinguer le vrai prophète d'un faux qui en appellerait à l'idolâtrie (Dt 13, 2ss). Cette fois, l'Apôtre en appelle au « discernement des esprits » au sein de la communauté avec ses prophètes, car « les esprits des prophètes sont soumis aux prophètes » (1 Co 14, 32). Mais en quoi consiste exactement cette prophétie chrétienne ?

La révélation des mystères et l'exhortation communautaire

Il est difficile de délimiter le contenu d'une prophétie chrétienne qui peut s'appliquer à des champs différents, même si elle se situe plutôt sur le registre de l'apocalyptique ou sur celui de l'exhortation communautaire. Les anciens ne s'intéressaient guère à distinguer entre eux des genres ou *produits* littéraires, aux contours d'ailleurs mouvants dans le cas de la prophétie. L'accent est surtout mis sur l'origine de cette parole dans l'Esprit et sur sa visée propre. Les contenus peuvent être divers, puisque tout, d'une certaine manière, peut être déclaré prophétiquement sous la mouvance divine. Paul insiste cependant sur deux dimensions essentielles de cette parole éminemment spirituelle, touchant, à la fois, la pensée et la pratique chrétienne :

> « Quand j'aurais le don de prophétie et que je connaîtrais tous les mystères et toute la connaissance... » (1 Co 13, 2).

Les mots *mystères* et *connaissance* (en grec, *gnosis*) sont assez précis dans le langage paulinien. Ils désignent le dessein de salut de Dieu en son Christ et la connaissance active de la volonté divine[36]. L'un s'épanouit en particulier dans l'Apocalyptique où se dévoilent les secrets de Dieu et l'autre, dans l'exhortation. Les deux se tiennent en partie, tant l'action du croyant doit faire corps avec le projet divin[37]. Or, dans le milieu paulinien, ces *mystères* – un mot à la mode

---

36. Cf. C. Perrot, « Le principe de la connaissance éthique selon Paul », dans *Penser la foi. Mélanges Joseph Moingt*, Paris, Le Cerf, 1993, p. 117-126.

37. Cette double dimension de la prophétie, mêlant les dits apocalyptiques aux paroles de sagesse, porte l'écho du curieux emmêlement de ces deux types de paroles dans la cadre de la *Tradition Q* (voir note 34 précédente). D'aucuns (Crossan, Mack, etc..) voudraient entièrement les séparer l'un de l'autre. Mais dans le Judaïsme de l'époque (par exemple chez le Pseudo-Philon, *Les Antiquités bibliques)* les deux coexistent parfaitement ensemble. Cf. C. Perrot. « Les sages et la sagesse dans le Judaïsme ancien », ACFEB, *La Sagesse biblique de l'Ancien au Nouveau Testament*, Paris, Le Cerf, 1995, p. 231-262.

à l'époque hellénistique – ne concernent pas seulement l'événement à venir, mais les événements d'un salut maintenant inauguré à l'aube des derniers temps par la mort et la résurrection de Jésus[38]. Le mot *mystères* est lié alors à la prophétie : « à la proclamation de Jésus Christ, selon la révélation du mystère... manifesté maintenant par le moyens des écrits prophétiques » (Rm 16, 25-26). Par ailleurs, selon le porte-parole de Paul, l'évangélisation des Nations relève aussi d'une prophétie maintenant accomplie :

> « Vous pouvez maintenant comprendre l'intelligence que j'ai du mystère du Christ, qui, en d'autres générations, n'a pas été porté à la connaissance des fils des hommes comme il a été maintenant révélé à ses saints apôtres et prophètes en l'Esprit » (Ep 3, 4-5).

Ce qui étale en quelque sorte le travail de la parole, dévolu aux prophètes chrétiens comme aux apôtres aussi, sur le champ entier de la révélation nouvelle[39]. Comme l'apôtre, le prophète joue son rôle dans la résurgence post-pascale des paroles et des gestes de Jésus. Car l'Esprit rappelle cette parole d'hier, remise sur les lèvres neuves d'un Ressuscité qui continue de parler aux siens par ses apôtres et ses prophètes[40]. Comme le déclare le Christ johannique :

> « Je vous ai dit cela quand je demeurais auprès de vous. Mais le Paraclet, l'Esprit, le Saint, qu'enverra le Père en mon nom, lui vous enseignera tout et vous rappellera tout ce que je vous ai dit » (Jn 14, 25-26).

Cet immense travail d'anamnèse ou ce vif souvenir des paroles et des gestes du Nazaréen sera ensuite ramassé par des *docteurs* chrétiens et encadré dans les évangiles. Ajoutons combien la lecture de l'Écriture avait aussi sa place : non pas un discours réflexif *sur* l'Écriture pour y découvrir Jésus, mais dans l'acte même d'une lecture où, par le biais de son porte-parole, Dieu et son Christ continuent de

---

38. Voir par exemple 1 Co 2, 1 ; 4, 1 ; Col 1, 27 ; 2, 2 ; Ep 3, 9.

39. Cette extension du travail de la parole au cœur même de la tradition des paroles de Jésus a été fortement promue, avec des nuances entre eux, par E. Cothenet, M.E. Boring et D.E. Aune, cités dans la bibiographie.

40. De nombreux exégètes tentent d'identifier dans les Évangiles les paroles relevant directement de Jésus de celles produites par les prophètes chrétiens. Le tri s'avère en fait difficile à faire, tant ces paroles sont toutes passées au tamis des apôtres et des prophètes chrétiens : pour eux, c'est le Jésus d'aujourd'hui qui parle aux siens, et non pas le Jésus d'un musée historique. Cela dit, ces paroles, « re-produites » au jour et à jour, n'ont pas été inventées pour autant. Le prophète est un porte-parole, tenu à la fidélité envers celui dont il est la bouche, et « le discernement des esprits » saura justement opérer un tri ecclésial dans le foisonnement de ces paroles. Cf. Jn 21, 25.

parler. D'un côté, le croyant voit l'enseignant décrypter christologi-
quement l'Écriture, et, de l'autre, il entend le Seigneur qui lui parle.

Dans ces conditions, comment un apôtre ou un prophète chrétien,
répercutant de quelque manière les paroles du Nazaréen maintenant
ressuscité, pourrait-il le faire sans que cette parole aujourd'hui émise
ne devienne décisive, puisqu'elle déclare le comportement à avoir
selon l'Esprit ? La parole prophétique débouche alors sur l'action, à
la manière des Prophètes d'hier encore. Dès lors, « celui qui prophétise parle aux hommes ; il édifie, il exhorte, il console » (1 Co 14, 3)[41].
Comme l'apôtre de Jérusalem et d'ailleurs, le prophète, d'abord surgi
de la Galilée, construit la communauté nouvelle. Cette exhortation,
cette *paraclèse*, est l'œuvre majeure du prophète (1 Co 14, 31), sans
exclusive cependant : dans Rm 12, 8, les deux charismes sont distingués. Luc insiste sur ce motif à propos de Barnabé « le fils de la
paraclèse » (Ac 4, 36 ; 11, 23), de Paul et Silas (16, 40 ; 20, 2), de Pierre
(2, 40), de Jude et Silas (15, 32). Mentionnons encore le prophète
Timothée qui doit se consacrer « à la lecture des Écritures, à l'exhortation et à l'enseignement » (1 Tm 4, 13-14). Dans ce dernier texte,
l'exhortation désigne l'homélie qui suit les Écritures selon la pratique
de la Synagogue (Ac 13, 15). Déjà, on devine l'importance de ce travail
prophétique de la parole dans le cadre d'une assemblée chrétienne.

Des prophètes au sein d'une Église prophétique

Nous avons relevé plus haut chez Paul une certaine contrariété,
ou au moins un flou réel, dans sa manière de parler d'une communauté désormais entièrement prophétique (« Vous pouvez tous prophétiser », 1 Co 14, 31) et l'existence d'un groupe dûment classifié,
celui des prophètes (1 Co 12, 28). Le point est important, puisque,
avec une indication sur l'exercice de la prière communautaire que
nous lirons plus loin, il est le seul dans le Nouveau Testament à
affirmer le lien et une réelle distinction aussi entre les différents rôles
concernant la parole prophétique. Ce qui, dans un autre langage
assurément, trouvera son équivalent partiel dans la distinction opérée plus tard entre les *prêtres* et les *laïcs*. Faut-il d'emblée remarquer

---

41. Le mot *consolation* (Isaïe 40, 1s) revêt au 1e siècle un accent directement
messianique, au point qu'un des noms donnés au Messie sera celui de *Menahem*, le
consolateur.

que Paul et les autres auteurs du Nouveau Testament ne paraissent guère se préoccuper du problème ! Le contexte d'ensemble et les mentalités d'alors sont singulièrement différents des nôtres. Nous raisonnons sur les textes anciens pour deviner si le charisme prophétique de la communauté entière pesait plus ou moins par rapport au charisme des spécialistes de la prophétie, ou encore, si le charisme de ces derniers est occasionnel seulement, et son intensité plus ou moins forte. Bref, nous raisonnons au niveau d'un *avoir*, d'un pouvoir de ce monde ou d'un statut particulier, possédé par l'un et l'autre, ce qui ne relève en rien du langage néotestamentaire ; nous raisonnons *kata sarka*, d'un point de vue humain, dirait Paul. Qu'est-ce que l'un a plus que l'autre ? Alors que toute l'attention de l'Apôtre et des autres auteurs aussi porte essentiellement sur la racine spirituelle de cette parole apostolique et prophétique. Désigner un ministre chrétien et le reconnaître comme sien, c'est déjà poser un acte de foi. Car c'est l'Esprit qui permet de le désigner au sein même de l'Église comme celui qui porte authentiquement sa parole. C'est l'Esprit, de par un *discernement des esprits* exercé en Église, qui l'authentifie réellement. Les modalités de cette authentification sont en fait laissées à l'Église, quitte à toujours préserver une réelle homologie entre l'apôtre et le prophète d'hier et le ministre d'aujourd'hui, à partir de l'Écriture d'abord.

Cela dit, le croyant perçoit vite des différences essentielles de niveaux dans l'émission même d'une parole prophétique. La parole prophétique de celui qui donne ses lèvres au Seigneur de la parole scripturaire n'est pas du même type que celle, éminemment *performative* (qui fait ce qu'elle déclare au nom de l'Esprit), reconnue en particulier dans les sacrements de l'Église. Par exemple, seul le Christ peut véritablement dire : « Ceci est mon corps », et le porte-parole prophétique qui, de par l'Esprit, laisse passer ces mots sur ses lèvres ne saurait évidemment remplacer son Seigneur. Cette parole n'est pas la sienne, quand même poursuivrait-il à son tour ce continuel travail de résurgence de la parole du Nazaréen, à la manière des apôtres et des prophètes du lendemain de Pâques. Le ministre chrétien ne la possède pas. Il ne s'en donne pas le pouvoir. Cette charge ne peut être qu'attribuée par d'autres, et par l'Esprit d'abord. Par là, sont signifiées l'initiative et la préséance entière d'un Seigneur qui parle aujourd'hui aux siens. et les conduit toujours. De même, en certaines circonstances, le croyant qui baptise pose au nom du Seigneur un geste qui le dépasse. En disant « Je te baptise », il pose un geste performatif qui découle du charisme prophétique qui est le sien de par son attachement au Corps du Christ. Et c'est à l'Esprit seulement, par le biais des médiations ecclésiales, de distinguer les différents niveaux d'expression de cette parole qui porte le salut. Car nul ne peut se prendre pour l'Esprit.

Les prophètes dans l'assemblée chrétienne

Le dernier point abordé sera plus court encore, et pourtant essentiel lui aussi. Quel est le lien entre ces prophètes chrétiens et une assemblée réunie en son eucharistie ? Nous venons de rappeler l'importance radicale de cette parole de type apostolique et prophétique, à la fois, au cœur même de cette « parole gestuée » qui construit l'Église, en déclarant le salut dans l'annonce même de « la mort du Seigneur jusqu'à ce qu'il vienne » (1 Co 11, 26 ; cf. 10, 16-17). Mais reste-il des traces concrètes de ce lien entre l'eucharistie et cette première prophétie qui s'épanouit en lien avec les envoyés du Ressuscité, les apôtres ?

Le texte le plus clair est tiré de la *Didachè* dans un contexte immédiatement eucharistique : « Laissez les prophètes rendre grâce (en grec, *eucharistein*) autant qu'ils le voudront » (*Did.* 10, 7)[42]. Plus tard, les *Constitutions Apostoliques* (VII, 27) reprendront les mêmes mots, en substituant toutefois des presbytres aux prophètes d'hier. Or, le lien entre la prière et la prophétie apparaît déjà chez Paul : pour lui ces deux charismes font en partie corps chez celui ou celle « qui prie et prophétise » (1 Co 11, 3-4). Puis, dans sa mise au point sur la glossolalie selon 1 Co 12 et 14[43], l'Apôtre donne déjà l'impression d'une sorte d'absorption de la glossolalie dans le discours prophétique d'une prière audible et désormais ordonnée. Le même lien apparaît très tôt dans 1 Th 5, 16-21 où la prière, l'action de grâce, l'Esprit, la prophétie et le discernement des esprits s'appellent l'un l'autre, au point de donner ici l'impression d'une énumération qui refléterait ou presque le déroulé d'une assemblée chrétienne dans le travail d'une parole sous le souffle de l'Esprit. Ce lien n'a d'ailleurs rien d'étrange dans le cadre d'un milieu juif où la prière demeurait à

---

42. Voir, p. 136 note 40 sur *Did* 11, 9.
43. Cf. p. 4.

la charge du prophète, tel Moïse d'abord. Le *Livre des Antiquités Bibliques* rappelle ce mot du peuple d'Israël : « Voici que le prophète Samuel est mort. Qui va prier pour Israël ? » (62, 2).

Enfin, un élément lu dans la première aux Corinthiens attire aussi l'attention, toujours à propos des glossolales et des prophètes. Les premiers prient authentiquement, dans l'Esprit, mais leur prière musicale et inarticulée ne saurait cependant construire l'Église. Il importe donc que des prophètes prennent le relais dans le cadre d'une prière communautaire audible. Car, ajoute l'Apôtre :

> « Si tu prononces une bénédiction par l'Esprit, celui qui occupe la place de non-initié, comment dira-t-il l'Amen à ton action de Grâce ? » (1 Co 14, 16).

On remarquera les verbes *prononcer une bénédiction* et *dire l'action de grâce* (en grec, *eucharistein*) ; ce sont les mots-clés des récits de la Cène (Mc 14, 22-23). Par ailleurs, au sein même des synagogues on savait distinguer celui qui prie de la foule des particuliers ou *non-initiés* répondant Amen à la prière. Là déjà, les charges sont distinctes, sans être nullement opposées. Ainsi, dans le contexte de Corinthe déjà, on distingue le rôle des prophètes chrétiens dans un contexte que la tradition du IIe siècle appellera ensuite cultuelle.

Faut-il ajouter une question ? L'office prophétique est-il encore à l'œuvre de nos jours ? Oui et non. Non, parce que le temps de la prophétie fondatrice est clos, à la manière de l'apostolat premier dans le cadre de son rôle fondateur : « Vous avez été intégrés dans la construction qui a pour fondations les apôtres et les prophètes » (Ep 3, 5). Mais oui aussi, puisque le Ressuscité continue de parler aux siens et que l'Esprit souffle où il veut. À la manière des prophètes de l'époque hellénistique et plus encore à celle des prophètes d'Israël tels qu'ils étaient désignés au premier siècle de notre ère, le prophète chrétien demeure un transmetteur de la parole, le médiateur d'une parole qui le dépasse, y compris et surtout dans le cadre d'une parole dite sacramentelle. Le motif d'une telle parole qui réalise dans l'Esprit cette médiation essentielle va se retrouver, dans un langage plus paulinien encore, dans le langage dit *diaconal*, celui du serveur de la parole.

CHAPITRE 8

LE SERVICE DE LA PAROLE ET DE LA TABLE

La parole apostolique et prophétique, sans évoquer celle des enseignants à son niveau propre, suffit déjà à asseoir pleinement une réflexion historico-biblique sur le ministère. Paul en est le témoin. Tout est déjà là avec quelques services en plus, quand il classe soigneusement les trois ministères de la parole : « premièrement, des apôtres, deuxièmement, des prophètes, troisièmement, des enseignants » (1 Co 12, 28). Pourtant, trois faits au moins vont perturber ce bel ensemble : d'abord, l'usage d'un autre vocabulaire directement diaconal, devenu à la mode chez Paul et dans les cercles pauliniens surtout ; puis, dans le cadre d'une assemblée réunie autour de la table du Seigneur, une plus forte appréhension du lien entre la parole et le pain ; et, enfin, comme nous l'avons déjà souvent souligné, le passage de la génération fondatrice, apostolique et prophétique, à d'autres ministres aux noms divers, qui n'en sont pas moins habilités à soutenir cette parole et ce pain dans le cadre d'une étonnante fidélité créatrice. Notre attention portera sur les deux premiers points.

LE VOCABULAIRE DIACONAL

Quel sens donner aux mots grecs *diakonein, diakonia, diakonos* (servir, service, serveur) pose problème ? S'agit-il essentiellement du service de la table ? Mais en ce cas, comment comprendre, entre autres, la désignation paulinienne de Jésus comme « le serveur du péché » (Ga 2, 17) ? De fait, chez l'Apôtre le motif du service de table n'apparaît guère, à la différence de Luc, par exemple. On comprend donc le débat exégétique sur ce point. Hermann W. Beyer (en 1935)[1] et bien d'autres avec lui soutiennent que le radical verbal *diakonein* évoque en premier le motif de la table et de la bienfaisance, en sorte que le *diacre* serait d'abord le ministre de la charité dans le déploiement des œuvres caritatives. Puis, dit-on, ce radical aurait ensuite pris un sens métaphorique pour désigner le service en général. Mais Dieter Georgi et, plus encore, John N. Collins soutiennent au contraire[2], avec preuves à l'appui tirées des anciennes inscriptions grecques et autres, que ce radical appelle d'abord l'idée d'un lien, d'une transmission ou d'une médiation opérée par l'entremise de la parole. L'accent n'est donc plus mis sur le service de la table. Dans la langue grecque, classique et hellénistique, comme dans le Nouveau Testament aussi, un simple survol statistique débouche effectivement sur ce constat. En gros, un quart seulement des mentions de ce radical, relevées dans les anciens écrits, concerne la table. Or, cette conclusion d'ordre sémantique a une importance directe sur la question des ministères chrétiens, et pas seulement sur le « diaconat » d'aujourd'hui. Le ministère, au sens premier du mot, ne concerne-t-il pas d'abord le travail de la parole dans le jeu de sa transmission polymorphe – les sacrements y compris ? Mais comment le relier alors au service de la table chrétienne, et donc à l'eucharistie ? Considérons les deux points, après une remarque préliminaire.

Trop souvent, au niveau des traductions françaises et autres, on confond purement et simplement les radicaux grecs *douleuein* et *diakonein*, et donc *doulos* (l'esclave ou le serviteur)[3] et *diakonos* (le serveur), et l'on orchestre ensuite une haute spiritualité du service qui serait au cœur de l'office diaconal. Sans nier qu'au premier siècle déjà on pouvait parfois rapprocher les deux mots (Mc 10, 43-44), il

---

1. Hermann W. Beyer, « diakoneô », *Theologisches Wörterbuch zum Neuen Testament*, II, 81-93.

2. Dieter Georgi, *Die Gegner des Paulus im 2 Korintherbrief*, Neukirchen, 1964, p. 31-38 et John N. Collins, *Diakonia. Re-interpreting the Ancient Sources*, Oxford University Press, New York, Oxford, 1990. Voir la bibliographie générale sur le ministère.

3. Le mot grec *hypèretès* a aussi le sens de subordonné, tel un serviteur ou un garde (Lc 4, 20). Luc le rattache au motif de la parole : « les serviteurs de la parole » (Lc 1, 2 ; cf. Ac 26, 16).

importe cependant de fortement les distinguer aussi, tant ils vont en sens différents. Le radical *douleuein* évoque directement un rapport de puissance, celui du maître à l'esclave : ainsi, le *kyrios*, le patron de la maison sur ses domestiques ou les serviteurs qui lui sont soumis – l'esclave étant à l'époque une *non personne*. Au contraire, l'autre radical évoque d'emblée l'idée d'un émissaire chargé d'un message, représentant d'une autorité, ou encore celle d'un intermédiaire tissant un lien avec d'autres par le jeu d'une parole à transmettre. Ce n'est pas un titre d'humilité. À nouveau, le point a des conséquences sur le ministère chrétien en général. Ouvrons le dossier, en disant d'emblée que nous suivrons la thèse de J.N. Collins, de loin la mieux argumentée. Par rapport à ce dernier cependant, les données, ici rapidement entassées, voudraient relever en plus la particularité du langage diaconal dans un contexte hellénistique où le mot prend des consonances nouvelles en raison même de son lien avec les repas communautaires chrétiens.

LE VOCABULAIRE DIACONAL GREC ET JUDÉO-HELLÉNISTE

Le radical verbal *diakonein*[4], avec le sens de servir à table est relativement peu fréquent en grec classique ; il apparaît déjà chez Hérodote (IV, 154, 3), en l'an 425 avant J.-C. Mais chez Platon, le serveur désigne encore un intermédiaire dans le cadre d'une transaction commerciale par exemple. Par ailleurs, le dieu Hermès n'est-il pas aussi désigné comme un *serveur*, un messager ? Le mot semble déjà davantage connu à l'époque hellénistique, ainsi dans le milieu des prédicateurs stoïciens dits cyniques qui entendent assurer leur *service* auprès des hommes. Néanmoins, le mot n'apparaît guère dans le langage populaire reflété par les *papyri* ; et les anciennes inscriptions grecques n'en offrent que seize mentions, relevées dans un contexte cultuel surtout. Même un auteur comme Athenaeus dans son livre sur les coutumes de table en use peu. Toutefois, dans le cadre des repas d'associations, cultuels et autres, aux côtés du *mageiros* – remplissant à la fois le rôle du sacrificateur, du boucher et du cuisinier – on constate la présence des *diakonoi* à même de servir les convives qui participent à la table commune[5].

---

4. Sans doute dérive-t-il de *diôkein,* avec le sens de se hâter d'accomplir une course.
5. Athenaeus, *Deipnosophistai* 659d, du IIIe siècle avant J-.C.

De leur côté, les traducteurs des Septante évitent apparemment le mot[6]. Philon d'Alexandrie en use quelques fois seulement à propos des anges[7] ou d'Aaron, désigné comme la « bouche diaconale » de Moïse (*de Vita Mosis* I § 84) ; ou encore, pour le patriarche Joseph, le serveur (*diakonos*) et le serviteur (*hyperètès*) des grâces divines (*de Josepho* § 241s). La situation change déjà singulièrement avec Flavius Josèphe qui offre quelques soixante-dix occurrences de ce radical[8]. Mais, là encore, l'accent est d'abord mis sur un message à porter, même si l'auteur évoque aussi le service de la table (*Antiquités Juives* VI § 52) ou rappelle le *service* des sacrifices au Temple, dont les viandes sont servies aux foules (VIII § 101 ; X § 572). Ainsi, Jérémie le prophète *sert* les siens en intervenant auprès de Dieu (X § 177) ; Esther envoie un serveur, un messager (XI § 228) ; et là où les *Septante* emploient le verbe *parler* (3 R 2, 17), Josèphe écrit *servir* (la parole) (VIII § 5). Vu l'importance de la geste d'Élie dans le milieu judéo-chrétien, on relèvera la mention du prophète Élisée, désigné comme le « disciple et le serveur » d'Élie (VIII § 354), c'est-à-dire deux termes hautement christianisés. De même, dans la *Guerre des Juifs*, il est question d'un prophète, « serveur de la voix de Dieu » (IV § 626 ; cf. III § 354).

Les occurrences du même radical dans les Apocryphes sont peu nombreuses[9]. Citons seulement le livre de *Joseph et Aséneth*, où la fiancée païenne du patriarche se désigne comme « la servante qui lui lave les pieds » (13, 12 ; cf. 15, 7). Dans le *Testament de Job*, écrit au premier siècle de notre ère aussi, il est question de boulangers mis « au service de la table des pauvres » (10, 7 ; cf. 11, 2-3) ; le mot est encore employé dans le contexte d'un repas en 15, 1[10]. Comme on voit,

---

6. Dans les *Septante,* on ne trouve aucune occurrence de *diakonein* ; mais 7 fois, *diakonos* dans Esther 6, 3.5 et 1 M 11, 58 ; et 3 fois, *diakonia*.

7. Philon, *de Abrahamo* 115 sur les anges *serveurs* (*hypodiakonoi*) et ambassadeurs de Dieu. Cf. He 1, 14 (les anges envoyés en service). Voir aussi la *Grammaire* de Pollux (8, 137) selon laquelle les mots *diakonos, angelos* et *keryx* (le héraut) sont équivalents.

8. Cf. K.H. Rengstorf, *A Complete Concordance to Flavius Josephus*, vol. 1, Leiden, 1973, p. 454.

9. Cf. A.M. Denis, *Concordance grecque des Pseudépigraphes d'Ancien Testament*, Louvain, 1987, p. 258.

10. À l'époque rabbinique, le verbe araméen *shemash* a le sens de servir, dans le cadre du service liturgique par exemple. De même, le *Targum palestinien* (Néofiti) sur Exode 28, 1 parle d'Aaron qui doit faire des vêtements à ses fils pour « qu'ils servent devant Lui dans le souverain sacerdoce ». Dans *Mishna Yoma* 7, 13, il est question de celui qui sert la coupe de vin lors du repas pascal ; le sens de servir à table apparaît dans les Targums araméens, *Tg Genèse* 18, 8 et *Tg Exode* 18, 12.

en dehors de Josèphe, l'importance accordée à ce radical n'apparaît guère considérable, et l'accent ne porte pas tellement sur la table. Paul va-t-il alors le reprendre, et de quelle manière ?

LA PROMOTION DU LANGAGE DIACONAL CHEZ PAUL ET LES SIENS

Sur les trente-six emplois du verbe *diakonein*, les trente du substantif *diakonia* et les trente-quatre de *diakonos* dans le Nouveau Testament, une bonne part relève directement de Paul, dont vingt-trois occurrences dans 1 et 2 Co. La plupart des autres se trouvent dans les écrits de type largement paulinien – ainsi, dans les Actes, Colossiens et Éphésiens, et en petit nombre dans les Pastorales – sauf sur les « diacres » en 1 Tm 3, 8-13. Les lettres de 1 à 3 Jn, de 2 P, de Jude n'en usent pas ; 1 P en porte trois mentions, et de même l'évangile johannique, mais en dehors de Jn 13 à 17 ; l'Apocalypse, une fois seulement.

L'ensemble des occurrences peut se répartir en trois ou quatre groupes : le premier, surtout paulinien, use du radical *diak* – en lien direct avec le motif de la parole ; le deuxième moins homogène, dans les évangiles et les Actes, est en lien plus ou moins étroit avec le thème du repas ; le troisième groupe touche la collecte ou le service de l'entraide communautaire ; et le quatrième attache le mot *serveur* à des noms propres, sans qu'il faille d'emblée en faire des diacres. Timothée dont parle Ac 19, 22 et Tychique (Col 4, 7 ; Ep 6, 21) ne sont pas des *diacres*, et Phoebé, non plus (Rm 16, 1) ! Posons la question : pourquoi une telle répartition où la parole, le pain et l'entraide communautaire usent étonnamment de ce même radical ? Nous tenterons plus loin une explication. Pour l'instant, retenons surtout l'insistance de Paul à ce propos, liée au seul motif de la parole, et un peu comme si l'apôtre reprenait ce radical, sans grand relief en grec, pour en faire la pièce maîtresse de sa pensée sur le ministère.

Chez Paul le lien entre la parole et le service est premier. Citons quelques textes, dans le contexte animé de Corinthe où la parole de l'Apôtre est mise en question. Qui donc sont Apollos, Paul et d'autres ? sinon, « des serveurs par qui vous avez cru », des messagers et des médiateurs du salut (1 Co 3, 5). Plus fortement encore, en pleine controverse sur son titre apostolique, Paul écrit : « Nous nous recommandons en tout comme des serveurs de Dieu » (2 Co 6, 4). Sa parole opère authentiquement le salut, autant, sinon mieux que celle des autres : « Ils sont serveurs du Christ... Moi plus qu'eux » (2 Co 11, 23). L'insistance ne porte pas ici sur l'humilité ! Paul est un authentique médiateur du salut, à la différence des « serveurs (de Satan qui) se déguisent en serveurs de la Justice » – en faux commissionnaires du salut (11, 15). Paul souligne la dimension médiatrice de son ministère, au point d'écrire : « Dieu nous a rendus capables d'être serveurs d'une alliance nouvelle » (2 Co 3, 6)[11], et si le Christ a en lui tout réconcilié, Dieu « nous a accordé le service de la réconciliation » (5, 18)[12]. On relèvera en outre dans 1 Co 12, 5, au sein de la Trinité « économique » dont nous avons parlé plus haut[13], la phrase : il y a « des diversités des services, mais (c'est) le même Seigneur ». Le *Kyrios*, le Seigneur et maître de maison, départage, régente et unifie tous les ministères. Ajoutons deux éléments lus dans Romains : « Pour autant donc que je suis l'apôtre des Nations, je magnifie mon service » (11, 13). Son rôle ministériel grandit en fonction même de sa charge apostolique. Car il est le serveur, et donc le lieu transitaire d'un message de salut maintenant adressé aux païens. La phrase de Paul lue dans Rm 12, 7 est déjà moins claire : chacun a le don que Dieu lui accorde : soit celui de prophétie, soit celui du *service*, soit celui de l'enseignement ou de l'exhortation, et il doit l'exercer dans le cadre propre à chacun des charismes en question. Comme on voit, ce service fait corps avec le travail d'une parole nouvelle – sans allusion apparente ici à quelque service caritatif. Le service devient comme le mot nouveau du ministère prophétique.

Par ailleurs, chez Paul encore, le titre *diakonos*, serveur, s'applique à l'Apôtre (1 Co 3, 5 ; 2 Co 3, 6 ; 6, 4 ; 11, 23)[14], à ses collaborateurs (1 Th 3, 2 ; Phi 1, 1 ; Rm 16, 1)[15] ; et au Christ lui-même qui s'est fait le « serveur des circoncis » (Rm 15, 8). Ce dernier ne saurait donc être le « serveur du péché », c'est-à-dire un agent de la contre-puissance du salut ! En outre, de par leur autorité même, les magistrats païens

---

11. Voir Jost Eckert, « Die Befähigung zu Dienen des Neuen Bundes (2 Kor 3, 6). Neutestamentliche Perspektiven zum Amt in der Kirche », dans *Treier Theologischen Zeitschrift* 106 (1997), 60-78 (cf. *Theology Digest* 45, 1998, 239-49).

12. Le mot *réconciliation* dépasse ici le sens d'un simple raccommodement moral entre des personnes ; dans le contexte de Corinthe qui venait juste d'être reconstruite, il appelle l'idée d'une reconstruction radicale à la suite d'un « décret de réconciliation », émis par Jules César (ainsi, d'après M. Carrez).

13. Voir ch. 2, p. 47s.

14. Voir en plus Col 1, 23.25 ; Ep 3, 7.

15. Voir en plus Col 1, 7 ; 4, 7 ; Ep 6, 21.

doivent être les serveurs de Dieu visant le bien de tous (Rm 13, 4).
Quant à Onésime, l'esclave de Philémon, Paul souhaite qu'il le « serve
en ton nom (à savoir celui de Philémon) ». S'agirait-il donc pour lui
de changer de patron, en s'occupant désormais de l'Apôtre ? Ou
plutôt, en lieu et place de Philémon, ne devrait-il pas devenir un
nouvel agent de la parole « dans les chaînes de l'évangile », alors que
Paul est prisonnier (Phm 1 et 13) ?

Une telle insistance de Paul, quasi unilatérale, sur le lien entre
le service et la parole permet d'éclairer avec une réelle probabilité le
sens du mot *serveur,* lu en Ph 1, 1, sur « les épiscopes et (au sens de
c'est-à-dire) des serveurs »[16], et dans Rm 16, 1 aussi. Madame Phoebé
est désignée comme *le serveur*[17] de l'Église de Cenchrées, l'un des
deux ports importants de Corinthe (Rm 16, 1) ; elle est, en outre, *celle
qui est en tête* ou plutôt la *protectrice* (en grec *prostatis*) de beaucoup,
y compris de Paul apparemment (v. 2). Son rôle est donc important
au niveau communautaire. On ne peut en faire ici une simple assis-
tante ou la gouvernante d'un presbytère de banlieue. Dans la ligne
de la pensée paulinienne, son titre de *serveur* l'inscrit au rang de ceux
et de celles qui servent la parole, en l'occurrence avec un rôle important dans l'Église de Cenchrées, au point que Paul la choisit comme
l'émissaire de sa lettre de recommandation à remettre aux romains
(sinon, aux Éphésiens).

Les lettres deutéro-pauliniennes aux Colossiens et aux Éphésiens
reprennent la même pensée. Ainsi, tout le travail des dirigeants
chrétiens est maintenant ramassé sous le vocable du *service.* Rappelons cette phrase capitale selon la traduction littérale de Maurice
Carrez :

> « Et lui-même (Jésus) a donné les uns apôtres, les autres pro-
> phètes, les autres évangélistes, les autres pasteurs et enseignants,
> pour l'équipement des saints en vue de l'œuvre du ministère, en vue
> de l'édification du corps du Christ » (Ep 4, 11– 12).

L'œuvre du ministère (littéralement, le *travail du service*) surplombe désormais toutes les activités ecclésiales. De son côté, l'auteur
de Colossiens souligne aussi l'importance d'une telle désignation,

---

16. Voir ch. 6, p. 192s.

17. Le mot *diakonos*, à consonance masculine, peut être employé pour un homme
et parfois aussi pour une femme ; ainsi dans Aristophane, *L'assemblée des femmes*,
v. 1116.

APRÈS JÉSUS

appliquée à Paul (Col 1, 23.25), à Tychique (4, 7) et à Archippes avec cette recommandation : « Prends garde au service que tu as reçu » (4, 17 ; comparer Ac 20, 24).

Les lettres dites Pastorales orchestrent la même pensée avec moins d'insistance peut-être : ainsi, cette recommandation de Paul à Timothée : « Fais œuvre de prédicateur de l'évangile, remplis pleinement ton service » (2 Tm 4, 5) ; ou encore, cette demande : « Prends Marc... car il m'est fort utile pour le service (évangélique) » (v. 15). Toutefois, au sein de ce ministère, dont la désignation devenait trop englobante, l'auteur saura bientôt distinguer des serveurs, disons, des diacres hommes et femmes, mais alors, sans plus souligner tellement le lien de ce ministère second avec le travail de la parole évangélique (1 Tm 3, 8-13).

Dans un autre milieu chrétien, comme à la confluence des Églises pétriniennes et pauliniennes[18], l'auteur de la Première de Pierre reprendra une seule fois le motif ministériel :

> « ...chacun selon le don (*charisma*) qu'il a reçu (de Dieu) en se mettant au service comme de beaux intendants de la grâce diverse de Dieu... Si quelqu'un parle, (que ce soit alors) comme des paroles de Dieu, si quelqu'un sert (que ce soit) comme avec la force que procure Dieu... » (1 P 4, 10-11).

Là encore, le ministère touche d'abord la parole, et il est reçu de Dieu seulement, et cela, un peu comme les prophètes d'Israël qui étaient déjà au service des évangélisateurs d'aujourd'hui (1 P 1, 12). Par ailleurs, chez l'auteur de l'Apocalypse, le service n'est plus qu'une vertu, coincée entre l'amour, la foi et la persévérance (Ap 2, 19).

LE MINISTÈRE SELON LES ÉVANGILES ET LES ACTES

Le vocabulaire ministériel change d'allure en passant dans les évangiles et les Actes. Le motif de la parole s'estompe en dehors de quelques éléments lus dans les Actes, et celui du service touchant la table ou l'entraide s'accentue sensiblement. L'existence d'un décalage avec Paul devient alors évident, comme si ces autres écrits voulaient souligner l'importance de la table. Faut-il épeler ici quelques références où le service évoque d'emblée la table ? Ainsi, chez Luc à propos de ces serviteurs (en grec, *douloi*), que le maître... fera mettre à table

---

18. Voir ch. 4, p. 111 note 2.

pour les servir (*diakonein*) (Lc 12, 37) ; ou encore : « Prépare-moi de quoi dîner..... et ceins-toi pour me servir » (Lc 17, 8). Chez Matthieu aussi on en découvre des exemples à propos des serveurs du roi lors d'un repas de noces (Mt 22, 13), ou encore : « Quand t'avons-nous vu affamé ... et ne t'avons-nous pas servi » (Mt 25, 44). Sans oublier les serveurs de Cana (Jn 2, 5.9). Le plus piquant en l'affaire est de voir souligner le rôle des femmes qui servent à table Jésus et les siens, alors même que ce n'était pas la coutume à l'époque, comme nous l'avons déjà dit[19]. La belle-mère de Pierre sert Jésus (Mc 1, 13) ; elle sert Jésus et les disciples (Mt 8, 15) ; les femmes les servaient (Mc 15, 41 Mt 27, 55), sans oublier Marthe selon Jean 12, 2 et Luc 10, 40 (cf. aussi 8, 3). Dans ce dernier cas, la parole écoutée par Marie dépasse « le service multiple » de Marthe, non pas pour dévaloriser ce service au profit de la pure contemplation, mais pour signifier qu'un ministère qui ne serait pas traversé par la parole de Dieu deviendrait bientôt creux. Marthe doit investir son action de toute la force de la parole[20].

Ajoutons deux remarques, sans lien entre elles. À la différence de Paul, les évangélistes ont déjà une certaine tendance à aligner le mot *serveur* sur celui de *serviteur* (Mc 9, 35 ; 10, 43-44 ; Jn 12, 26). Jésus devient alors l'exemple par excellence de « celui qui sert » (Lc 22, 27 ; cf. Mc 10, 45), en évitant cependant de lui appliquer en direct le mot *diakonos* et *a fortiori* celui de *doulos*, l'esclave. La deuxième remarque, plus énigmatique, porte sur l'absence du vocabulaire diaconal dans les récits de la Cène, y compris les récits évangéliques de la Multiplication des pains constituant à leur manière l'un des archétypes des premiers repas communautaires chrétiens. Jésus continue toujours de donner du pain aux siens, tiré du surplus de ces corbeilles réservées à Israël et aux Nations – les douze et les sept corbeilles[21]. Aucun de ces récits de type judéo-chrétien n'use du radical *diakonein* dont nous venons de dire l'affinité paulinienne. Car seul Jésus est véritablement celui qui sert les siens, et nul autre. Pourtant, le motif diaconal perce quelque peu dans l'insistance d'une demande de Jésus

---

19. Voir ch.3, p. 84s. Les femmes ne pouvaient servir à table sans faire courir le risque, chaque mois, de rendre les aliments impurs par simple contact. Jésus passe par-dessus cette coutume.

20. Voir ch. 5, p. 158s.

21. Voir C. Perrot, « L'Eucharistie dans le Nouveau Testament », M. Brouard, éd., *Eucharistia*, Rome, 2000 (à paraître).

aux siens : « Donnez leur vous-mêmes à manger » (Mc 6, 37 ; Mt 14, 16 ; Lc 9, 13). Mais comment le pourraient-ils ? Alors répercutant le geste de Moïse et, plus encore, tel le Dieu de la Manne au désert, Jésus donne le pain à la foule. Plus précisément, selon Matthieu : « Il donnait les pains aux disciples, et les disciples aux foules » (Mt 14, 19 et 15, 36) ; Marc et Luc écrivent : « Il les donnait aux disciples pour qu'ils les leur présentent » (Mc 6, 41 ; Lc 9, 16), et dans le second récit de la Multiplication, Marc insiste quelque peu : »... pour qu'ils les présentent, et ils les présentèrent à la foule » (8, 7). Sans donc user du vocabulaire directement diaconal[22], le rôle médiateur des disciples est nettement souligné.

Passons aux éléments trouvés dans les Actes où l'auteur tente d'unifier à sa manière des traditions différentes. Luc apparaît coincé entre l'insistance paulinienne portant sur le motif de la parole et le souvenir judéo-chrétien, attaché au motif de la table. Déjà en partie dans le récit sur Marthe et Marie et surtout dans Actes 6, 1-6 sur le repas de la communauté de Jérusalem, Luc en arrive à une sorte d'opposition ou plutôt de disjonction entre la table et la parole afin de mieux signifier la précellence de cette dernière. Sur ce point, il reste paulinien, et chez lui cela prépare – sinon, déjà reflète – la coutume des Églises tardives selon laquelle le pain des agapes et la parole du salut doivent de quelque manière être séparés. D'un côté donc, le lien du ministère avec le motif de la parole est clair, dans la ligne de Paul. Judas lui-même n'avait-il pas obtenu « le lot de ce service » (Ac 1, 17), et Matthias lui prendra « la place de ce service et (c'est-à-dire) de l'apostolat » (v. 25). Le ministère englobe donc tout, à la manière paulinienne. Mais, d'un autre côté, il ne faut pas « délaisser la parole afin de servir-à-table aux tables » (Ac 6, 1.2). En conséquence, il devient nécessaire de distinguer le service de la parole et de la prière, d'une part et, de l'autre, la table (6, 4). Certes, le syntagme *service de la parole* est étonnant. Le seul parallèle éventuel se trouve dans un apocryphe du premier siècle, le *Testament d'Abraham*, où le Patriarche dit à Michel : « Je te demande, ô Archange de servir pour moi la parole », c'est-à-dire ici d'être mon interprète[23].

---

22. Le verbe grec *paratithèmi*, présenter ou offrir, a aussi le sens de servir des mets à table ; cf. 1 Co 10, 27 ; Lc 10, 8 ; 11, 6 ; Jn 2, 10 ; Ac 16, 34.

23. Cf. *Testament d'Abraham* (IX . Rec A). Les anges servent aussi dans Mc 1, 13 ; He 1, 14 ; voir ch.4, p. 119 note 12.

Plus loin, et cette fois dans la suite narrative des Actes qui porte sur Paul, Luc qui se veut paulinien n'oublie pas d'user du vocabulaire ministériel dès le départ de la mission de Barnabé et de Saul : « ayant rempli leur service, ils retournèrent à Jérusalem » (Ac 12, 26). Puis, à Milet devant les Anciens, Paul leur déclare : « pourvu que j'accomplisse... le service que j'ai reçu du Seigneur » (20, 24) ; enfin, dans son discours à Jérusalem, il exposait « ce que Dieu avait fait chez les Nations par son service » (21, 19). L'auteur rappelle donc à sa manière l'importance du ministère au regard de l'Apôtre, en assimilant alors ce service au motif de la mission en général. Par ailleurs, on voit Paul envoyer en Macédoine Timothée et Eraste, deux de ses *serveurs* ou commissionnaires (19, 22). La fonction est importante, sans qu'on puisse alors parler de *diacre*, l'adjoint d'un épiscope, dans l'Église lucanienne, y compris dans Ac 6, 1-6 sur Étienne et les sept dirigeants judéo-hellénistes.

LA COLLECTE OU LE SERVICE DE L'ENTRAIDE COMMUNAUTAIRE

La compréhension du radical diaconal paraît encore s'obscurcir en raison d'un autre usage du mot, assez inattendu, dans le cadre de l'entraide communautaire, et en particulier celui de la collecte pour les saints de Jérusalem. Néanmoins, si le radical en jeu appelle d'abord l'idée d'un émissaire, d'un envoyé autorisé ou, disons, celle d'un lieu transitaire de la parole et des gestes du salut, on peut déjà soupçonner pourquoi le substantif *diakonia* en arrivera vite à désigner aussi l'un des objets de ce transit, tirés des biens communautaires. Par ce biais, la collecte (en grec, *diakonia)* fait corps avec l'office diaconal au sens le plus haut de ce terme. Enumérons seulement les références concernant le « service des saints », ceux de l'Église de Jérusalem en la circonstance : ainsi, dans 1 Co 16, 15, Paul rappelle que Stéphanas et les siens se sont consacrés à la tâche ; les Églises de Macédoine réclament aussi de l'Apôtre la faveur de participer à ce service (2 Co 8, 4) ; Paul et un frère, son compagnon de voyage, participent à l'aventure où de grosses sommes sont engagées (8, 19-20) ; ce service est un office (littéralement, *une liturgie*) qui appellera la juste estime et la louange des croyants de Jérusalem (9, 1.12-13). Encore faut-il qu'une telle collecte soit agréée par ces judéochrétiens (Rm 15, 25.31) !

Ajoutons deux indications tirées des *Actes* sur l'aide envoyée aux frères de Judée (Ac 11, 29 et 12, 25) et de He 6, 10, dans un autre contexte portant sur la charité « que vous avez montrée... vous qui avez servi et qui servez les saints ». L'Apôtre voulait sans doute poser un geste d'unité à l'endroit des dirigeants de Jérusalem, mais apparemment sans grand résultat. Pourtant ce geste était d'autant plus important qu'il touchait le cœur du repas communautaire chrétien, devenu le lieu d'une entraide commune, le lieu de la *diakonia*. C'est donc l'unité ecclésiale au plus fort du mot qui était ici en jeu. Le refus de la collecte entraîne celui du partage des tables.

LE PAIN, LA PAROLE ET L'ENTRAIDE

Comment comprendre les données susdites où la parole, le repas et l'entraide communautaire semblent comme se bousculer l'un l'autre ? Ne faut-il pas en appeler à la pratique des repas communautaires de l'époque hellénistique, associatifs ou cultuels, juifs ou idolâtres, où déjà la parole et le pain, sans oublier le partage en commun, préparèrent de manières diverses le repas chrétien ? Ne faut-il pas en appeler surtout à la pratique communautaire chrétienne en écho au témoignage linguistique porté par les mots *diakonein*, *diakonia* et *diakonos*. Car chacun de ces termes résonne d'une triple manière pour dire, selon le contexte, le service de la table, celui de la parole et celui de l'entraide. Mais, on s'en doute, de tels rappels dépasseraient les limites du présent livre. Contentons-nous de quelques indications, d'abord sur les repas communautaires de l'époque.

LES REPAS COMMUNAUTAIRES

On connaît la vogue des repas communautaires à l'époque hellénistique, dans les milieux juifs y compris. Les uns se rassemblaient dans le cadre d'une association corporative, funéraire ou religieuse pour constituer des groupes d'entraide dans le cadre d'une table chaleureuse. On mangeait alors *avec* le dieu dont la place pouvait être symbolisée par une statuette. On mangeait en sa compagnie, et non pas simplement *devant* lui comme dans les repas cultuels juifs suivant « les sacrifices de communion » qui étaient consommés au

Temple de Jérusalem (1 Co 10, 18). Chez les Juifs aussi les repas pris
en commun, festifs ou autres, devenaient de plus en plus nombreux.
Pris couchés ou accoudés à la mode hellénistique (Mc 6, 39), ils étaient
normalement présidés par le maître de maison. Les repas domestiques en présence d'un hôte – autrement, on se contentait de grappiller
durant le jour ! – et les repas de type festif prenaient surtout de
l'importance en raison de la prière ou plutôt de la bénédiction qui en
marquait le début. Ainsi, Philon rappelle qu'il n'est pas permis de
manger avant que « l'action de grâce (littéralement, l'*eucharistie*)
n'ait été prononcée »[24]. Plus encore, les juifs de la Diaspora, à Rome
par exemple, les thérapeutes d'Égypte, les esséniens[25], et plus tard
les pharisiens avaient aussi des repas en commun. Citons seulement
Philon sur les esséniens : « Ils vivent dans un même lieu en thiases
(groupes religieux) et forment des associations avec des repas communs »[26]. Suivant l'exemple de Jésus, les repas judéo-chrétiens entrent dans le cadre de ces repas communautaires.

Ces repas pris en commun, sans être toujours communautaires à
proprement parler, orchestrent des motifs différents selon le groupe
en jeu. Chez les pharisiens et surtout chez les esséniens, le repas
délimite d'abord un groupe religieux, selon le degré de pureté rituelle
de chacun. L'accent est mis alors sur l'exclusion de l'impur, et non
pas sur un repas qui fonderait l'unité du groupe. Les nourritures
doivent être pures et bien dîmées[27]. À Qumrân, les novices ne
peuvent pas « toucher le banquet des Nombreux », c'est-à-dire celui
de la Communauté des purs[28]. Citons Josèphe à ce propos : « Ils se
lavent le corps dans l'eau froide. Après cette purification, il se réunissent dans une construction où personne n'est admis qui partage une
autre foi. Eux-mêmes, purifiés, vont au réfectoire comme à un domaine sacré. Quand ils sont assis dans le calme, le boulanger leur
présente le pain par rangées et le cuisinier donne à chacun une
assiette contenant un seul plat »[29]. Le repas était d'abord le lieu où
l'on pouvait manger d'une manière parfaitement pure. Faut-il souligner la différence avec le repas communautaire chrétien, lors du

---

24. Philon, *de Specialibus Legibus* II § 175 ; Josèphe, *Guerre des Juifs,* II § 13.
25. Voir ch.6, p. 185.
26. D'après Eusèbe de Césarée, *Préparation Evangélique* VIII, 11, 5.
27. Cf. Mc 2, 16 ; 7, 3s ; Mt 23, 23.
28. *1Q Règle de la Communauté* VI, 3-5.20.
29. Josèphe, *Guerre des Juifs* II § 129-133.

« souper du Seigneur » (1 Co 11, 20) ? Ce repas constituait le lieu par excellence de l'unité et de la construction du Corps du Christ :

> « La coupe de bénédiction que nous bénissons n'est-elle pas communion *(partage et participation)* au sang du Christ ? Le pain que nous rompons n'est-il pas communion au corps du Christ ? Car, un unique pain, un unique corps, nous les nombreux (*au sens de : toute la communauté*) nous sommes, car tous de cet unique pain nous avons part » (1 Co 10, 16-17).

On reconnaît la dialectique coutumière de Paul où l'*un* et le *tous* se coordonnent[30], sans s'affronter. Or, cette dialectique est au cœur du ministère chrétien par rapport à l'ensemble des croyants – alors même que le ministre demeure toujours un croyant parmi d'autres. Car il s'agit de signifier la précellence du Seigneur et la figure d'une unité toujours en construction. L'*un* désigne éminemment le Christ dans son unique Corps, l'Église pèlerine. Le *serveur* ne peut être que la figure translucide de Celui qui, toujours distinct de nous-mêmes, continue de parler et de construire son Église.

LE REPAS, LIEU DE LA PAROLE ET DE L'ENTRAIDE COMMUNAUTAIRE

Nous venons de le suggérer, le repas communautaire chrétien réunit de nouvelle manière trois coutumes importantes, déjà entrelacées en partie dans le monde hellénistique : le pain, la parole et l'entraide commune. Le lien entre le pain et l'entraide est évident dans un cadre communautaire. Chez les juifs de la Diaspora ces repas étaient d'ailleurs reconnus par un privilège de Jules César : « Lorsque Caius César... a interdit par ordonnance la formation des thiases à Rome, les Juifs furent les seuls qu'il n'ait pas empêchés de réunir de l'argent et de faire des repas en commun », et donc avec des riches et des pauvres à la fois[31]. Plus tard, les autorités de la synagogue sauront distribuer « l'écuelle des pauvres » et « le panier de la veuve », à la veille du sabbat[32]. Le repas du Seigneur, plus encore, devait devenir le lieu d'une entraide commune, malgré les défaillances corinthiennes, par exemple (1 Co 11, 17-31). Ce soutien mutuel, inhérent à un repas de ce genre, est aussi déployé en faveur de ceux

---

30. Autres exemples dans 1 Co 12, 4s.12s ; Rm 5, 12s.
31. Josèphe, *Antiquités Juives* XIV § 214-216.
32. Cf. *Mishna*, traité *Pesahim* 10, 1.

du dehors ; ainsi, à l'endroit des saints de Jérusalem, comme si un même pain les unissait tous. La collecte du « premier jour de la semaine » (16, 1-2), c'est-à-dire le jour du rassemblement ecclésial, devient en conséquence un signe d'unité dans l'unité d'un même repas. Peut-être le curieux doublet dont use Luc dans les Actes « servir à table aux tables » (ou « aux comptoirs ») est-il l'écho de cette pratique chrétienne[33] ? De toute façon, à la manière même des hautes autorités juives ayant la main sur le service des pauvres[34], les épiscopes en particulier sauront prendre soin des plus démunis.

Le repas communautaire chrétien est aussi lié directement à la parole nouvelle. Déjà, on pourrait trouver quelques analogues dans les repas symposiaques du monde hellénistique[35]. Dans la Diaspora juive, on connaît l'exemple du banquet dont parle la *Lettre d'Aristée* où fleurissent des paroles de sagesse[36]. De même, chez les Thérapeutes où se mêlent le repas, l'enseignement, la prière et le chant[37]. À sa manière, Luc donne un exemple de ce lien, lorsqu'à Troas, Paul parle avant comme après la fraction du pain, au point d'endormir un jeune homme (Ac 20, 7-12). Où donc situer cette parole : avant ou après le repas ? Ne fallait-il pas la dissocier plus nettement du repas de l'entraide, à la manière de Luc peut-être ?[38] En même temps, aux dires de Paul déjà, ce souper du Seigneur n'est tel qu'en raison même des deux lieux par excellence de cette parole résonnant toujours dans les « paroles gestuées » qui inaugurent le repas et l'achèvent (1 Co 11, 20.23-26). Car ces gestes parlent, en construisant le Corps du Christ. Dans un tel contexte, on saisit mieux la résonance du premier vocabulaire diaconal au sens le plus ample. Le *diakonos* est le serveur de la parole, comme il l'est aussi de la table. Mais bientôt les rôles se spécifieront et les diacres, devenus des assistants, ressembleront alors à ceux dont parle saint Justin :

---

33. Cf. Ac 6, 2 ; en grec, *diakonein trapezais*. Autre explication : On ne servait pas alors les plats, disons, isolément, mais des (petites) tables portant les victuailles étaient avancées vers les convives.

34. Voir ch. 6, p. 181.

35. Le repas à la manière grecque pouvait s'achever par une coupe de vin qui inaugurait le *symposium*, avec des discours et des discussions philosophiques et autres.

36. Cf. *Lettre d'Aristée à Philocrate*, § 187 à 300. De nos jours encore, le *Seder pascal* porte l'écho de ces repas d'où fuse la parole.

37. Philon, *Vie contemplative* § 64 à 90.

38. À l'époque de saint Justin déjà, la lecture « des mémoires des apôtres et des écrits des prophètes » précède la prière au sein de laquelle se situent les gestes du pain, du vin et de l'eau, avant de s'achever dans l'action de grâce (*Apologie* 1 § 67).

« Puis a lieu la distribution et le partage des eucharisties à chacun et l'on envoie leur part aux absents par le service des diacres. Ceux qui sont dans l'abondance et qui veulent donner, donnent librement chacun ce qu'il veut, et ce qui est recueilli est remis à celui qui préside, et il assiste les orphelins, les veuves, les malades, les indigents... » (*Apologie* 1 § 67).

Les diacres sont alors distingués de celui qui préside et qui s'occupe des pauvres à la manière d'un épiscope (voir aussi § 65).

LE SERVEUR DE LA PAROLE ET DU PAIN

Abordons maintenant deux questions devenues importantes de nos jours : l'une sur la présidence dont il vient d'être question à l'instant et l'autre, sur le ministère des femmes. À dire vrai, le Nouveau Testament ne les pose pas, du moins telles que nous les abordons aujourd'hui. N'allons pas forcer les textes en la circonstance, en découvrant quand même ce qui répond à nos convictions d'aujourd'hui. Tentons plutôt d'apprécier exactement la situation, quitte à opérer, le cas échéant, un certain déplacement de notre regard sur ces sujets pourtant brûlants.

LA PRÉSIDENCE DU REPAS CHRÉTIEN

Christ est le seul président de la table chrétienne. Sous une apparente audace, cette proposition est traditionnelle. Le Ressuscité continue de rassembler les siens, de leur parler et de leur donner à manger. Par rapport à cette présidence cardinale, tout ministère dit de présidence, dès saint Justin au moins, est de type diaconal au sens fort du mot. Comme on sait, la table juive, festive ou en présence d'un hôte, était présidée par le maître de maison, le chef de famille ou, plus tard, par un prêtre ou le rabbin qui serait de passage. Le maître de maison marquait cette présidence en disant la bénédiction sur le pain, en le rompant et en le distribuant ensuite ; et de même, le cas échéant, pour la coupe de vin au terme du repas, par exemple lors de la Pâque, à la fête des semaines (Pentecôte) et en d'autres solennités. À Qumrân cette bénédiction au début du repas des purs devait être prononcée par le messie prêtre et le messie de David lors d'un repas messianique toujours attendu[39]. Or, dès le matin de Pâques, le messie est là, ressuscité, vivant parmi les croyants et reconstituant inlassablement son groupe autour d'une même table. D'où, l'importance alors accordée aux repas qui suivent la résurrection et, plus encore, au récit de la Multiplication des pains[40], tel l'archétype de ces repas communautaires, où Jésus continue de donner la Manne nouvelle aux siens, où tous puisent dans les corbeilles d'un reste toujours débordant (Mc 8, 16-21). Le récit de la Cène joue évidemment un rôle essentiel dans l'anamnèse vivante des paroles et des gestes de Jésus.

En ces conditions, on pourrait de prime abord penser que le chef d'une maison devenue chrétienne doit continuer la coutume de présider la table. De fait, les communautés nouvelles se réunissent, entre autres, dans des maisons sous la gérance d'un croyant, homme ou femme : ainsi, dans la maison d'Aquilas et Prisa, un couple (1 Co 16, 19) ; dans la maison de Nymphéa, une croyante (Col 4, 15) ; chez « Gaius, mon hôte et l'hôte de toute l'église » de Corinthe (Rm 16, 23). On comprendrait aussi l'insistance de l'auteur des Pastorales sur les qualités requises de la part d'un bon gestionnaire, de l'épiscope surtout qui doit être « hospitalier et à même d'enseigner » (1 Th 3, 2). Or, aucun des textes susdits n'opère un lien direct entre ces dirigeants et la présidence de la table. Cette absence étonne, et c'est ce silence qui devient alors signifiant. Car pour un croyant il n'est d'autre président de la table que le Seigneur lui-même. Le récit des pèlerins d'Emmaüs est édifiant à ce propos. Invité par ses deux compagnons de voyage, c'est Jésus qui pourtant prononce la bénédiction. Chez celui qui le reçoit, il demeure le maître de maison (Lc 24, 28-30). En outre, l'anamnèse du geste de la Cène, chez Paul y compris, se déploie toujours dans le langage du *il*, celui de l'absent-présent du repas : le Seigneur « prit du pain... après avoir rendu grâce il le rompit et dit : Ceci est mon corps... » (1 Co 11, 24ss). Un croyant ne saurait évidemment se substituer à lui et le remplacer en ces paroles qui ne sont jamais les siennes. Il peut seulement le représenter de quelque manière. Au fait, Paul use du pronom *nous*, et les Actes du *nous* ou du *ils* au pluriel, pour désigner les sujets de cette fraction du pain (1 Co 10, 16 ; Ac 2, 46 ; 20, 7), comme si le groupe l'emportait en l'occurrence, sans mettre directement l'accent sur la personne du

---

39. Voir *1 Q Sa* (Règle de la communauté) II, 17-22
40. Dans ces six recensions : Mc 6, 39-44 et 8, 1-10 ; Mt 14, 13-21 et 15, 32-39 ; Lc 9, 10-17 ; Jn 6, 1-15.

ministre. Ce dernier n'existe que par son Seigneur, et donc par le Corps du Christ où il se situe. Selon Ac 20, 11, toutefois, on voit Paul rompre seul le pain, et de même en 27, 35, sur le bateau en péril.

Mais n'est-il cependant pas question d'une *présidence*[41] dans le Nouveau Testament ? Ainsi dans Rm 12, 8 : « Que celui qui préside le fasse avec diligence », et déjà dans 1 Th 5, 12, où Paul demande d'avoir « de la considération... pour ceux qui président ». De leur côté, les presbytres se doivent d'exercer au mieux leur présidence (1 Tm 5, 17). On remarquera alors qu'une telle présidence n'apparaît pas directement liée à la table chrétienne. Et surtout, dans le cercle paulinien toujours, elle se situe comme en second par rapport au travail de la parole apostolique et prophétique : dans la liste des charismes de 1 Co 12, 27-37, le « gouvernement » est encore dissocié de la parole (voir aussi Ep 4, 11). Cela dit, peut-être au niveau des Pastorales déjà, l'importance accordée à l'office de gouvernement et de présidence ne pouvait que s'accroître, alors que les divers rôles ministériels tendaient, disons, à se coaguler ensemble.

Une telle présidence ne saurait cependant être vécue que sous le mode d'une gérance. Car, seul, le *Kyrios* est le maître de la maison[42]. Le témoignage tangible le plus signifiant en la circonstance se situe, dès le départ, dans le choix même des mots qui veulent signifier cette *précellence* du Ressuscité au cœur du repas et de la parole chrétienne. Nous nous sommes déjà attardés sur chacun de ces termes : les apôtres, les prophètes et les serveurs. Sans doute provenant de milieux judéo-chrétiens différents, ils se rejoignent cependant tous dans leur signification radicale. L'apôtre est un envoyé du Seigneur pour lancer à nouveau la parole du Règne ; le prophète en est aussi le porte-parole, et le serveur, son émissaire ou son médiateur autorisé. Les apôtres, tel Jacques, s'enracinent d'abord à Jérusalem ; les prophètes chrétiens se situent probablement en Galilée, avant d'atteindre Antioche ; et les serveurs de la parole, dans un milieu judéo-helléniste, à Antioche encore, puis, dans les cercles pauliniens surtout. Or, tous, jusque dans leur différence, résonnent de la même conviction : Jésus, le ressuscité, continue d'envoyer et de parler aux

---

41. À l'aide du verbe grec *pro-(h)istèmi* ; ce verbe est utilisé aussi avec le sens de *diriger*, ainsi, pour l'épiscope et pour les diacres qui doivent bien diriger leur maison (1 Tm 3, 4.12).

42. Le mot grec *Kyrios* (en latin *dominus*) a d'abord le sens de patron, de maître de maison.

siens, jusque dans l'anamnèse de la Cène où il se donne lui-même à manger.

Par là même, le Nouveau Testament déclare l'essentiel, tout en laissant à l'Église le choix de déterminer les différents niveaux d'expression de cette médiation fondamentale. Luc en donne déjà un exemple lorsqu'il rapporte le récit de la naissance des ministères au sein d'une Église judéo-helléniste (Ac 6, 1-6). Si le Ressuscité continue de parler et d'agir tout au long de l'histoire, il importe en effet que les ministres qu'il se donne soient exactement adaptés au terrain missionnaire du moment. Certes, tous les croyants sont ministres, puisque tous se doivent de porter une parole qui n'est pas la leur. Et en même temps, l'Église, sous l'influx de l'Esprit, demeure libre de déterminer les champs, essentiellement distincts, d'une telle expression qui porte efficacement le salut. Elle reste libre de désigner, de par « le discernement des esprits », ceux que les croyants reconnaîtront comme les authentiques porte-parole de leur Seigneur. Car nul ne peut s'autoriser de lui-même. Bref, le ministère ne relève pas, disons, d'un *avoir* ou d'une possession déclarée charismatique ; ou encore d'un *savoir* plus particulier ou d'une aptitude simplement humaine. Le ministère est toujours donné, sans jamais *appartenir* à celui qui le reçoit et même au groupe qui le suscite. Il est le signe de l'*altérité* de Dieu en son Christ, sous l'influx de l'Esprit œuvrant dans l'Église. En d'autres mots encore, une question du type : « Qu'est-ce que le prêtre *possède* donc de plus qu'un laïc ? » est en fait sans réponse, car la question est déjà non chrétienne, à sa racine. Mais en serait-il de même dans un cas plus délicat encore à aborder, celui du ministère des femmes dont le rôle diaconal, aux niveaux catéchistiques et caritatifs entre autres, dépasse souvent l'action des hommes, prêtres, diacres et autres, dans le cadre des Églises diocésaines d'Europe du moins ?

LE MINISTÈRE DES FEMMES

Le Nouveau Testament n'aborde pas la question du ministère féminin, du moins dans les termes d'aujourd'hui où chacun entend justifier ou récuser le presbytérat des femmes. À partir des seuls écrits bibliques du moins, une assertion revendiquant le *sacerdoce* (!) féminin, en déclarant caduques les nécessités socioculturelles d'hier qui empêchaient de l'admettre, dépasse déjà les données néotestamentaires. L'inverse est vrai aussi. Une réponse purement négative, bâtie sur la tradition ou d'autres arguments théologiques, apparaît décalée par rapport au texte biblique[43]. Ce qui n'invalide pas, en soi, les affirmations ou les négations théologiques et pastorales susdites, mais empêche quand même de trop vite s'attribuer le label de l'autorité scripturaire en la matière. De toute façon, les premiers croyants ne se situaient pas sur le terrain d'un pouvoir à préserver, et moins encore d'un sacerdoce à conquérir ! Ils sont loin d'une querelle de pouvoir entre les sexes. Jésus et les croyants de tendance paulinienne surtout étaient aux antipodes d'une telle mentalité. On connaît l'attitude de Jésus, étrange à l'époque, concernant la Samaritaine et bien d'autres femmes d'après le témoignage de Luc et de Jean surtout. De toute l'Antiquité, Paul est le seul à oser déclarer l'égalité entière, dans le Christ, entre le *mâle* et la *femelle* (*sic* ; Ga 3, 28)[44]. Quelques éléments du dossier n'en sont pas moins assez précis, résumés ici d'une manière trop brève.

Il faut d'abord mesurer la situation dans le cadre d'un premier siècle hellénistique qui était loin de sombrer dans un anti-féminisme virulent, et cela, au sein du Judaïsme y compris. On peut même parler d'une certaine promotion de la femme dans les milieux grecs ou romains, riches et cultivés du moins. Les grecques de Corinthe, par exemple, n'étaient pas à la traîne. Les groupes judéo-hellénistes savent aussi mettre les femmes à l'honneur. La littérature deutéro-canonique grecque et plusieurs pseudépigraphes, par exemple *Joseph et Aséneth* et surtout les *Antiquités Bibliques* du pseudo-Philon proche des synagogues du premier siècle de notre ère manifestent un féminisme étonnant[45]. Les femmes pouvaient écouter la lecture de la

---

43. Un théologien peut certes en appeler à l'Écriture pour justifier sa prise de position. Encore lui faut-il vérifier l'existence d'une certaine adéquation ou homologie entre l'assertion scripturaire et les questions qu'on lui pose aujourd'hui. Tout ne peut être dit.

44. On ne saurait utiliser inconsidérément la phrase de Paul, lue dans 1 Co 11, 3 (« La tête [le chef] de la femme, c'est l'homme ») et détachée de son contexte. Car l'argument de Paul est de partir d'une affirmation de la supériorité masculine, dont la *Genèse* porte apparemment l'écho, pour en arriver, aux v. 11-12, à déclarer le contraire, à savoir une interdépendance radicale, dans le Christ, entre l'homme et la femme. Voir C. Perrot, « Une étrange lecture de l'Écriture : 1 Co 11, 7-9 », *La vie de la Parole. Mélanges P. Grelot*, Paris, Desclée, 1987, p. 259-267.

45. Cf. C. Perrot et P.M. Bogaert, *Les Antiquités Bibliques*, II, Cerf, Paris, 1976, p. 52-53 ; E. Reinmuth, *Pseudo-Philo und Lukas*, Tübingen, 1994. Sur *Joseph et Aséneth*, voir A. Dupont-Sommer, M. Philonenko, *La Bible. Les écrits intertestamentaires*, Paris, Gallimard, 1987, p. 1565ss.

Loi selon *Néhémie* 8, 2s, et même, en certains cas, la lire[46]. Plus tard, on connaît l'attribution du titre d'archisynagogue à des femmes de Smyrne et de Myndos ; ou, encore, celui de *mère de la synagogue*, voire même de *prêtre* à Venise. Au milieu du IIe siècle de notre ère, Béruria, la femme de rabbi Meïr, était célèbre pour sa connaissance de la Loi, et son interprétation faisait autorité. Après la seconde destruction de Jérusalem surtout, la situation se dégradera quelque peu en défaveur des femmes. Sans doute en sera-t-il de même dans le milieu chrétien, en particulier avec l'apparition d'un nouveau prophétisme féminin au sein du Montanisme.

Au sein même d'un contexte culturel plutôt favorable aux femmes, l'attitude de Jésus et celle d'un Paul aussi n'en tranchent pas moins, tant leurs paroles et leurs gestes paraissent presque extravagants en la circonstance. Il ne saurait être question de ramasser ici ces données[47]. Rappelons seulement quelques éléments portant sur le ministère, parsemés au long de ce livre. Un point étonne d'emblée. Si le titre de *disciple* n'est jamais directement donné à une femme, et de même pour les titres d'*épiscope*, de *pasteur* ou de *presbytre*, on doit pourtant reconnaître l'attribution du titre apostolique dans le cas du couple Andronicus et Junie (Rm 16, 7)[48]. De plus, le titre ou le rôle prophétique sont accordés à des femmes selon 1 Co 11, 8 (« toute femme qui prie et prophétise » ; cf. Ac 21, 9), sans parler du titre de serveur donné à Phoébé dans Rm 16, 1. Dans ce dernier cas surtout, on déclare souvent qu'on ne connaît pas exactement ce que ce titre et

---

46. Selon une *Tosefta*, du IIe s. de notre ère environ, une femme peut être choisie parmi les sept lecteurs de la Torah à la synagogue, mais par convenance il est préférable qu'elles s'abstiennent (*Tosefta*, traité *Megilla* 4, 11), « par respect pour la communauté », précise le *Talmud* de Babylone (*T. b. Megilla* 23a).

47. Voir récemment Pierre Grelot, *La condition de la femme d'après le Nouveau Testament*, Paris, Desclée de Brouwer, 1995. Les textes néotestamentaires mentionnant des femmes sont *anormalement* nombreux pour l'époque, chez Luc surtout et chez Paul (par exemple, en Rm 16). Ce dernier est parfois accusé de misogynie en raison de 1 Co 14, 34 – mais c'est là une insertion ; voir la note 51 suivante. On ne peut pas s'appuyer, non plus, sur 1 Co 11, 2-16 concernant le (soi disant) voile des femmes, voir, entre autres, les travaux de Annie Jaubert, « Le voile des femmes », dans *New Testament Studies*, 18 (1972), 419-430, et d'André Feuillet, « Le signe de la puissance sur la tête de la femme », *Nouvelle Revue Théologique* 95 (1973), 945-954 ; voir aussi la note 44 précédente.

48. Junie ou *Junias* du latin *Junia*. Certains ont voulu identifier ici un couple d'hommes, en considérant Junias comme une forme brève de *Junianos* ; mais aucun exemple de cette contraction n'est connu par ailleurs. Les Pères de l'Église ont tous considérés Junie comme une femme. Voir le dossier dans J.A. Fitzmyer, *Romans*, Londres, 1993, p. 737-738.

ces fonctions recouvrent exactement à l'époque. Mais la même interrogation peut être posée dans le cas des hommes, serveurs, épiscopes ou presbytres. Faut-il cependant ajouter que les titres ou l'indication de ces rôles alloués aux femmes semblent davantage concerner le travail de la parole qu'un office de conseil à la manière des presbytres ou que le rôle de surveillance d'un épiscope ? Le sujet du verbe *présider*, on l'a vu plus haut (1 Th 5, 12 ; Rm 12, 8), n'est jamais une femme, mais ce verbe apparaît rarement et sans le poids qu'on lui attribue aujourd'hui en lien avec la table chrétienne. Pourtant, qu'elles soient apôtres, prophètes ou serveurs – sans même tenir compte de la valeur exacte à accorder à chacun de ces mots –, les femmes jouent de toute façon un rôle important dans le jeu de la parole chrétienne. Comme les hommes, elles « prennent de la peine »[49], telles Mariam, Tryphène, Triphose et « la chère Persis », mentionnées dans Rm 16, 6.12. Evodie et Syntyche, qui « ont lutté avec moi en vue de l'évangile », sont désignées par l'Apôtre parmi ses *collaborateurs* (Ph 4, 2-3) ; ce dernier titre est important pour Paul, puisqu'il l'accorde à ceux qui lui sont les plus proches[50]. En Rm 16, 3, parmi ses *synergoi* (collaborateurs ou coopérateurs) l'Apôtre mentionne le couple Prisca (ou Priscille) et Aquilas – avec Prisca nommée en premier comme dans 2 Tm 4, 19, ce qui était *anormal* à l'époque. Le nombre de ces mentions féminines, dans Rm 16 en particulier, est de soi étonnant dans le contexte d'alors. Dans le cadre des Églises pauliniennes ou des communautés héritières de ce dernier (surtout, chez Luc), les femmes ont joué un rôle évident dans l'annonce et la transmission de la parole.

Dans un cas, toutefois, constituant probablement une glose introduite dans le texte de la Première aux Corinthiens, l'auteur empêche les femmes de parler en public : « Que les femmes se taisent dans les assemblées » (1 Co 14, 34)[51]. Sans doute dans les années 80 déjà, une

---

49. Voir ch. 2, p. 37.

50. Ainsi à Prisca et Aquilas (Rm 16, 3) ; Apollos (1 Co 3, 9) ; Timothée (Rm 16, 21 ; 1 Tm 3, 2) ; Tite (2 Co 8, 23) ; Epaphrodite (Phi 2, 25) ; Clément (Phi 4, 2-3) ; Epaphras, Marc, Aristarque, Demas et Luc (Phm 23-24) ; Aristarque, Marc et Justus (Col 4, 10-11) ; Demas et Luc (Col 4, 12-13).

51. Sur cette glose voir par exemple P. Grelot, *La condition de la femme* (note 47 précédente), p. 63-65. Relevons, entre autres, que le silence alors réclamé s'accorde mal avec l'égalité et même l'autorité que l'Apôtre donne aux femmes dans le cadre communautaire. Cette autorité en Christ est en particulier signifiée dans la langue imagée de 1 Co 11, 10 : la chrétienne a désormais « l'autorité » sur sa tête ! Selon ce texte au v.8, la femme prie et prophétise, deux activités de la parole, toujours à voix haute à l'époque. Paul ne peut donc pas leur demander en même temps de se taire !

trop forte expansion de la parole féminine risquait-elle de nuire à la communauté ; d'où cette réaction, analogue d'ailleurs à celle lue dans 1 Tm 2, 11, touchant directement la parole d'enseignement : « Je ne permets pas à la femme d'enseigner » (v. 12) ». L'Église n'a heureusement pas tenu compte de cette injonction !

Citons plus précisément quelques textes touchant directement le *service* : « Je vous recommande Phoebé, notre sœur, qui est serveur de l'église de Cenchrées... assistez-la en toute affaire où elle aurait besoin de vous, car elle a été une protectrice pour beaucoup et pour moi-même » (Rm 16, 1-2). À Cenchrées, le port oriental de Corinthe, Phoebé, littéralement *la brillante* à la manière d'un soleil, joue donc un rôle important comme en témoignent les deux titres qui lui sont attribués : celui de « protectrice » ou de « patronne », un titre important à l'époque, et celui aussi de *diakonos*. Ces titres impliquent au moins une forte responsabilité qui appelle l'assistance des croyants : « Assistez-la en toute affaire où elle aura besoin de vous » (v. 2). Nous avons déjà suffisamment dit l'importance du titre *diaconal*, éminemment ministériel, dans le champ de la parole d'abord. Nous avons vu aussi comment le verbe *diakonein*, au sens de servir à table pouvait avoir comme sujet une femme, telle la belle-mère de Pierre (Mc 1, 31) ou ces femmes qui servaient Jésus en Galilée (Mc 15, 41) – ce qui était inhabituel dans le Judaïsme d'alors. Dans la littérature plus tardive, celle des lettres Pastorales, il est encore question des diacres dans 1 Tim 3, 8-13, mais cette fois en donnant apparemment à ce mot le sens d'auxiliaire qui nous est maintenant habituel. Or, il est question des femmes au v. 11, sans un pronom d'appartenance qui nous permette ici de les désigner seulement comme les épouses des diacres susdits. Il s'agit donc bien de diacres féminins. Peu après, en l'an 96, Pline le Jeune, le gouverneur de Bithynie, devait interroger deux esclaves, deux jeunes femmes chrétiennes, désignées alors comme ministres (en latin *ministrae*)[52]. Par ailleurs, la tradition d'un ministère féminin reste connue dans les églises d'Orient, y compris avec l'imposition des mains. Leur activité est catéchétique entre autres ; elles aident aussi les catéchumènes, maintenant baptisées, à revêtir leur vêtement nouveau – ainsi au IIIe siècle dans la *Didascalie des Apôtres*, puis, dans les églises grecques. Au contraire, à la suite de Tertullien surtout, les églises latines du IVe siècle et après oublièrent ou

---

52. Lettre de Pline à Trajan, *Epist* X, 96, 8.

refusèrent ce type de ministère et une titulature directement ministérielle.

Tels sont donc les faits. Encore faut-il les saisir et les interpréter dans le contexte pastoral actuel – ce qui ne relève plus du travail exégétique. En dépassant le clivage des sexes à la manière de Paul (Ga 3, 28) et en refusant un langage revendicateur qui va à l'encontre de ce que le ministère a de plus essentiel en lui-même, ne faut-il pas cependant reconnaître combien les croyants d'aujourd'hui, femmes et hommes, ont de plus en plus une activité qui touche le cœur de la parole chrétienne ? La question n'est donc pas d'attraper un soi-disant pouvoir presbytéral ou sacerdotal, mais de reconnaître à chacun, sur son registre propre, une participation à ce ministère de la parole suivant les différents moments de son déploiement. La question n'est pas de régler une querelle de pouvoir entre les prêtres et les femmes, mais d'organiser mieux encore le jeu d'une parole vivante où tous et toutes doivent se reconnaître comme les porte-parole d'une Parole qui les dépasse. En Christ, personne n'a *droit* à la parole ! Et c'est à l'Église, sous l'influx de l'Esprit et dans le cadre d'un *discernement des esprits* propre à chacun des moments de la vie ecclésiale, de distinguer librement les différents niveaux d'élocution d'une parole en gérance. Car le ministère est toujours donné, selon les niveaux spécifiques de son expression plurielle, tel le signe toujours vif de l'altérité de Dieu en son Christ.

EN GUISE DE CONCLUSION

Un livre d'exégèse biblique sur les ministères est toujours un peu décevant. On y cherche souvent ce qu'il ne saurait produire. Car l'exégète ne peut dire que ce qu'il voit dans les textes, avec la marge de subjectivité qui colle évidemment à la lecture la plus objective. Ce qui l'amène parfois à toucher du doigt un certain décalage entre le discours théologique et pastoral d'une époque donnée et les affirmations néotestamentaires. Les éléments sur le ministère dans le Nouveau Testament sont souvent disparates, il est vrai, un peu comme l'écho des différentes ecclésiologies et des désignations ministérielles qui, à l'état naissant, se bousculent dans le livre canonique. L'Écriture n'offre pas de solutions « clés en mains » à nos problèmes d'aujourd'hui. Elles renvoie plutôt chaque Église à sa responsabilité, quitte à vérifier si une réelle homologie subsiste entre sa pratique et la référence scripturaire. Si d'aucuns durcissent leurs convictions à partir de quelques textes néotestamentaires alors privilégiés, les éléments *exclus* ou simplement ignorés viennent un jour ou l'autre les rappeler à l'ordre ou, au moins, les interroger à nouveau. Les lignes qui suivent ne seront donc pas des conclusions déclarant péremptoirement ce qu'il importe désormais de dire ou de faire. D'autant plus que l'approche biblique ne saurait se passer d'une plus large appréhension du ministère, saisie dans sa longue tradition historique et théologique, à commencer par les Pères de l'Église. Toutefois, si l'exégète, qui est déjà un théologien, n'a pas à se substituer au pasteur, il peut cependant provoquer un certain déplacement du regard croyant, en se situant en deçà des impasses où des chrétiens se sont parfois embourbés au long des temps. En guise de conclusion donc, épelons quelques points susceptibles d'éveiller l'attention : d'abord, sur l'histoire enchevêtrée des premiers ministères chrétiens ; puis, sur les convictions majeures, drainées par les textes néotestamentaires ; enfin, sur diverses questions devenues plus vives aujourd'hui. Ces points seront brièvement formulés.

Le vocabulaire ministériel a largement évolué dès son départ, avant de bientôt s'immobiliser ou presque au début du IIe siècle de notre ère. Qu'il s'agisse des apôtres, des prophètes, des docteurs, des épiscopes, des serveurs ou des presbytres, sans parler d'autres titres ministériels bientôt oubliés (les guides ou les collaborateurs), chacun de ces mots a évolué selon les lieux et les temps. Le serveur de l'époque paulinienne est à distinguer du diacre des Pastorales. De continuels déplacements sémantiques et fonctionnels se sont opérés. Venus d'horizons communautaires différents, pauliniens ou non pauliniens, de Jérusalem, d'Antioche ou du monde hellénistique, ces titres et ces fonctions se sont vite agglutinés ensemble et presque absorbés mutuellement, avant d'en arriver, dès les Pastorales et la première période patristique, à un ministère à deux degrés, puis à trois degrés. À la suite d'Ignace d'Antioche, entre les années 105 et 135, la triade ministérielle va partout s'imposer, avec un unique évêque local, des presbytres et des diacres – ce qui n'empêchera pas un certain exercice collégial de l'autorité à cette époque encore.

Les raisons de cette évolution et de cette rapide unification sont multiples, mais parfois difficiles à cerner exactement. Enumérons pêle-mêle quelques motifs à ce propos. En premier, un souffle d'unité traverse le Nouveau Testament en son entier, comme l'écho d'une œcuménicité en recherche après l'éparpillement des premières communautés judéo-chrétiennes et pauliniennes. Ces communautés aux tendances diverses vont saisir la chance, après l'an 70 surtout, de tisser entre elles des liens mutuels. Les quatre évangiles en portent encore la trace dans la manière même d'écrire et de réagir les uns sur les autres. Ce processus d'unification devait toucher aussi les fonctions ministérielles, en reflétant alors un double souci, celui de garder intact le lien avec la parole d'origine et celui d'une unité qui dépasse la diversité des désignations ministérielles propres à chaque communauté en son départ. L'apôtre jérusalémite du Ressuscité se distingue d'un prophète galiléen ou du docteur, sinon d'un presbytre judéo-chrétien. Et pourtant une même conviction les rassemble tous, au service d'une parole qui les dépasse.

Il n'en fallut pas moins un certain temps avant de mettre en place les premières instances dirigeantes. Est-il possible d'en repérer les étapes principales ? Le groupe des Douze, en tant que groupe signifiant la reconstruction eschatologique d'Israël, devait vite disparaître, même si Pierre et Jean (seulement) continuèrent à s'imposer individuellement. Le geste prophétique et symbolique posé par Jésus lors du choix de ces Douze avait atteint son but, et en même temps la référence à ce groupe d'hier, telles les douze tribus d'Israël enfin réunifiées, devint bientôt le signe d'une unité eschatologique à toujours poursuivre. Dans le mouvement de cette référence essentielle, les Douze (disciples) vont alors comme absorber tous les autres apôtres du Ressuscité (1 Co 15, 5-8). On ne parlera bientôt plus que des douze apôtres (Mt 10, 1-2), sans trop savoir que faire ensuite de l'Apôtre des Nations. Par ailleurs, à Jérusalem encore, la transmission de la parole à des judéo-hellénistes devait provoquer une refonte des charges communautaires. Les Douze se distinguaient des nouveaux dirigeants promus alors, mieux adaptées à la langue et au milieu grecs. Le groupe des Sept, suivant une structure administrative calquée sur celle des cités d'Israël, n'aura cependant pas de suite. Mais, chez Luc au moins, la mention de son existence d'hier devenait comme le signe tangible qu'il était désormais possible de créer d'autres instances dirigeantes et d'autres groupes en dehors des Douze, et cela, en vue de répondre à de nouveaux besoins. Car la parole de Dieu poursuit sa course de multiples manières. Plus encore, l'expansion missionnaire obligea Paul à mieux organiser ses propres communautés, en réaménageant des rôles déjà connus à Antioche, tels les apôtres, les prophètes et les docteurs. Et surtout, en deçà même de ces fonctions essentielles, il s'attacha à promouvoir un langage global, directement *diaconal* et emprunté à un vocabulaire hellénistique religieusement neutre ou presque. Plus tard, des charges à la manière des exorcistes et des thaumaturges judéo-chrétiens seront en passe de disparaître, dans le milieu paulinien au moins. Les prophètes chrétiens s'effaceront aussi, dès l'époque de la *Didachè* environ, sans parler des guides dont il est seulement question dans l'épître aux Hébreux. Par ailleurs, les docteurs verront leur tache d'enseignant reprise par les épiscopes ou les presbytres-épiscopes. Bref, des titres ministériels naissent et disparaissent, mais les rôles qu'ils sous-tendent n'en demeurent pas moins sous des formes nouvelles. Et de nouveaux titres s'imposent, quitte à se qualifier de nouvelle manière. Car l'histoire des ministères est celle d'une continuelle adaptation de la parole au monde d'aujourd'hui.

Par ailleurs, les diverses pratiques touchant le repas du Seigneur durent aussi provoquer une certaine adéquation du langage ministériel à des usages pour une part nouveaux. Car on assiste alors à une séparation entre, d'une part, la parole et les prières et, d'autre part, le pain de l'entraide et des agapes. Le diacre se distingue alors du serveur de la parole d'autrefois, tout en conservant son titre. Sa tâche devient plus concrète, apparemment subordonnée à celle de l'épiscope, du moins au niveau des Pastorales.

Ajoutons encore quelques raisons importantes, susceptibles d'avoir provoqué des modifications dans la pratique ministérielle. Après l'an 70 surtout, des fausses doctrines, d'origine judaïsante ou pré-gnostique peu importe, prennent de l'importance chez certains prophètes et des faux docteurs (Ac 20, 20 ; 1 Jn 2, 19). Elles obligent à des réajustements, afin de mieux canaliser et surveiller le travail de la parole. Ce ne fut sans doute pas sans quelques raisons que fut mis en relief le mot *épiscope*, le *sur-veillant*. Par ailleurs, alors que la Parousie n'en finissait pas de venir (2 P 3, 4 5), une certaine lassitude, sinon un réel relâchement, menaçait les croyants, en portant les dirigeants à faire preuve d'une plus forte directivité. Les Pastorales insistent en conséquence sur les règles du comportement chrétien et le respect dû aux épiscopes et aux diacres. Durant la même période, l'hostilité païenne à l'endroit des chrétiens s'accentue progressivement, obligeant à resserrer les rangs autour des ministres maintenant reconnus à l'aide d'un langage ministériel reçu de tous. Si l'hostilité des autorités juives devait provoquer des réactions contrastées au sein des communautés judéo-chrétiennes et pauliniennes, la menace larvée des Nations les obligeait au contraire à se retrouver mutuellement et à consolider les instances dirigeantes. Ce processus unitaire aboutira à l'élection d'un évêque seulement, à l'époque d'Ignace d'Antioche. Enfin, dès le départ du second siècle, l'usage du langage sacerdotal, au demeurant fort licite en soi pour dire la nouveauté de l'Alliance, va encore renforcer l'autorité des ministres chrétiens, au risque de creuser, des siècles plus tard, une certaine césure entre les croyants eux-mêmes.

D'autres motifs assurément ont joué en la circonstance. Mais déjà on devine la difficulté de dresser une table généalogique du ministère chrétien selon un tracé linéaire, telle une évolution en continu. L'histoire des ministères est plutôt celle d'un continuel enchevêtrement où ce qui se déroule ici n'est pas forcément ce qui se passe ailleurs. Les appellations ministérielles coexistent d'abord, puis, s'entremêlent et s'absorbent en partie. D'où, la distance à respecter entre les expressions d'hier et celles d'aujourd'hui. L'évêque du XXIe siècle, dans le cadre de son activité hautement apostolique, n'est pas le simple dérivé de l'épiscope ou du presbytre-épiscope dont parlent les Pastorales. Certes, il entend avec raison se rattacher aux Douze, aux apôtres du Ressuscité et aux prophètes, et en même temps il s'en distingue aussi, comme on se distance toujours du lieu fondateur qui nous fait exister. De son côté, le prêtre d'aujourd'hui n'est pas le pur rejeton des prophètes ou des presbytres d'hier, et les diacres sont en partie distincts des serveurs de l'époque paulinienne. Ainsi l'Église a-t-elle su adapter les rôles de chacun, tout en gardant les mêmes titres, du moins après le passage essentiel qui va des premiers apôtres, prophètes et docteurs aux épiscopes, aux presbytres et aux diacres. Plus tard, le langage ministériel saura s'adapter à chaque situation nouvelle, suivant un déplacement sémantique et fonctionnel qui n'en cherche pas moins à souligner la continuité avec les temps premiers.

Cela dit, on reste étonné devant une évolution et une stabilisation aussi rapides, en un peu plus de soixante ans. Le processus d'ensemble, avec la mise en relief de certains ministères au détriment de quelques autres, n'en pose pas moins des questions, émises ici sans plus. Après l'an 70 surtout, le nécessaire souci de l'unité ecclésiale – en raison d'une situation fragile dans le contexte hellénistique et surtout à cause de la nécessité de surmonter les difficultés entre les diverses communautés chrétiennes comme au sein de chacune aussi – bref, cet impératif d'une unité ecclésiale n'a-t-il pas provoqué parfois un certain durcissement des nouvelles instances dirigeantes ? L'insistance portée désormais sur une nécessaire directivité des Églises n'a-t-elle pas quelque peu éclipsé l'annonce de la parole, celle des apôtres, des prophètes, des docteurs et des serveurs de la parole ? Ou encore, la gestion des Églises ne l'a-t-elle pas emporté sur l'évangélisation, au risque d'en revenir à une directivité à la manière des Nations ? N'oublions pas cependant que les presbytres-épiscopes des Pastorales accompagnèrent le travail d'une parole évangélique mise progressivement par écrits. Or, les évangélistes savaient hautement rappeler à l'époque le renversement des pouvoirs opéré par Jésus.

Néanmoins, la tendance n'a-t-elle pas été de tout concentrer alors entre les mains des mêmes dirigeants, épiscopes ou presbytres avec des diacres comme adjoints ? Car il fallait parer à l'urgence. Seul, le groupe des veuves dont parle 1 Tm 5, 3-16 continue d'exister pour des raisons économiques, et encore sous la surveillance de l'Apôtre (des

Pastorales). On n'en risquait pas moins de perdre une certaine souplesse dans l'établissement des ministères, connue en particulier dans le cadre des communautés pauliniennes. Les ministères touchant directement la parole – celle des apôtres, prophètes et docteurs – laissaient la place à d'autres rôles encore, touchant l'assistance et même le gouvernement des communautés locales. Dans le langage d'aujourd'hui, nous dirions : la charge de la régence, de la juridiction ou du pastorat d'une communauté donnée se distinguait alors de celle de la parole en ses divers niveaux d'élocution. Il ne nous appartient pas ici d'en juger pour aujourd'hui, en ajoutant d'ailleurs qu'il ne saurait être question en l'occurrence de céder peu ou prou « au mythe de l'originaire » biblique. C'est à l'Église, sous l'influx de l'Esprit et selon « le discernement des esprits », de prendre à chaque fois ses décisions.

Ajoutons pourtant une autre remarque, touchant, cette fois, le rôle des docteurs ou des théologiens dans l'Église – l'exégète en fait partie ! Depuis les Pères de l'Église au moins, sinon dès l'époque des Pastorales, tout se passe parfois comme si l'ouvrage théologique relevait seulement du pasteur ou de l'évêque, quitte à reléguer les théologiens parmi des experts occasionnels. Là encore, l'office doctoral, connu à l'époque de Paul, mériterait d'être davantage mis en relief selon sa spécificité propre, qui n'est pas directement celle d'un pasteur. En fait cependant, un peu comme pour les charges dites caritatives et depuis Vatican II surtout, l'office doctoral est pratiquement doté d'une relative autonomie.

Passons au point suivant, touchant au cœur même du ministère chrétien. L'histoire mouvementée de ces ministères, du moins en son début, ne saurait laisser échapper le point essentiel. Elle est d'abord l'histoire de la parole chrétienne. Là encore, Paul a manifestement imposé sa marque, soit en reprenant et en mettant en exergue la triade des apôtres, des prophètes et des docteurs qui touchent en direct la parole du salut, soit en promouvant un langage diaconal, tant le *diakonos* est d'abord le serveur de cette parole. De ce fait même, les titres ministériels chrétiens changent entièrement de nature par rapport aux autres titres de régence des synagogues ou des associations corporatives et religieuses du monde hellénistique. Les structures de pouvoir sont renversées. Le ministre chrétien n'est toujours qu'un prête-nom pour désigner son Seigneur. Il ne sera jamais que l'envoyé ou l'apôtre du Ressuscité, ou encore, son porte-parole (prophétique), sans jamais usurper sa place. Bref, il ne sera que le serveur d'une parole qui n'est pas sienne. Car la désignation d'un tel ministère appelle dans l'immédiat un continuel acte de foi en Celui qui continue de nous parler aujourd'hui de par le souffle de l'Esprit au sein de son Église et du monde aussi. Cette conviction première, déclarée en termes les plus divers dans les communautés surgies de l'événement de Pâques, explique l'écart fondamental entre les titres d'une régence humaine et les ambassadeurs du Ressuscité. Le prêtre ne saurait être un *gourou,* comme si des croyants, ramassés par sa séduction, lui appartenaient en propre. Il n'a pas, non plus, à jouer au « prophète charismatique », comme s'il pouvait monopoliser l'Esprit à son profit. Il est un serveur, et donc par ce biais, un serviteur. Son ministère lui est toujours donné. L'Esprit Saint le lui donne, sans devenir sa propriété. Hors de cet Esprit vivant au cœur d'une Église désignée comme le Corps du Christ, une théologie du ministère devient un non sens.

Une telle compréhension du ministère explique pour une part l'évolution même de son histoire évoquée plus haut. Car dans cette histoire se manifeste, au niveau des cercles pauliniens au moins, comme une rupture entre les divers offices touchant la parole apostolique, prophétique et doctorale, d'un côté et, de l'autre, les épiscopes-presbytres et leurs adjoints. La question est celle-ci : comment le Ressuscité continue-t-il de parler aujourd'hui aux siens, alors que les premiers témoins, les envoyés et les prophètes de sa parole, disparaissent de la scène ? Comment oser parler à son tour, sans plus continuer d'user de la pseudépigraphie ? Là encore, Paul, le premier, a ouvert le chemin, et les épiscopes comme les presbytres qui s'en distingueront progressivement, avec les diacres aussi, poursuivront la tâche.

Faut-il encore ajouter qu'en cette haute époque les oppositions que nous mettons parfois aujourd'hui entre le charismatique et l'institutionnel, la parole et le culte, la parole et les sacrements, n'ont en fait aucun sens dans le contexte néotestamentaire. La parole du salut innerve tout, le pain comme l'Église entière. Les sacrements font corps avec cette parole vivante. Et cette parole n'est pas la nôtre. Elle est celle du Ressuscité d'aujourd'hui. De ce fait même, le service de la parole est toujours reçu de l'Esprit dans l'Église. Il est donné à tous, mais à des niveaux spécifiquement distincts. C'est à l'Église, en l'Esprit, de déterminer alors les types de paroles performatives (sacramentelles) et autres où elle entend s'engager, en en confiant le *service* à ceux qu'elle ordonne ou qu'elle charge de mission. Car ce service est toujours un charisme, un don de Dieu. La parole de Pierre est celle de tous les croyants, et elle dépasse celle de chacun d'eux (et de lui aussi), en raison même de son origine, car « ce n'est pas la chair et le sang qui t'ont révélé cela, mais mon Père qui est aux cieux » (Mt 16, 17). De même en est-il, à des niveaux chaque fois distincts, de cette « ordination à la parole » qui spécifie le rôle des évêques, des prêtres, des diacres et de tous les croyants aussi.

Au terme de ces réflexions, nous nous garderons de préciser le sens théologique à accorder à l'épiscopat, au presbytérat, au diaconat, sans parler de tous les autres ministères exercés en fait par les croyants. Mais nous n'inventerons rien en disant, à la suite du Nouveau Testament d'ailleurs, que la pierre de touche de l'épiscopat demeure l'annonce de la parole du salut et l'unité de l'Église. De par son identité propre, il tisse un lien avec le lieu fondateur des Apôtres et des Prophètes, et cela, sans jamais « faire l'impasse » sur la figure de Pierre. Le rôle essentiel des prêtres diocésains demeure aussi celui de l'annonce d'une parole qui fait corps avec celle de l'évêque, une parole qui fait l'unité dans l'unité du corps ecclésial. Dans les séminaires d'aujourd'hui l'attention est d'ailleurs grande portant sur le ressourcement intérieur à partir de cette parole biblique et ecclésiale, et sur les capacités concrètes de la communiquer à d'autres. Là encore, la transmission de la parole demeure majeure – une communication qui n'est pourtant valable que si elle s'enracine, non pas dans le simple devoir d'une fonction à remplir, mais dans cette dimension éminemment médiatrice d'une parole qui reste celle du Seigneur. De leur côté, les diacres permanents d'aujourd'hui et leur épouse avec, dont les fonctions apparaissent heureusement des plus diverses, ont l'immense tâche d'inventer de nouvelles manières de servir l'Église et le monde, et particulièrement dans les secteurs où l'Église ne pénètre guère. Il sont pour une part les défricheurs ou les missionnaires du ministère d'aujourd'hui. Car ce ministère, exercé en lien direct avec l'évêque, couvre en fait tous les champs de la vie ecclésiale et humaine, sans uniquement se résorber dans l'administratif, le cultuel ou le caritatif. Leur tâche d'aujourd'hui est celle d'une libre découverte des secteurs nouveaux où devrait s'exercer la ministérialité de l'Église. Mais au sein d'une telle diversité, le lieu d'unité n'en réside pas moins dans la parole qu'ils servent. Ils gardent d'ailleurs le privilège de porter le nom de serveur de la parole ; et le Nouveau Testament classe parmi eux des femmes aussi. On pourrait continuer l'énumération en parlant aussi du ministère des croyants en général. Sans recevoir l'ordination, il n'en sont pas moins soulevés et ordonnés par la parole et l'Esprit de Dieu. Et la question majeure d'aujourd'hui n'est pas tellement celle d'une redistribution des pouvoirs dans l'Église, mais celle d'une meilleure circulation et distribution de la parole chrétienne où les femmes aussi mériteraient d'être écoutées. C'est d'ailleurs ce qui commence concrètement à se faire dans quelques diocèses du moins. Cela dit, l'humour de Dieu en arrive toujours à renverser ces soi-disant situations de pouvoir, en sorte que la plus humble des paroles, s'exprimant jusque dans le mutisme d'un geste chrétien, en vient à surpasser les discours les mieux qualifiés.

CHOIX BIBLIOGRAPHIQUE

On trouvera une excellente bibliographie établie par Simon Légasse, dans H. Hauser, *L'Église à l'âge apostolique*, Le Cerf, Paris, 1996, p. 173-185. Voir aussi P.-E. Langevin, *Bibliographie Biblique* (1930-1983), Laval (Canada), 1985 ; L. Sabourin, *Proto-catholicisme et ministères. Commentaire bibliographique*, Bellarmin, Québec, 1989 ; et la bibliographie du *Bulletin de Saint-Sulpice* (6 rue du Regard, 75006 Paris) au long des années 1975 à 1997. Nous signalerons surtout les ouvrages d'ensemble et de dates récentes, suivant un ordre thématique et chronologique.

Ouvrages généraux sur le ministère

Ph. Menoud, *L'Église et les ministères selon le Nouveau Testament*, Neuchâtel, 1949 ; G. Dix, *Le ministère dans l'Église ancienne (des années 90 à 410)*, Lausanne, 1955 ; E. Käsemann, « Amt und Gemeinde im Neuen Testament », *Exegetische Versuche und Besinnungen* I, Göttingen, 1960, p. 109-134 ; E. Schweizer, *Church Order in the New Testament*, London, 1961 ; P. Grelot, *Le ministère de la nouvelle alliance*, Paris, 1967 ; A. Lemaire, *Les ministères aux origines de l'Église. Naissance de la triple hiérarchie : évêques, presbytres, diacres*, Le Cerf, Paris, 1971 ; id., *Les ministères dans l'Église*, Centurion, Paris, 1974 ; R. Pesh, « Structures du ministère dans le Nouveau Testament », *Istina* 16 (1971), 437-452 ; K. Kertelge, *Gemeinde und Amt im Neuen Testament*, 1972 ; id., *Das Christlische Amt im Neuen Testament*, Darmstadt, 1977 ; P. Bony, etc., *Le ministère et les ministères dans le Nouveau Testament* (sous la direction de J. Delorme), Le Seuil, Paris, 1974 ; M. Miguens, *Church Ministries in New Testament*, 1976 ; J. Guillet, « Le ministère dans l'Église », *Nouvelle Revue Théologique* 112 (1990), 481-501 ; C.K. Barrett, *Church, Ministry, and Sacraments in the New Testament*, Grand Rapids, 1985 ; D.L. Bartlett, *Ministry in the New Testament*, Fortress Press, Minneapolis, 1993 ; E. Dassmann, *Ämter und Dienste in den frühchrislichen*, Bonn, 1994 ; J. Ysebaert, *Die Amsterminologie im Neuen Testament und in der Alten Kirche. Eine Lexicographische Untersuchung*, Breda, 1994 ; C. Perrot, « Service de l'Évangile et genèse des ministères à l'origine », *Spiritus* 143 (1996), 173-185 ; H. Hauser, *L'Église à l'âge apostolique* (LD 175), Le Cerf, Paris, 1999.

L'organisation des charges dans le Judaïsme ancien

S. Appelbaum, « The organization of the Jewish Communities in the Diaspora », dans S. Safrai et M. Stern, éd., *The Jewish People in the First Century*. I, Assen, 1974, p. 464-507 ; J.T. Burtchaell, *From Synagogue to Church. Public services and offices in the earliest christian Communities*, Cambridge, New York, 1992 ; C. Schams, *Jewish Scribes in the Second Temple Period*, Sheffield, 1998 ; C. Hempel, Community Structures in the Dead Sea Scrolls », dans P.W. Flint et J.-C. Vanderkam, éd., *The Dead Sea Scrolls after fifty Years*, Brill, Leiden, 1999, p. 79-86.

Charismes et ministères selon Paul

M-A. Chevallier, *Esprit de Dieu, Paroles d'hommes. Le rôle de l'Esprit dans les ministères selon l'apôtre Paul*, Neuchâtel, 1966 ; F. Hahn, « Charisma und Amt », *Zeitschrift für Theologie und Kirche* 76 (1979), 419-449 ; W.H. Ollrog,

Paulus mit seine Mitarbeiter, Neukirchen, 1979 ; C. Perrot, « Charisme et institution », dans *Recherches de science religieuse* 71 (1983), 81-92 ; id., « Les charismes de l'Esprit », *Christus*, 33 (1986), 281-93 ; T.B. Savage, *Power through weakness : Paul's understanding of the christian ministry in 2 Corinthians*, Cambridge, 1996 ; J.D.G. Dunn, *The Theology of Paul the Apostle*, Edinburgh, 1998.

Le ministère dans les évangiles, les Actes et les Pastorales

J. Dupont, *Le discours de Milet* (LD 32), Le Cerf, Paris, 1962 ; id., « Les ministres de l'Église ancienne », *Les Actes des Apôtres. Nouvelles études sur les Actes des Apôtres* (LD 118), Paris, 1984, p. 133-184 ; A. Satake, *Gemeindeordnung in der Apokalypse*, 1966 ; J. Schmitt, « Tendances nouvelles dans l'organisation communautaire vers la fin du premier siècle apostolique », *Revue de Droit canonique* 25 (1975), 11-18 ; R. Dillon, *From Eye-witnesses to Ministers of th Word*, Rome, 1978 ; J. Roloff, *Der erste Brief an Timotheus*, Zürich, Neukirchen, 1988 ; J. Guillet, « Le ministère dans l'Église : ministère apostolique et ministère évangélique », *Nouvelle Revue Théologique* 112 (1990), 481-501 ; Ph. Rolland, « Le ministère pastoral, ambassade au nom du Christ », *Nouvelle Revue théologique* 105 (1983), 161-178 ; id., *Les Ambassadeurs du Christ*, Le Cerf, 1991 ; id., *La succession apostolique dans le Nouveau Testament*, Paris, 1997 ; E. Cothenet, « Le témoignage selon saint Jean », *Exégèse et Liturgie II* (LD 175), Le Cerf, Paris, 1999, p. 161-177 ; id., « les ministères ordonnés dans les Pastorales », *Exégèse et Liturgie II* (LD 175), Le Cerf, Paris, 1999, p. 221-238.

La pseudépigraphie

D.G. Meade, *Pseudonymity and Canon*, Tübingen, 1986 ; Y. Redalié, *Paul après Paul*, Genève, 1994.

L'apôtre et l'autorité apostolique

W. Schmithals, *Das kirchliche Apostelamt*, 1961 ; L. Cerfaux, « Pour l'histoire du titre *Apostolos* dans le Nouveau Testament », *Recueil Lucien Cerfaux*, III, Gembloux, 1962, p. 185-200 ; J. Roloff, *Apostolat, Verkündigung, Kirche*, Gütersloh, 1965 ; J. Dupont, « Le nom d'apôtre a-t-il été donné aux Douze par Jésus ? », *Études sur les évangiles synoptiques* II, Gembloux, 1985, p. 976-1018 ; J.H. Schutz, *Paul and the Anatomy of Apostolic Authority*, Cambridge, 1975 ; B. Holmberg, *Paul and Power*, Lund, 1978 ; C.K. Barrett, « Shaliah and Apostle », *Donum Gentilicium. D. Daube*, Oxford, 1978, p. 88-102 ; Jacques Bernard, « Le *Shaliah* : de Moïse à Jésus Christ et de Jésus Christ aux Apôtres », Collectif, *La vie de la Parole*, Paris, 1987 ; J. Eckert, « Die Befähigung zur Dienern des Neuen Bundes (2 Ko 3, 6). Neutestamentliche Perspektiven zum Amt in der Kirche », *Trierer Theologische Zeitschrift* 106 (1997), p. 60-78.

Le rôle de Pierre

O. Cullmann, *Saint Pierre, disciple, apôtre, martyr*, Neuchâtel-Paris, 1952 ; R.E. Brown, K.P. Donfried, J. Reumann, *Pierre dans le Nouveau Testament* (trad. fr.), 1974 ; T.V. Smith, *Petrine Controversies in Early Christianity*, Tübingen, 1985 ; G. Claudel, *La Confession de Pierre*, Paris, 1988 ; R. Minnerath, *De Jérusalem à Rome. Pierre et l'unité de l'Église apostolique*, Beauchesne, Paris,

1994 ; C. Grappe, *D'un Temple à l'autre. Pierre et l'Église primitive de Jérusalem*, PUF, Paris, 1992 ; id., *Images de Pierre aux deux premiers siècles*, PUF, Paris, 1995.

Les prophètes chrétiens

U.B. Müller, *Prophetie und Predigt im Neuen Testament*, Gütersloh, 1975 ; V.G. Dautzenberg, *Urchristliche Prophetie*, Stuttgart, 1975 ; E. Cothenet, « Prophétisme dans le Nouveau Testament », *Supplément au Dictionnaire de la Bible*, VIII (1972), col. 1264-1337 ; id., « Prophétisme et ministère d'après le Nouveau Testament », *La Maison-Dieu* 107 (1971), 29-50 ; id., « Les prophètes chrétiens dans l'évangile selon saint Matthieu », dans M. Didier éd., *L'évangile selon Matthieu : rédaction et théologie*, Gembloux, 1972, p. 281-308 ; C. Perrot, « Prophètes et prophétisme dans le Nouveau Testament », *Lumière et Vie*, 115 (1973), 25-39 ; id., « Les prophètes de la violence et la nouveauté des temps », UER de Théologie, *L'Ancien et le Nouveau* (Cogitatio fidei 111), Paris, Le Cerf, 1982, p. 93-109 ; E. E. Ellis, *Prophecy and Hermeneutic*, Tübingen, 1978 ; id., *Pauline Theology, Ministry and Society*, Exeter, 1989 ; D. Hill, *New Testament Prophecy*, Atlanta, 1979 ; M.E. Boring, *Sayings of the Risen Jesus. Christian Prophecy in the Synoptic Tradition*, Cambridge 1982 ; id., *The continuing Voice of Jesus : Christian Prophecy and the Gospel Tradition*, Lousville, 1991 ; D.E. Aune, *Prophecy in Early Christianity and the Ancient Mediterranean World*, Grand Rapids, 1983 ; Jean Zumstein, « Le prophète chrétien dans la Syro-Palestine du Ier siècle », *Foi et Vie*, 83 (1983), p. 83-94 ; W.A. Grudem, *The Gift of Prophecy*, Westchester, 1988 ; T. W. Gillespie, *The First Theologians. A Study in Early Christian Prophecy*, Grand Rapids, 1994 ; C. Forbes, *Prophecy and Inspired Speech in Early Christianity and its Hellenistic Environment*, Peabody, 1997.

Les docteurs ou les enseignants

A.F. Zimmermann, *Die urchristlichen Lehrer. Studien zum Tradentenkreis der didaskaloi im frühen Urchristentum*, Tübingen, 1984 ; C. Perrot, « Quelques réflexions sur l'enseignement et les enseignants selon le Nouveau Testament », *Revue de l'Institut Catholique* (de Paris), 52 (1994), 11-20 ; R.A. Campbell, *The Elders : Seniority within the Earliest Christianity*, Edinburgh, 1994.

Le service ou la diaconie

H. W. Beyer, « diakoneô », *Theologisches Wörterbuch zum Neuen Testament*, II, 81-93 ; J. Colson, *La fonction diaconale aux origines de l'Église*, Bruges, Paris, 1960 ; M. Guerra Y Gomez, *Diaconos helénicos y biblicos*, Burgos, 1962 ; J.N. Collins, *Diakonia. Re-interpreting the Ancient Sources*, New-York, Oxford, 1990.

Les épiscopes et les presbytres

J. Colson, *L'évêque dans les communautés primitives*, Paris, 1951 ; id. *L'épiscopat catholique. Collégialité et primauté*, Le Cerf, Paris, 1963 ; P. Benoit, « Les origines de l'épiscopat dans le Nouveau Testament », *Exégèse et théologie II*, Paris, 1961, p. 232-246 ; M. Guerra y Gomez, *Episcopos y presbyteros*, Burgos, 1962 ; J.P. Meier, « Presbytéros in the Pastoral Epistles », *Catholic Biblical*

Quarterly, 35 (1973), 323-334 ; A. Michiels, *L'origine de l'épiscopat. Étude sur la fondation de l'Église, l'œuvre des apôtres et le développement de l'épiscopat aux deux premiers siècles*, Louvain, 1990 ; F.M. Young, « On Episkopos and Presbyteros », *Journal of Theological Studies*, 45 (1994), 143-148.

Le ministère, le sacerdoce et le culte

Jean Colson, *Ministre de Jésus Christ ou le sacerdoce de l'Évangile*, Beauchesne, Paris, 1966 ; A. Feuillet, *Le Sacerdoce du Christ et de ses ministres d'après la prière sacerdotale du quatrième évangile*, Paris, 1972 ; A. Vanhoye, « Sacerdoce commun et sacerdoce ministériel », *Nouvelle Revue Théologique* 97 (1975), 193-207 ; id., *Prêtres anciens, prêtre nouveau selon le Nouveau Testament*, Paris, 1980 ; J. Auneau et P.M. Beaude, « Sacerdoce », *Supplément au Dictionnaire de la Bible* X (1985), col. 1170-1342 ; A. de Halleux, « Ministère et sacerdoce », *Revue Théologique de Louvain* 18 (1987), 289-316 et 425-453 ; L. Laberge, « Ministères et sacerdoce. Quelques leçons de l'Ancien Testament », *Église et Théologie* 19 (1988), 159-178 ; J. Auneau, « Le sacerdoce dans la Bible », *Cahiers Évangile* 70, Cerf, 1990 ; P. Grelot, « Le ministère chrétien dans sa dimension sacerdotale », *Nouvelle Revue Théologique*, 112 (1990), 161-182 ; M.J. Wilkins et T. Paige, *Worship, Theology and Ministry in the Early Church* (en l'honneur de R.P. Martin), Sheffield, 1992.

L'imposition des mains et l'ordination

Joseph Coppens, *L'imposition des mains et les rites connexes dans le Nouveau Testament et dans l'Église ancienne*, Weteren, Paris, 1925 ; J. Newman, *Semikhah*, Manchester, 1950 ; K. Hruby, « La notion d'ordination dans la tradition juive », *La Maison Dieu* 102 (1970), 30-56 ; E. Käsemann, « La formule néotestamentaire d'une parénèse d'ordination (1 Tm 6, 11-16), *Essais exégétiques*, Neuchâtel, 1972, p. 111-119 ; G. Kretschmar, « Die Ordination im frühen Christentum », *Freiburger Zeitschricht für Philosophie und Theologie.* 22 (1975), 35-69 ; E. Ferguson, « Laying on of Hands ; its Significance in Ordination », *Journal of Theological Studies* 26 (1975), 1-12 ; E.J. Kilmartin « Ministère et ordination dans l'Église chrétienne primitive. Leur arrière-plan juif », *La Maison-Dieu* 138 (1979) 49-92 ; L.A. Hofman, « L'ordination juive à la veille du christianisme », *La Maison-Dieu* 138 (1979), 7-47 ; J. Lécuyer, *Le sacrement de l'ordination*, Beauchesne, Paris, 1983 ; M. Warkentin, *Ordination : A Biblical-Historical view*, Grands Rapids, 1982.

Les femmes à la Synagogue et dans l'Église

L. Swidler, *Women in Judaism*, Metuchen, 1976 ; B. Brooten, « Inscriptional Evidence for Women as Leaders in the Ancient Synagogue », dans *Seminars Papers of SBL* 1981, 1-17) ; id., *Women Leaders in Ancient Synagogues*, Chico (Cal.), 1982 ; R.S. Kraemer, *Here Share of the Blessings*, Oxford, 1992, p. 106s ; V.A. Abrahamsen, *Women and Worship at Philippi. Diana / Artemis and Other Cults in the Early Christian Era*, Portland (ME), 1995 ; F. Manns, « La femme et la synagogue à l'époque de Jésus », *Ephemerides Liturgicae* 109 (1995) 159-165 ; S.L. Mattila, *Voluntary Associations in the Graeco-Roman World* (dir. J.S. Kloppenborg et S.G. Wilson), Londres, New York, 1996 ; S. Safrai, « Were Women Segregated in The Ancient Synagogue ? », *Jerusalem Perspective*, 52 (1997), 24-36.

E. Shüssler-Fiorenza, *Priester fur Gott*, 1972 ; id. « Neutestamentlich-frühchristliche Argumente zum thema Frau und Amt », *Theologische Quartalschrift* 173 (1993), 173-185 ; R. Gryson, *Le Ministère des femmes dans l'Église ancienne*, Gembloux, 1973 ; A.G. Martimort, *Les diaconesses. Essai historique*, Rome, 1982 ; W. Cotter, « Women's Authority Roles in Paul's Churches », dans *Novum Testamentum* 36 (1994), 350-372 ; P. Grelot, *La condition de la femme d'après le Nouveau Testament*, Paris, 1995.

Quelques textes du Magistère

Voir *Documents Conciliaires* 4, « Ministère et vie des prêtres », Centurion, Paris, 1966, p. 157-239. Sur les prêtres, citons seulement : *Ministeria quaedam* (1972) ; Congrégation pour l'éducation catholique, *Ratio Fondamentalis Institutionis Sacerdotalis* (1985) ; *Pastores dabo vobis* (1992) ; Congrégation pour le clergé, *Directoire pour le ministère et la vie des prêtres* (trad. fr.), Centurion, 1994 ; et l'*Instruction sur quelques questions concernant la collaboration des fidèles laïcs au ministère des prêtres* », Rome, 1997. Ajoutons : Les évêques de France, *La formation des futurs prêtres* (préface de Mgr E. Marcus), Centurion, Le Cerf, Paris, 1998.

Théologie du ministère et Pastorale

Y. Congar et B-D. Dupuis éd., *L'Episcopat et l'Église universelle*, Le Cerf, Paris, 1962 ; H. Kung, *Structures de l'Église* (trad. fr.), Desclée, Paris, 1963 ; Joseph Moingt, « Caractère et ministère sacerdotal », *Recherches de Science Religieuses* (1968), 563-589 ; id., « Nature du sacerdoce ministériel », *ibid.* (1970), 237-272 ; id., « Prêtre selon le Nouveau Testament. À propos d'un livre récent », *Recherches de Science religieuse* 69 (1981), 573-598 ; *Le Ministère sacerdotal*. Rapport de la commission internationale de théologie (Cogitatio Fidei 60), Le Cerf, Paris, 1971 ; Y. Congar, « Bulletin de théologie. Les ministères », *Revue de Sciences Philosophiques et Théologiques* 58 (1974), 631-642 ; J.-M. Garrigues, M.-J. Le Guillou et A. Riou, « Statut eschatologique et caractère ontologique de la succession apostolique », *Revue Thomiste*, 3, (1975) ; E. Schillebeeckx, *Le ministère dans l'Église. Service de présidence de la communauté de Jésus-Christ*, Le Cerf, Paris, 1981 ; id., *Plaidoyer pour le peuple de Dieu : histoire et théologie des ministères*, Le Cerf, 1982 ; P. Grelot, *Église et ministères : pour un dialogue critique avec E. Schillebeeckx*, Le Cerf, 1983 ; id., *Les ministères dans le peuple de Dieu. Lettre à un théologien*, Le Cerf, 1988 ; B. Sesboüé, *N'ayez pas peur : Regards dur l'Église et les ministères aujourd'hui*, Desclée de Brouwer, 1996 (voir la recension de M. Vidal dans *Bulletin de Saint Sulpice* 23, 1997, p. 253-261).

Georges Gilson, *Les prêtres. La vie au quotidien*, Desclée de Brouwer, Paris, 1990 ; Emile Marcus, *Les prêtres*, Desclée, 1994. Sur la spiritualité du ministère diocésain, dans sa spécificité propre, voir D. Cozzens, éd., *The Spirituality of the Diocesan Priest*, Collegeville, Minnesota, 1992.

Table des matières

Seconde partie
LE SERVICE D'UNE PAROLE
APOSTOLIQUE ET PROPHÉTIQUE

Mise en page par Édimicro
29, rue Descartes –75005 Paris
Tél. : 01 43 25 35 77 & 36 77 –Télécopie : 01 43 25 37 65
E-Mail : Edimicro.Dafal@wanadoo.fr

Achevé d'imprimer par Normandie Roto Impression s.a.
61250 Lonrai
N° d'éditeur : 5306 – N° fab. : 5371 – N° d'imprimeur : 993018
Dépôt légal : janvier 2000
Imprimé en France